知識ゼロでも基礎から学べる

ビジネス Excel VBA 入門

日経パソコン 編　　土屋和人 著　　　日経BP

はじめに

　Excelは、ビジネスを進めるために、なくてはならないアプリです。強力な機能を数多く備え、あらゆる作業をこなします。応用できる分野が広いだけに、ほんの少しでも効果的な操作方法をマスターすれば、作業全体の効率を大幅に改善できます。

　そんなExcelの作業の中で、決まりきった手順を何回も繰り返す使い方をしているなら、Excel VBAの出番です。決まりきった手順を「マクロ」として作成しておけば、何時間もかかっていたような作業を、ほんの数分で完了することも可能です。例えば、セルの移動やコピー、貼り付けなどを組み合わせた数回のキー操作が必要な手順を、1回のキー操作で実行できるようにするだけでも、作業は格段に効率アップします。

　Excel VBAのマクロは、実行した操作を記録するだけでも作れます。しかし、VBAの実体はプログラミング言語なので、本格的に取り組めば、請求書を自動発行するマクロなど、操作の記録だけでは作れない高度な処理を実現できます。

　本書は、操作を記録してマクロを作ることから始めて、基本を押さえつつ順次高度なマクロにチャレンジしていきます。具体的な数多くの例を通じて、Excel VBAによるプログラミングのポイントを理解するというスタイルです。自分で入力したプログラムのコードが動作したとき、Excel VBAの楽しさを実感できるでしょう。

　本書で解説しているマクロは、サンプルファイルとしてインターネットからダウンロードできます。各Lessonに対応するExcelのブック（ファイル）を用意していますので、自分で入力したコードと見比べながら読み進めれば、付け焼刃ではない本物のスキルを身に付けられます。

　本書をお手元に置き、Excel VBAをビジネスの効率化にお役立てください。

日経パソコン

Contents

サンプルファイルのダウンロード

本書で解説しているマクロのサンプルファイルは下記からダウンロードできます。

ダウンロードページのURL
https://nkbp.jp/3kcj9c

● ダウンロードしたファイルはZIP形式の圧縮フォルダーになっています。
● 展開すると、各章（chapter）のフォルダーに各Lessonのブック（ファイル）が入っています。
● ブックを開くと「セキュリティの警告」が表示されますが、「コンテンツの有効化」を選ぶことで、マクロ
が利用可能になります。Excelでは、マクロ機能を悪用した「マクロウイルス」の被害を防ぐために、
マクロを含むブックを開く際、このような警告が表示されます。作成者不明のマクロ付きブックは開か
ないようにしてください。
● マクロのサンプルファイルは内容の理解を深めるためのものであり、実務における有効な動作を保
証するものではありません。

第1章

Excel VBAとは
何か

マクロ／VBAで
Excelの使い方が変わる

Excelを使った作業の内容は、人の判断を必要とするものと、あらかじめ決めたルールに従って機械的に処理できるものとに分けられる（図1）。

例えば、データや数式をいろいろと考えながら入力したり、書式などの体裁を試しながら整えたりする作業は、操作する人の判断に左右されるので、機械的には処理できない。操作する人が違えば、同じ結果にならないことも多い。

一方、入力済みのデータを決まったルールで修正したり、複数の表に同じ書式やページ設定を適用して印刷したりする作業は機械的な処理であり、誰が操作しても基本的には同じ結果になる。ただし、その量が多ければ、全てを片付けるのにはかなりの手間と時間がかかる。また、操作する人のミスがあり得るので、正しくない結果が紛れ込んでしまう可能性もある。「Excel VBA」が力を発揮するのは、この2つのうちの、ルールに従って機械的に処理できる作業だ。

Excelの作業

人の判断が必要	機械的な処理が可能
●独自データの入力	●ルールに基づく入力
●レイアウトやデザイン	●ルールに基づく修正
●計算方法を考えて数式入力	●ルールに基づく書式設定
ほか	ほか

⊙ 図1 Excelを使う業務では、人の判断が必要となる作業がある一方、機械的に処理できる作業も多い。マクロによって自動化できるのは、主に後者のような作業だ

Excelのマクロ機能とは

Excel VBAの機能を指して「マクロ」と呼ぶことも多い。ここではまず、マクロとVBAがどのようなものかを理解しておこう。

マクロとは、アプリなどの一連の操作をあらかじめ登録し、必要なときに自動的に実行できる機能のこと。Excelの場合、例えば、ワークシートのセルにデータを入力し、表の書式を設定し、印刷用のページ設定を変更して印刷を実行する、

という一連の処理をマクロに登録しておけば、この全ての操作を「マクロを実行する」という1つの操作だけで実行できる（図2）。

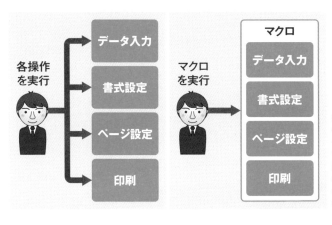

⊖ 図2　Excelの通常の作業では、各段階の操作を1つずつ、全て実行する必要がある。毎回同じ作業であれば、マクロ化しておくことで、「マクロを実行する」という操作だけで済む

　なお、マクロはExcel独自の機能というわけでもない。WordやPowerPoint、Accessといったその他のOfficeアプリにも、マクロ機能は搭載されている。また、Office以外にも、マクロ機能を装備しているアプリは数多くある。

　操作をマクロとして登録する方法も、アプリによってさまざまだ。機能（コマンド）名の一覧から選んで登録したり、実行した一連の操作を記録して登録したり、専用の言語でプログラム（コード）として記述したりなどの方法がある。

　Excelの場合、実行した一連の操作を記録し、マクロとして登録することが可能。その内容は同時に、一種のプログラムとして保存される。このプログラムを記述するプログラミング言語の名前が、「VBA」だ。

　VBAとは「Visual Basic for Applications」の略で、「アプリケーション用のVisual Basic」という意味。ソフトウエア開発用のプログラミング言語であるVisual Basicの言語仕様をマクロ用言語として作り直したものだ。WordやPowerPointなどのマクロもVBAになる。

　Excelなどには「Visual Basic Editor（VBE）」と呼ばれる専用の編集画面が用意されており、VBAで記述されたマクロの内容を、プログラムのコードとして確認できる（図3）。まずは記録機能を利用してExcelのマクロを作成し、VBEでそのプログラムを編集して、より実用的なマクロに改良するという使い方もできる。あるいは、記録機能を使わず、ユーザー自身が最初からVBAを使って、新

しいマクロのプログラムを作成することも可能だ。VBEには、VBAによるプログラムの作成を支援する各種の機能が用意されている。

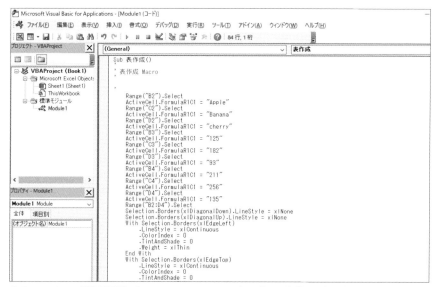

♦ 図3　マクロの編集用画面であるVisual Basic Editor（VBE）。記録機能で自動的に作成されたVBAのプログラムを編集できるほか、新しいプログラムを直接入力して作成することも可能だ

　WordやPowerPoint、AccessにもそれぞれのVBAがあり、VBEも用意されている。VBAは基本的に同じ仕様だが、使える命令などでアプリごとの違いがある。Wordの場合は、記録機能によるマクロの作成も、その実体であるVBAのプログラムの編集も、Excelと同様に可能。一方、PowerPointには記録機能がなく、VBAのプログラムを直接記述してマクロを作成する。

　Accessの場合は少し特殊で、VBAによるプログラムの作成も可能だが、それとは別に、コマンド登録方式のマクロ機能も用意されている。つまり、AccessではマクロとVBAが必ずしも同じではない。

記録マクロと制御構造

　Excelのマクロ記録機能で作成したマクロを実行すると、その記録時と同じ一連の操作が、全く同じ手順で再び実行される。記録時に操作対象のセルやセル範囲の選択方法を工夫することで、実行時にその対象を変化させるといったテ

クニックはあるが、実行される処理の内容は変わらない。

　プログラミング言語では、設定した条件の真偽に応じて処理の内容を変える「条件分岐」や、対象を変えて同じ処理を何度も実行する「繰り返し」を利用して、プログラムの流れを切り替えることができる（図4）。このような仕組みを「制御構造」と呼ぶ。VBAもプログラミング言語として、制御構造のためのさまざまな機能が用意されている。

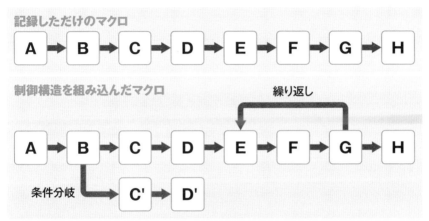

記録しただけのマクロ

A → B → C → D → E → F → G → H

制御構造を組み込んだマクロ

繰り返し

A → B → C → D → E → F → G → H

条件分岐 → C' → D'

�“ 図4　記録マクロでは、記録した通りの操作を一方向に実行するだけ。「制御構造」を組み込むことで、条件などに応じてプログラムの流れを変化させることが可能になる

　記録機能で作成したマクロは、記録した通りの操作を順番に実行するだけであり、自動で制御構造が組み込まれることはない。しかし、その実体であるVBAのプログラムを編集し、各種の制御構造を組み合わせることで、データの内容などに応じて柔軟に処理の流れを変化させることができる。

　さらに、VBAのプログラミングに慣れてきたら、記録機能を使わず、最初からさまざまな制御構造を組み込んだコードを記述していこう。その方が、最終的にはより高度で複雑なプログラムを作成できるようになる。

マクロを使用するメリット

　Excelでマクロを利用する最大のメリットは、手作業では時間も労力もかかる作業を、全て自動で、かつ圧倒的に短時間で完了できる点だ（図5）。制御構造などを適切に利用した高度なマクロプログラムであれば、数千件、数万件に及

ぶセルのデータを全て修正したり、複数のシートに入力されたデータを1つにまとめて整形したりといった処理を、ほぼ一瞬、あるいは数秒程度で実行できる。

マクロのもう一つの大きなメリットは、その正確さだ。前述した通り、人間の作業にはミスが付き物だが、マクロであれば、あらかじめ設定した手順の通りに、確実に全ての作業を実行できる。

ただし、これはあくまでもプログラム自体にミスがないという前提だ。プログラムには、何らかの誤り（バグ）が含まれている可能性が常に存在する。ある程度複雑なマクロプログラムを作成した場合は、実務で使用する前に、十分な検証とデバッグ（バグを取り除く作業）が不可欠となる。マクロ作成自体のハードルの高さに加え、こうした点はマクロのデメリットとも言えるだろう。

メリット	デメリット
●作業の効率化・省力化 ●作業時間の短縮 ●作業の確実性・安全性 ●作業手順の簡略化	●作成にはスキルが必要 ●作成自体に時間がかかる ●バグの危険性

↪ 図5　マクロにはメリットとデメリットがある。これらをよく検討し、マクロを利用するかどうかを決めよう

分かりやすい作業環境を整える

不慣れな人にExcelの作業を任せるなどの場面で、分かりやすく簡単に実行できる手順や環境を整えられるという点も、マクロのメリットの一つだ。

もともとExcelには、作業を効率的に実行したり、自動的に処理したりするための便利な機能が数多く用意されている。例えば、特定のデータを一括で別のデータに変更する「置換」や、規則的なデータを自動入力できる「オートフィル」、条件に合うセルの書式を自動的に変化させる「条件付き書式」、条件に合う行だけを表示させる「フィルター」などだ。マクロほどではないが、これらも一種の自動化機能と言ってよいだろう。

もちろん、こうした機能を使いこなすには、各機能について詳しく知っておく必要がある。便利な機能であればあるほど、設定できるオプションも増え、その一つひとつの項目について理解していなければならない。Excelの操作に慣れていない人は、これらの機能を知らないことで、ついつい作業の手間数を増やしてしまうというケースがあり得る。

　VBAでマクロプログラムを作成する場合、少なくともプログラムの作成者には、これらの機能の知識が不可欠と言える。VBAはプログラミング言語なので、Excelの便利な機能を積極的に使わなくても、大量のデータを処理するためのプログラムを組むことはできる。しかし、そのようなプログラムは、かなり複雑なものになりがちだ。Excelに用意されている置換などの機能をVBAで活用することで、簡潔かつ効率的なプログラムにすることができる。

　こうした便利な機能を組み込んで簡単に実行できる仕組みを整えたブックを目指そう。そうすることで、Excelでの作業に不慣れな人にも、比較的容易に作業を任せられるようになる。

Excel VBAでできること

　Excelのマクロ／VBAで、セルへの入力、書式の設定、ページ設定と印刷、ブックの作成といったExcelの内部的な操作のほとんどを自動化できる。しかし、VBAでできることはそれだけではない。最後に、それらの概要を列挙しておこう。なお、本書で取り上げていない機能もあり、その点はご容赦いただきたい。

・操作に応じて自動的に実行

　一般的なマクロプログラムの場合、自動化とはいっても、「そのマクロを実行する」という操作自体は必要となる。VBAでは、例えば特定のセルを選択したり、特定のデータをセルに入力したり、特定のブックを開いたりといった操作に応じて、自動的に実行されるプログラムを作成することも可能だ。

　このようなタイプのマクロは、「イベントマクロ」または「イベントプロシージャ」と呼ばれる。

・外部のプログラムの操作

　Excelの内部の操作だけでなく、対応している外部のアプリの機能をVBAから操作することもできる。例えば、WordやPowerPoint、OutlookといったアプリをExcel VBAから操作し、WordのデータをExcelに取り込んだり、ブックのデータを利用してPowerPointのプレゼンテーションを作成したりといったプログラムを作成することが可能だ。また、Windowsのファイル操作をVBAから実行することもできる。

・数式で使える独自の関数を作成

　VBAを利用することで、ワークシートの数式で使用する独自の関数を作成することもできる（図6）。このような関数を、「ユーザー定義関数」と呼ぶ。通常の

関数と同様、数式の中で関数名を使って指定し、「()」の中に計算に使用する引数を指定する。その計算の結果が戻り値として返され、セルに表示される。

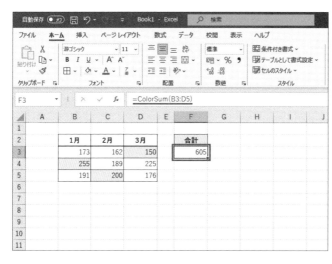

⊙ 図6　作成したユーザー定義関数の例。この「ColorSum」関数では、引数に指定したセル範囲の中で、何らかの塗り潰しの色が設定されているセルの数値のみの合計を求めている

　ユーザー定義関数のプログラムは、マクロのプログラムである「Subプロシージャ」とはやや異なる、「Functionプロシージャ」というタイプだ。マクロのプログラムと同じ場所（標準モジュール）に記述するが、単体で実行することはできない。なお、Functionプロシージャ自体はそもそもVBAのプログラムの一つであり、ユーザー定義関数としてだけでなく、VBAのほかのプログラムから呼び出す形で利用することもできる。

・操作用部品（コントロール）の利用

　VBAの機能そのものではないが、VBAと関連の深い機能として、「コントロール」がある。コントロールとは、図形などと同様にワークシート上に配置できる、操作用の部品のことだ。大きく分けて、「フォームコントロール」と「ActiveXコントロール」の2種類がある。

　フォームコントロールはやや古い機能で、その操作や設定の手順は一般的な図形に近い。一方、ActiveXコントロールはフォームコントロールに比べると新しい機能で、一般的な図形とは異なる独自の操作が必要となる（図7）。ActiveXコントロールの設定にはVBAの知識が必要となるが、フォームコントロールよりも細かい設定が可能となっている。

⊖ 図7 ActiveXコントロールの使用例。2グループのオプションボタンと1つのチェックボックスで処理内容を設定し、「実行」をクリックしてVBAのプログラムを実行する

　コントロールの種類自体は、フォームコントロールにもActiveXコントロールにも共通するものが多い。具体的には、プログラム実行用のコマンドボタン、設定のオン／オフを表すチェックボックス、複数の選択肢から1つを選ぶオプションボタンなどだ。チェックボックスなどを使って操作の詳細を設定し、コマンドボタンのクリックによって、そのボタンに設定してあるVBAのプログラムを実行するというのが、コントロールの一般的な利用方法だ。

・独自の作業用画面（ユーザーフォーム）の作成

　上記のコントロールを、ワークシート上ではなく、専用の設計画面上に配置して、独自の作業用画面を作成できる機能が「ユーザーフォーム」だ。ユーザーフォームを利用することで、オリジナルのダイアログボックスや、一種の簡易アプリを作成できる。ユーザーフォームについては第7章で詳しく紹介する。

Column

マクロウイルスに要注意

　VBAでは、Excel以外のファイルのデータを取り出したり、ファイルそのものを削除したりする操作もできる。それ以外にも"できること"の範囲が広いため、VBAを悪用した「マクロウイルス」と呼ばれる不正なプログラムも存在する。悪質な被害を及ぼすコンピューターウイルスだ。

　これを防ぐため、通常の設定では、作成済みのブックに含まれたマクロは、開いた時点では実行できない状態になる。自作のマクロや、信頼できる作成者のマクロのみを実行可能にしよう。WordやPowerPointのVBAも同様なので、作成者不明のOfficeファイルを不用意に開いてはいけない。

マクロなしで使える自動化機能

マクロ／VBAを使わなくても、Excelの標準機能で自動化できる作業はいろいろあるので、上手に使い分けよう。ここでは、主要な3機能を取り上げた。

【置換】

「置換」は、目的のデータが入力されたセルを検索し、それを別のデータに置き換えるものだ。該当するセルを一つひとつ確認して別のデータに置き換えていくことも可能だが、全ての該当セルを一度に置換することもできる。

セルに入力されたデータだけでなく、セルに設定された書式を対象にした置換も可能だ。例えば、特定のデータが入力されたセルに特定の背景色を一括で設定したり、特定のフォントが設定されたセルを一括で別のフォントに変更したりといった、さまざまな応用法が考えられる。

【オートフィル】

同じ行または列の連続したセル範囲に規則的なデータを入力したい場合は、「フィル」関連の機能が利用できる。設定画面を表示して細かいオプションを指定することも可能だが、「オートフィル」はドラッグ操作だけで利用でき、手軽で便利だ。

オートフィルの基本操作は、選択したセルの右下に表示される点（フィルハンドル）をドラッグすること。選択セルの値を単純にコピーしたり、1ずつ増加していく連続データを入力したり、選択した2つのセルの値に基づいて、その差分だけ増減していく連続データを入力したりといった操作が可能だ。

【条件付き書式】

表のデータなどに応じて各セルの書式を変えたい場合、手作業で書式設定を変更するのは面倒だし、対象のセルを見落としたり間違えたりする可能性もある。「条件付き書式」を利用すれば、該当するセルの書式を自動的に変化させることができる。入力ミスや、問題のあるデータの検出にも便利な機能と言える。

さらに、この機能を活用すれば、1つのセルの値を変えるだけで表全体の見た目を大きく変化させるような、動的なブックを構築することも可能だ。

第2章

操作を記録して
マクロを作る

「マクロの記録」で 操作手順をマクロにする

Excelには「マクロの記録」という機能があり、画面で行った操作の手順を「VBA」のプログラムとして記録できる。まずはこの機能を利用して簡単な「マクロ」を作ってみよう。

既に説明した通り、アプリなどで一連の操作を自動的に実行できる機能を「マクロ」と呼ぶ。Excelのマクロの実体は、「VBA」という言語で書かれたプログラムだ。直接プログラムを書くのはやや難しいが、実行した一連の操作を記録し、それを再現するマクロのプログラムを自動作成するのは難しくない。

ここでは、複数のセルにデータを入力し、罫線や塗り潰しの色、列の幅といった書式を整えるという一連の手順を記録し、マクロとして作業中のブックに保存しよう（図1）。

作成するマクロの実行例

▲	A	B	C	D	E	F
1						
2						
3						
4						
5						
6						
7						
8						
9						
10						
11						

→

▲	A	B	C	D	E	F
1						
2		店名				
3		秋葉原店				
4		飯田橋店				
5		上野店				
6		恵比寿店				
7		御茶ノ水店				
8						
9						
10						
11						

マクロを実行

🔎 図1　B2〜B7セルに支店名のリストを入力し、全体に罫線を設定。さらに、見出しのB2セルに薄い緑の背景色と中央ぞろえを設定し、B列の幅を入力データに合わせて自動調整する。この一連の作業を記録してマクロ化し、別シートでも自動的に実行させてみよう

「マクロの記録」を開始する

マクロの記録を開始するには、「表示」タブにある「マクロ」の「▼」を押して「マクロの記録」を選ぶ（図2）。なお、画面下部のステータスバーの左側に、マクロ

の記録を実行するボタンが表示されているので、そのボタンをクリックしてもよい。この例で作成するマクロは、最初にB2セル選択の操作をするので、事前にこのセル以外を選択しておく。

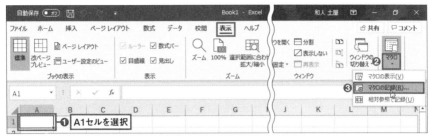

⬆ 図2　A1セル（最初に入力対象となるB2セル以外）を選択している状態で、マクロの記録を開始する。「表示」タブの「マクロ」の「▼」をクリックし、「マクロの記録」を選ぶ

「マクロの記録」画面が表示されるので、「マクロ名」として分かりやすい名前を入力する（図3）。「マクロの保存先」は、ここでは「作業中のブック」のままにしておく。「ショートカットキー」の指定や「説明」の入力は省いてもよい。

⬅ 図3　「マクロの記録」画面が表示される。「マクロ名」欄は、初期状態では「Macro1」などとなっているが、ここでは「支店リスト作成」に変更した。「ショートカットキー」欄に「h」を指定し、さらに「説明」欄に入力。「OK」をクリックする

表作成の操作を記録する

ここからは、マクロとして記録したい一連の操作を、実際に実行していこう。まず、B2セルをクリックして「店名」と入力（図4左）。[Enter]キーを押して確

定すると、自動的にアクティブセルが1つ下のB3セルに移るので、続けて各店名を入力していく（**図4右**）。

⚙ 図4　B2セルをクリックして選択し、「店名」と入力（左）。［Enter］キーで入力を確定すると、アクティブセルが1つ下のB3セルに移る。このセルからさらに下方向へ、各店名を入力していく（右）

　データを入力したB2〜B7セルを改めて選択し、「ホーム」タブの「罫線」の「▼」から「格子」を選ぶ（**図5**）。これで、選択範囲の各セルの四辺に、標準的な罫線が設定される。

⚙ 図5　改めてB2〜B7セルを選択し、「ホーム」タブの「罫線」の「▼」をクリックして、「格子」を選ぶ。これで、選択範囲の全てのセルの四辺に、標準的な色と太さの罫線が設定される

　次に、見出しのB2セルを選択し、「ホーム」タブの「塗りつぶしの色」の「▼」から「緑、アクセント6、白＋基本色60％」を選ぶ（**図6**）。Excelのバージョンによっては、この色は存在しないが、その場合は適当な色を選んでおこう。さらに、B2セルを選択している状態で、「ホーム」タブの「中央揃え」をクリックする。

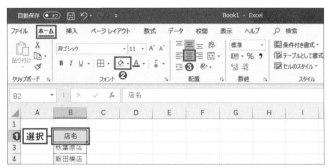

図6　見出しのB2セルを選択する。「ホーム」タブの「塗りつぶしの色」の「▼」から「緑、アクセント6、白＋基本色60％」を選ぶ。さらに、「ホーム」タブの「中央揃え」をクリックする

　最後に、この列に入力したデータが全て収まるように、列の幅を調整しよう。B列の列番号の右側の境界部分をダブルクリックすると、この列で最も長い文字列に合わせて、列幅が自動設定される（図7）。

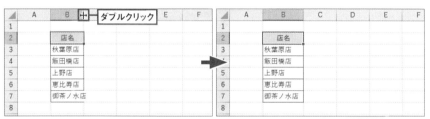

○ 図7　B列の列番号の右側の境界部分をダブルクリックする。これで、この列に入力されている中で最も長いデータに合わせて、列の幅が自動設定される

　以上で、マクロ化したい操作は終了だ。「表示」タブの「マクロ」の「▼」をクリックし、「記録終了」をクリック（図8）。これで、実行した一連の操作が、このブックにマクロとして記録される。なお、画面下部のステータスバーの左側にあるボタンをクリックしても、マクロの記録を終了することができる。

○ 図8　以上で支店リスト作成の作業は完了したので、マクロの記録を終了する。「表示」タブの「マクロ」の「▼」をクリックし、「記録終了」を選べばよい

25

記録したマクロを実行する

　記録機能で作成したマクロ「支店リスト作成」は、記録時とは別のワークシート上で実行することも可能だ。ここでは、まず新しいワークシートを追加し、このシート上でマクロを実行してみよう（図9）。このマクロの場合、実行時にどのセルが選択されていても問題ない。

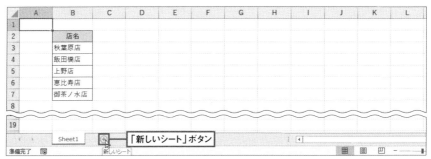

🔼 図9　未入力のワークシートで、作成したマクロがどのように動作するかを確認してみよう。シート見出しの右側の「新しいシート」ボタンをクリックし、ブック内に新しいワークシートを追加する

　「表示」タブの「マクロ」をクリック（図10）。表示される「マクロ」画面で、目的のマクロを選択する。作成済みのマクロは「支店リスト作成」だけなので、最初から選択された状態だ（図11）。選択したマクロに関しては、この画面の下側に、記録時に設定した説明が表示される。「実行」をクリックする。

🔼 図10　このマクロを実行するときには、どのセルが選択されていても問題ない。「表示」タブの「マクロ」をクリックする

🔾 図11　「マクロ」画面が表示されるので、実行可能なマクロの一覧から、作成した「支店リスト作成」を選択する。作成されたマクロが1つだけの場合は、最初からそれが選択されている状態だ。「実行」をクリックする

マクロ「支店リスト作成」が実行され、B2〜B7セルへのデータの入力と罫線などの書式の設定が、自動的に実行される（**図12**）。

▲	A	B	C	D	E	F	G	H	I
1									
2		店名							
3		秋葉原店							
4		飯田橋店							
5		上野店							
6		恵比寿店							
7		御茶ノ水店							
8									
9									
10									
11									

🔾 図12　このシートのB2〜B7セルに自動的にデータが入力され、表の書式が設定される。このマクロは記録時にショートカットキーを設定しているため、[Ctrl] キーを押しながら [H] キーを押して実行することもできる

　ここでは、記録時の設定で「マクロの保存先」を「作業中のブック」にしたため、作成されたマクロはブック自体に保存されている。このブックを開いている状態であれば、別のブックのワークシートでもこのマクロを使用可能だ。

　また、マクロの記録時に「ショートカットキー」として「h」を指定したため、[Ctrl] キーを押しながら [H] キーを押しても、このマクロを実行できる。ちなみに、ショートカットキーに指定できる文字はアルファベットのみ。小文字ではなく大文字を指定した場合、[Ctrl] キーと [Shift] キーを押しながらそのキーを押すことで、マクロが実行される。

記録開始前の状態に注意する

このマクロでは、最初にB2セルに入力するため、記録開始前はそれ以外のセルを選択していた。仮に、B2セルを選択した状態でマクロの記録を開始するとどうなるかを試してみよう（**図13**）。それ以降の操作手順は、図4～図8と同様だ。

⤴ 図13　このマクロでは、最初に「B2セルを選択する」という操作が必要なため、必ずそれ以外のセルを選択した状態で記録を開始する。ここでは、事前にB2セルを選択してマクロを記録するとどうなるかを試してみよう。以降は、図4～図8と同様に操作する

最初に「B2セルを選択する」操作が記録されていないため、このマクロを実行すると、その時点でのアクティブセルに最初の「店名」が入力されてしまう（**図14**）。つまり、最初に特定のセルを操作対象としたい場合は、それ以外のセルを選択している状態で記録を開始する必要がある。

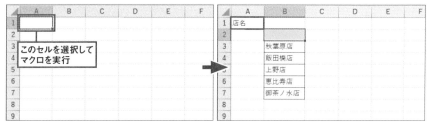

⤴ 図14　新しいワークシートを作成し、記録したマクロを実行する。最初にB2セルを選択する操作が記録されていないため、まずアクティブなA1セルに「店名」と入力される。それ以降は、同様にB2～B7セルを対象として、表作成の操作が自動実行される

マクロを含むブックを保存する

このブックを保存する場合、通常の「Excelブック」形式では、マクロを含めて保存することができない。VBAを使用しているブックは、通常は、「Excelマクロ有効ブック」形式で保存する（**図15**）。

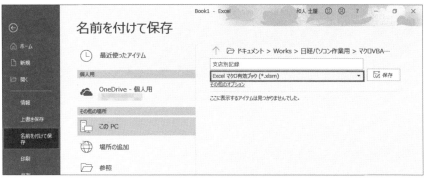

⚫ 図15　マクロを含むブックは、通常の「Excelブック」形式で保存することはできない。「名前を付けて保存」の画面では、ファイル形式として、「Excelマクロ有効ブック」を選択する必要がある

　保存したブックを一度閉じ、改めてExcelで開くと、通常の設定では、マクロが無効な状態で開かれる。これは、いわゆる「マクロウイルス」などに対するセキュリティ上の理由によるものだ。このとき、画面上部には「セキュリティの警告」メッセージバーが表示されている。マクロに危険がないことが分かっている場合は、そのバーの「コンテンツの有効化」をクリックする（図16）。

　これで、このブックのマクロが有効になる。いったん有効化すれば、ファイル名や保存場所を変えない限り、これ以降、最初からマクロが有効な状態でブックを開くことができる。

⚫ 図16　マクロを含むブックを一度閉じ、改めて開くと、最初はマクロが無効な状態になっている。表示される「セキュリティの警告」メッセージバーで、「コンテンツの有効化」をクリック。これでマクロが有効になり、以後もこのブックのマクロが使用可能になる

マクロの使い方を考えて 手順を工夫する

Lesson 02

　ここでは、記録機能を利用して、より実用的なマクロを作成するためのポイントを押さえていこう。さまざまな場面に対応できるマクロを作るために重要なのは、「相対参照で記録」と操作対象の上手な選択方法だ。

　例として、同じような体裁の表に、塗り潰しの色などの書式を自動的に設定するマクロを、記録機能を使って作成していこう（図1）。

作成するマクロの実行例

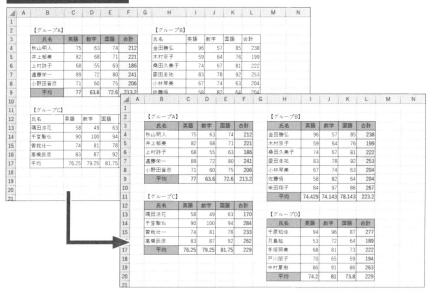

⬆ 図1　表の見出しのセルと数式のセルに、それぞれ書式を設定する操作を記録してマクロ化し、ほかの表にも自動で適用しよう。ただし、各表の行数が異なるため、自動設定できるようにするには、記録時の操作に一工夫する必要がある

　Lesson 01で作成したマクロは、特定のセルをクリックして選択するという操作で記録したため、常に同じ位置のセルしか処理の対象にできない。ここで作

成するマクロでは、アクティブセルとの位置関係に基づいて対象セルを決める「相対参照で記録」という方法で記録する。

対象とする表は全て同じ列数だが、行数は表ごとに異なる。最初の表で、一定の行数を移動または選択するという操作を記録した場合、そのままではほかの表に適用できない。異なる列数や行数に対応させるには、表の端を自動判定するなどの方法で対象セルを選択し、書式を設定する操作を記録するとよい。

基準のセルを選択してから開始する

まずは、記録を開始する時点でのアクティブセルの位置を基準として、処理対象のセルを決定する。

最初の基準となる「グループA」の表の左上端のB3セルを選択（図2）。ステータスバーの「マクロの記録」ボタンをクリックする。「マクロの記録」画面の各欄に必要な項目を指定し、「OK」をクリックして記録を開始する（図3）。

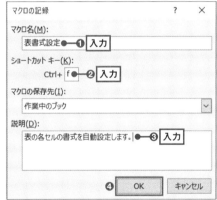

🔴 図2 「グループA」の表に対する操作を記録していく。B3セルを選択し、ステータスバーの「マクロの記録」ボタンをクリックする

🔴 図3 「マクロの記録」画面の「マクロ名」欄に「表書式設定」と入力。「ショートカットキー」欄に「f」、「説明」欄に文章を入力し、「OK」をクリックする

相対参照に切り替えて記録する

「表示」タブの「マクロ」の「▼」をクリックし、「相対参照で記録」を選ぶ（図4）。これで、アクティブセルを基準とした相対的な位置関係で、操作対象のセルが記録される。

なお、事前に「相対参照で記録」を有効にしてから、マクロの記録を開始してもよい。記録中にこの設定を変更することも可能だ。

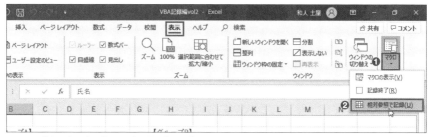

🔼 図4　「表示」タブの「マクロ」の「▼」から「相対参照で記録」を選ぶ。これは、セルを選択する操作を、特定のセルを対象として記録するのではなく、アクティブセルとの相対的な位置関係として記録する方法だ

見出しセルの書式を設定する

まず、見出しのセル範囲を選択し、書式を設定しよう。アクティブセルのB3セルから右方向へ、5列分のセル範囲を選択する。これは、[Shift]キーを押しながら[→]キーを4回押せばよい（図5）。なお、この操作は普通にドラッグすることでもOKだが、このような操作の方が、記録内容が分かりやすいだろう。

🔽 図5　最初にB3セルが選択されている状態で、[Shift]キーを押しながら[→]キーを4回押す。これで、選択範囲が右方向に拡張され、B3～F3セルが選択される。この操作は、アクティブセルから右側5列分のセル範囲を選択する操作として記録される

選択範囲に、背景色として「青、アクセント5、白＋基本色40％」を設定（図6）。さらに「中央揃え」を設定する（図7）。

この表の左下端のB9セルも、「平均」と入力された見出しのセルだ。しかし、直接このセルをクリックして選択すると、「アクティブセル（B3セル）と同じ列で6行下にあるセルを選択する」という操作として記録されてしまう。

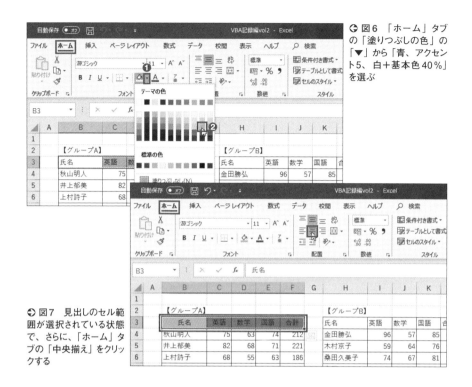

○ 図6 「ホーム」タブの「塗りつぶしの色」の「▼」から「青、アクセント5、白+基本色40%」を選ぶ

○ 図7 見出しのセル範囲が選択されている状態で、さらに、「ホーム」タブの「中央揃え」をクリックする

そこで、[Ctrl] キーを押しながら [↓] キーを押して、アクティブセルから下方向の終端セルへジャンプする（図8）。「終端セル」とは、連続してデータが入力されている範囲の最後のセルのことだ。自動選択されたB9セルに、上の見出しセルと同様の書式を設定する（図9）。

○ 図8 氏名が入力されたセル範囲の下にある「平均」というセルにも、同じ見出しの書式を設定したい。このセルの位置を自動判定するために、[Ctrl] キーを押しながら [↓] キーを押す。これで、アクティブセル（B3セル）から下方向の終端セルにジャンプする

33

🔾 図9　選択されたB9セルに、同様にして塗り潰しの色と中央ぞろえを設定する。なお、このセルを選択するために、直接B9セルをクリックした場合は、アクティブセルの6行下のセルを選択する操作として記録される

数式セルの書式を設定する

　この表では、右端列に同じ行の左3列分の点数の合計を求める数式が、下端行に同じ列の上5行分の点数の平均を求める数式が、それぞれ入力されている。これらの数式セルに、見出しよりも薄めの背景色を、まとめて設定したい。しかし、表によって行数が異なるため、数式セルの範囲も表によって異なる。

　このような場合は、表の中の数式のセルだけを自動選択し、書式を設定しよう。[Ctrl] キーと [Shift] キーの両方を押しながら [:] キーを押して、アクティブセル領域（アクティブセルを含み、連続してデータが入力されている長方形の範囲）を自動選択する（図10）。

🔾 図10　次に、数式が入力されたセルに書式を設定しよう。この表の数式セルだけを対象としたいため、まず表の範囲全体を選択する。[Ctrl] キーと [Shift] キーを押しながら [:] キーを押すと、アクティブセルを含む表の範囲全体が自動選択される

　さらに、「ホーム」タブの「検索と選択」から「数式」を選ぶと、選択範囲内で数式が入力されている全てのセルが自動選択される（図11）。なお、セル範囲で

はなく1つのセルだけを選択した状態でこの操作を実行すると、ワークシート全体の数式セルが選択される。

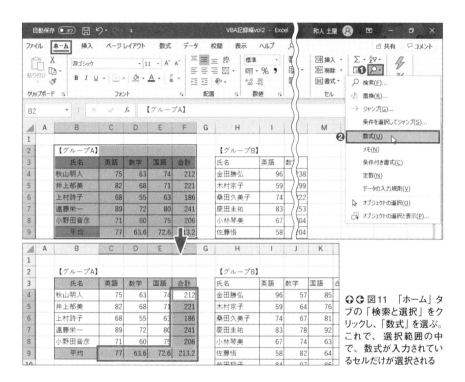

↖↙図11 「ホーム」タブの「検索と選択」をクリックし、「数式」を選ぶ。これで、選択範囲の中で、数式が入力されているセルだけが選択される

この選択範囲に対し、「青、アクセント5、白+基本色80%」の背景色を設定する（図12）。

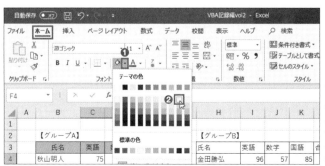

↙図12 「ホーム」タブの「塗りつぶしの色」の「▼」をクリックし、「青、アクセント5、白+基本色80%」を選ぶ。これで、見出しのセルよりもやや薄い青が、数式セルに設定される

　記録を終了する前に、最初に選択していた表の左上端の基準セルに、アクティブセルを戻しておこう。現在のアクティブセルはF4セルなので、単にB3セルをクリックすれば、F4セルの1行上で4列左のセルを選択する操作として、相対参照で記録される（**図13**）。

⊙ 図13　最後に、B3セルをクリックして、アクティブセルを開始時のセルに戻そう。現在のアクティブセルはF4セルなので、「アクティブセルの1行上で4列左のセルを選択する」という操作として記録される

　これで全ての操作が完了したので、マクロの記録を終了する（**図14**）。

⊙ 図14　記録したい操作は、以上で全て完了だ。画面左下のステータスバーの「記録終了」ボタンをクリックし、マクロの記録を終了する

ほかの表でマクロを実行する

　記録したマクロを、ほかの表を対象にして実行してみよう。まず、「グループB」の表の基準となるH3セルを選択し、「表示」タブの「マクロ」をクリックする（図

15）。表示される「マクロ」画面で、作成されたマクロ「表書式設定」を選択し、「実行」をクリック（**図16左**）。これで、アクティブセルを基準として、表の見出しと数式のセルに書式が自動設定される（**図16右**）。

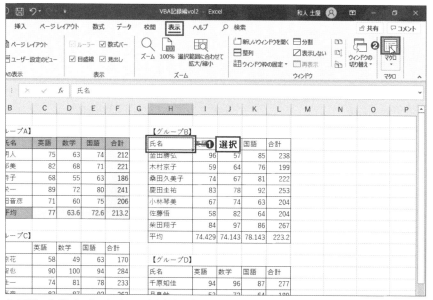

○ **図15** 作成したマクロを、ほかの表を対象に実行し、その見出しと数式のセルの書式を自動設定していこう。まず、「グループB」の表の基準となるH3セルを選択。「表示」タブの「マクロ」をクリックする

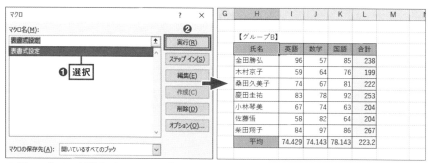

○ **図16** 「マクロ」画面が表示されたら、「マクロ名」欄で「表書式設定」を選択し、「実行」をクリックする。これで、グループBの表の見出しセルと数式セルに、自動的に書式が設定される

　次の「グループC」の表に対しては、記録時に設定したショートカットキーを利用して、マクロを実行してみよう。基準となるB12セルを選択し、[Ctrl] キー

を押しながら［F］キーを押せばよい（図17）。

同様に、［グループD］の表に対しても、基準のH14セルを選択し、［Ctrl］＋［F］キーを押して、マクロ「表書式設定」を実行する。なお、この例の複数の表は、行の数はそれぞれ異なるが、列の数は全て同じだ。列数が異なる表の場合、このマクロでは、見出しセルの範囲に書式が正しく設定されない。

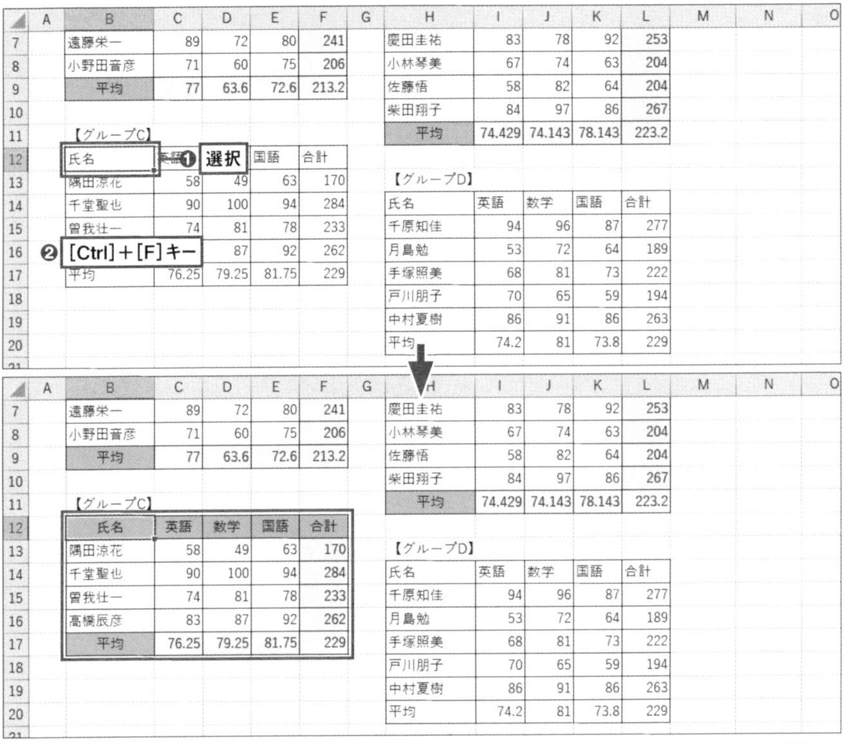

↑ 図17　次は、記録時に設定したショートカットキーを利用する。「グループC」の基準のB12セルを選択し、［Ctrl］キーを押しながら［F］キーを押せば、やはり各セルの書式が自動設定される。同様に、「グループD」の表にも書式を自動設定しよう

列数が異なる表にも対応できる

このマクロの処理を、列数の異なる表に対しても適用したい場合は、やはり記録時に、終端セルの自動選択機能を利用する。

［Ctrl］キーだけでなく、［Shift］キーも同時に押しながら［→］キーを押すと、

アクティブセルから右方向の終端セルまでの範囲が自動選択される（図18）。この方法で範囲を選択し、書式を設定する操作を記録してマクロ化すればよい。

🔊 図18　列数が一定ではない複数の表に対し、同様に見出しのセルの書式を自動設定したいケースもあるだろう。その場合は記録中、図5のような操作のときに、基準のセルをアクティブにして［Ctrl］キーと［Shift］キーを押しながら［→］キーを押し、右端までのセル範囲を自動選択すればよい

記録したマクロのプログラムを確認

　Excelのマクロの実体は、「VBA」という言語で記述された一種のプログラム。これらのマクロは基本的に、記録時に実行した一連の操作が、そのままVBAのプログラムコード（記述されたプログラム）化されている。コード中で使われる文字列の多くは英語がベースなので、単語の意味からある程度は機能を推測できるだろう。最後に、Lesson 01とLesson 02の手順で1つのブックに記録したマクロがどのようなコードになっているかを画面で確認しておこう。

　まず、「表示」タブで「マクロ」をクリックする（図19）。表示される「マクロ」画面の「マクロ名」欄に、作成したマクロが一覧表示されている（図20）。ここで任意のマクロを選択すると、この画面の下部に、記録時に設定したマクロの説明が表示される。

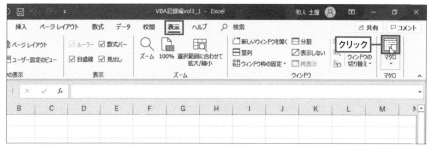

⤴ 図19　まず、作成したマクロの設定を変更する方法を紹介する。マクロが含まれているブックを開いている状態で、「表示」タブの「マクロ」をクリックする

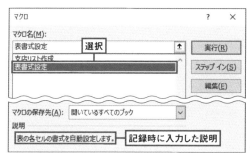

◐ 図20　「マクロ」画面が表示される。「マクロ名」欄で目的のマクロ名を選択すると、その記録を開始するときに設定した説明が、画面下部の「説明」欄に表示される

　不要なマクロがある場合は、そのマクロを選択して、「削除」をクリックすればよい。また、マクロ記録の開始時に設定した内容を変更したい場合は、「オプション」をクリックする（**図21左**）。「マクロオプション」画面が表示され、ショートカットキーの設定や説明を変更できる（**図21右**）。

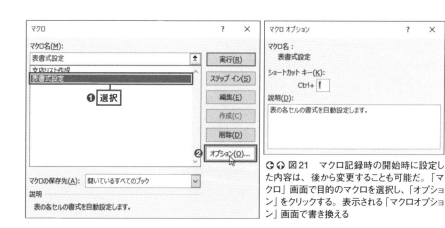

◐◑ 図21　マクロ記録時の開始時に設定した内容は、後から変更することも可能だ。「マクロ」画面で目的のマクロを選択し、「オプション」をクリックする。表示される「マクロオプション」画面で書き換える

　マクロの実体であるVBAのプログラムを確認・変更したい場合は、マクロの画面を表示してから対象のマクロを選択して、「編集」をクリックする（図22）。これで、VBAのプログラムの作成・編集用ツールである「Visual Basic Editor（VBE）」が、Excelとは別ウインドウで表示され、目的のマクロプログラム内でカーソルが点滅している（図23）。

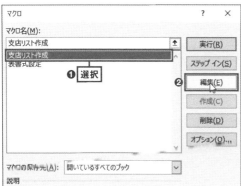

○ 図22　記録したマクロは、「VBA」という言語で記述された「プログラム」として作成されている。プログラムを確認・変更したい場合も、この画面から表示できる。目的のマクロを選択して、「編集」をクリックする

○ 図23　VBAの編集用画面である「Visual Basic Editor（VBE）」が開き、選択したマクロのプログラム内でカーソルが点滅する。マクロの実体は、「Sub マクロ名（）」の行から「End Sub」という行までの一連のコード（記述されたプログラム）だ

「個人用マクロブック」にも保存可能

「マクロの記録」画面で表示される「マクロの保存先」の選択肢としては、「作業中のブック」のほかに、「新しいブック」と「個人用マクロブック」もある（**図A**）。

◯ 図A 「マクロの記録」画面で、記録したマクロの保存先を選べる

Excelの場合、作成した表に日々のデータを追加したり、月ごとにワークシートをコピーして新たにデータを入力したりなど、同じブックのまま継続して作業することも多い。そのため、特定の作業で使用するマクロは通常、その作業用のブック自体に保存する。

一方、特定の作業との関連性が強くないマクロの場合もある。さまざまなブックで利用できる汎用性の高いマクロは、「個人用マクロブック」に保存すると便利だ。「マクロの記録」画面で「個人用マクロブック」を選んでマクロを記録し、Excelを終了しようとすると、「個人用マクロブックの変更を保存しますか?」というメッセージが表示される。ここで「保存」をクリックするとこのブックが保存され、次回以降も、Excelで開いた全てのブックで、このブックのマクロを利用できる。

個人用マクロブックの正体は、「PERSONAL.XLSB」というファイル名の非表示ブックだ。内容を確認したい場合は、「表示」タブの「再表示」をクリックし、「ウィンドウの再表示」画面で「PERSONAL」を選んで「OK」をクリックすればよい。このブックのワークシートに、マクロで使用する参考用のデータを入力し、再び非表示にするといった使い方も可能だ。

第**3**章

コードを入力して
マクロを作る

Lesson
01

VBE画面を開いて コードを入力する

　マクロ記録では、画面上で実際に操作した手順がVBAのプログラムとして保存されることを確認した。逆に、VBAプログラムのコードを入力することでマクロを作成することもできる。ここでは、Excelに付属する「Visual Basic Editor（VBE）」を使って、シンプルなExcelマクロを作ってみよう（図1）。

作成するマクロの実行例

	A	B	C	D	E
1	担当				
2	日経太郎				
3					
4					
5					
6					
7					
8					
9					
10					

Microsoft Excel ×

こんにちは

OK

↩ 図1 ここでは、VBAの編集ツール「VBE」を使って、たった1行の命令で「こんにちは」と表示するマクロを作成してみよう。マクロの実行と保存の方法を押さえる

Excel画面に「開発」タブを表示する

　プログラミングを始める前に、「開発」タブを表示させておこう。「開発」タブがなくてもプログラムは書けるが、作業に必要なボタンなどが並んでいるので、あると便利だ。

　リボン上で右クリックし、開いたメニューの「リボンのユーザー設定」を選択（図2）。「Excelのオプション」画面にある「リボンのユーザー設定」の右側の枠内で、「開発」にチェックを付けて「OK」を押そう（図3）。「開発」タブの「Visual Basic」をクリックすると、VBEを起動できる（図4）。

○ 図2　Excel VBAのプログラムは、「Visual Basic Editor（VBE）」の画面で作成・編集する。よく使う場合は、リボンに「開発」タブを表示しよう。リボン上で右クリックし、「リボンのユーザー設定」を選ぶ

○ 図3　「Excelのオプション」画面の「リボンのユーザー設定」が表示される。その右下側で「開発」にチェックを付け、「OK」をクリックする

○ 図4　VBEは「開発」タブの「Visual Basic」で起動できる。[Alt]キーを押しながら[F11]キーを押すというショートカットキー操作でも可能だ

　VBEの左側に表示されている「プロジェクトエクスプローラー」は、Excelの
ブック（ファイル）内に作成されるプログラムの保管場所を管理するためのもの。
保管場所にはいくつか種類があるが、マクロとして実行するプログラムは「標準
モジュール」の中に作成するのが基本だ。

　「挿入」メニューから「標準モジュール」を選ぶと、作業中の「Book1」の中に
「Module1」という名前の標準モジュールが作成される。そして右側に、プログ
ラムを記述するための「コードウィンドウ」が開く（図5、図6）。このウインドウは、
作成したModule1の内容を表す。

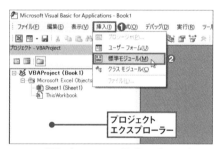

🔾 図5　「挿入」メニューで「標準モジュール」を選
び、プログラムを書き込むための場所を用意する。
複数のブックを開いている場合は、事前にプロジェク
トエクスプローラーで、マクロを作成したいブック名
を選んでおく

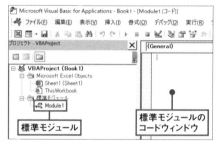

🔾 図6　プロジェクトエクスプローラーのブック名の下
に、「Module1」といった名前の標準モジュールが追
加される。同時に、プログラムを書き込むための「コー
ドウィンドウ」が右側に広がる。標準モジュールの内
容をここに入力する

　なお、図の例では「Book1」という名前のブックしか開いていないので問題な
いが、複数のブックを開いているときは、標準モジュールを作成したいブック名
をプロジェクトエクスプローラーで選んでから操作しよう。

　また、コードウィンドウを閉じてしまったなどで、作成済みの標準モジュール
があるのに、そのコードウィンドウが表示されていない場合もある。そのときは
プロジェクトエクスプローラーでモジュールのアイコンをダブルクリックすれば、
開くことができる。

たった1行でメッセージを表示

　それでは、標準モジュールのコードウィンドウに、マクロのプログラムを入力
していこう。まず、「Sub」と入力し、半角スペースを空けて、このマクロの名前
にしたい文字列を入力する。マクロ名には適当な文字を組み合わせられ、日本語（全

角文字）も使用可能だ。ただし、「_」（アンダースコア）以外の一般的な記号は使えず、先頭に数字は使えないなどの制約がある。

　ここでは、「Sample_1_01」というマクロ名を付ける。マクロ名を入力した後、[Enter]キーを押して改行すると、マクロ名の後に自動的に「()」（かっこ）が付き、カーソル行の下に「End Sub」という行が挿入される（図7）。この「Sub マクロ名()」から「End Sub」までの行が、「Subプロシージャ」と呼ばれる1つのプログラムの実行単位だ。「プロシージャ（procedure）」は手続きなどの意味。この間に、具体的な命令を書いて実行すると、その命令が順番に処理される。

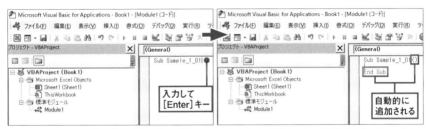

🔵 図7　コードウィンドウに「Sub」と入力し、半角スペースを空けて、任意のマクロ名を入力する。[Enter]キーを押すと、マクロ名の後に自動的に「()」が追加され、1行空けて「End Sub」という行が挿入される。この2行の間にプログラムを書く

　手始めに「MsgBox "こんにちは"」という1行の命令を入力してみよう（図8）。MsgBoxは、スペースの後に指定した文字列をメッセージ画面に表示しろ、という命令（関数）だ。セルに入力する関数と同様、指定する文字列を「引数」と呼ぶ。また、文字列は「"」（半角ダブルクォーテーション）で囲んで指定する。

　なお、「Sub マクロ名()」と「End Sub」の間の行は、数文字分インデント（字下げ）しておくと、プログラムが見やすくなる。行の先頭で[Tab]キーを押すと、一定の間隔で字下げできるので活用しよう。

「こんにちは」と表示するマクロ

```
Sub Sample_1_01()
    MsgBox "こんにちは"
End Sub
```

マクロ（Subプロシージャ）の名前
「こんにちは」と表示させる命令
マクロの終わり

🔵 図8　「Sub」で始まるマクロのプログラムは「Subプロシージャ」と呼ばれる。そして「Sub マクロ名()」と「End Sub」の行の間に書かれた命令を、上から1行ずつ順番に実行していく。ここで追加した「MsgBox」はメッセージ画面を表示する命令（関数）。「引数」として、表示したい文字列を指定する

作ったマクロを実行してみよう

　作成したマクロ（Subプロシージャ）を実行するには、そのプロシージャの中にカーソルがある状態で、ツールバーの「Sub／ユーザーフォームの実行」をクリックする（図9）。すると、一時的にVBEの画面が隠れてExcelの画面になり、さらに「こんにちは」と書かれたメッセージ画面が表示される（図10）。「OK」をクリックしてメッセージ画面を閉じるまでがMsgBox関数の機能で、これを終了した時点でSubプロシージャの実行も完了する。VBEから実行した場合、マクロの終了後は再びVBEの画面に戻る。

◯ 図9　記述したSubプロシージャの動作をすぐに確認したい場合は、VBEから直接実行することができる。実行したいSubプロシージャの中にカーソルがある状態で、ツールバーの「Sub／ユーザーフォームの実行」をクリックする

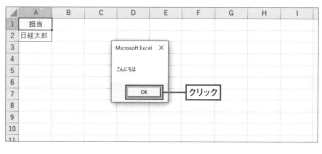

◯ 図10　Excelの画面に切り替わり、「こんにちは」と書かれたメッセージ画面が表示される。「OK」を押すと消え、このSubプロシージャの実行が終了する。VBEから実行した場合、実行が終わると再びVBEに戻る

　たった1行の命令を書いただけなのに、体裁の整ったメッセージ画面が表示されたことに驚いた人もいるだろう。VBAでは、あらかじめ用意されているさまざまな部品を組み合わせることで、多彩な機能を手軽に実現できるのだ。

　標準モジュールに記述したSubプロシージャは、Excelの通常の作業画面から、「マクロ」として実行することもできる。「開発」タブまたは「表示」タブの「マクロ」をクリックすると、作成済みのマクロを一覧表示する画面が開く（図11）。ここでマクロ名を選択し、「実行」をクリックすればよい（図12）。

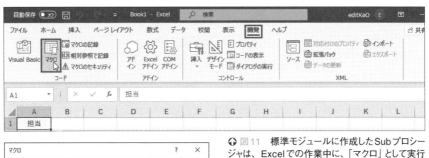

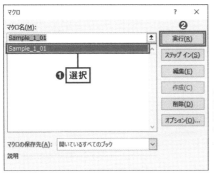

○ 図11　標準モジュールに作成したSubプロシージャは、Excelでの作業中に、「マクロ」として実行できる。Excelでマクロを実行するには、「開発」タブの「マクロ」、または「表示」タブの「マクロ」をクリックする

○ 図12　表示される「マクロ」画面の「マクロ名」欄には、現在開いているブックに含まれる全てのマクロ名が一覧表示される。ここで「Sample_1_01」を選択し、「実行」をクリックすると、マクロ「Sample_1_01」が実行される

　なお、「マクロ」画面には作業中のブックだけではなく、Excelで開かれている全てのブックに含まれるマクロが一覧表示される。

シートに実行ボタンを配置する

　マクロ実行用のボタンをワークシート上に配置することも可能だ。「開発」タブの「挿入」をクリックし、開いたメニューで「ボタン（フォームコントロール）」を選択（図13）。図形の作成と同じ要領で、シート上をドラッグする（図14）。ボタンが出来上がると自動的に「マクロの登録」画面が開くので、このボタンに割り当てたいマクロを選択し、「OK」をクリックしよう（図15）。

○ 図13　ワークシート上に、特定のマクロを実行するためのボタンを配置することも可能だ。ボタンを作成するには、まず「開発」タブの「挿入」をクリックし、「ボタン（フォームコントロール）」を選ぶ

● 図14 シート上をドラッグすると、その軌跡を対角線とする長方形のボタンが作成され、「マクロの登録」画面が表示される。なお、単にシート上をクリックしても、その位置にボタンが作成される

● 図15 「マクロの登録」画面では、登録可能なマクロが「マクロ名」欄に一覧表示されている。ここでマクロ「Sample_1_01」をクリックして選択し、「OK」をクリックする

　適当なセルをクリックしてボタンの選択を解除すると、ボタンが使用可能になる。ボタンをクリックすると、登録したマクロが実行される（図16）。

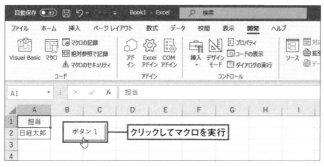

● 図16 いずれかのセルをクリックしてボタンの選択状態を解除すると、ボタンが有効になる。クリックすると、登録したマクロが実行される。ボタンに表示された文字列を編集するには、ボタンを右クリックして「テキストの編集」を選ぶ

セルの値や日時を表示させる

　「Sample_1_01」は常に同じメッセージを表示するが、MsgBoxを使って、状況に応じて異なるメッセージを表示させることもできる。試しに、特定のセルに

入力されている値や、現在の日付や時刻を組み合わせたメッセージを表示するマクロを作成してみよう（図17）。

セルの値や日時を表示するマクロ

```
Sub Sample_1_02()

    MsgBox Range("A2").Value & "さん、こんにちは。"
    MsgBox "現在の日時は、" & Date & vbCr & Time & "です。"

End Sub
```

「（A2セルの文字）さん、こんにちは。」と表示させる命令

「現在の日時は、（日付）（時刻）です。」と表示させる命令

🔾 図17　MsgBoxの引数には、セルの入力内容や関数も指定できる。最初のメッセージで、A2セルに入力された値と「さん、こんにちは。」を結合した文字列を表示。さらに次のメッセージで、今日の日付を返す「Date」関数、現在時刻を返す「Time」関数を組み合わせた文字列を表示する。なお、「&」は文字列を結合する記号（演算子）であり、「vbCr」は改行を表す

1行目の「Range ("A2") .Value」は、「A2セルの値」を意味する。A2セルに入力されているのが数式の場合は、その計算結果だ。「&」は、セルの数式で使う「&」と同様、文字列を結合するための記号（演算子）。つまり、1行目の命令は、A2セルの値と「さん、こんにちは。」という文字列を結合し、メッセージ画面に表示する命令になる。

2行目の「Date」は今日の日付、「Time」は現在の時刻を返すVBAの関数だ。これらを組み合わせて、「現在の日時は、（日付）（時刻）です。」のようなメッセージにする。このとき、日付と時刻で行を分けるために、改行を意味する「vbCr」という指定（定数）を間に挟んだ。

このマクロ「Sample_1_02」を実行すると、2種類のメッセージ画面が順番に表示される（図18）。いずれも「OK」をクリックして閉じよう。

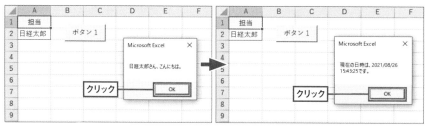

🔾 図18　マクロ「Sample_1_02」を実行すると、まずA2セルに入力された担当者名と組み合わせたメッセージが「日経太郎さん、こんにちは。」と表示される。「OK」をクリックすると、続けて日付と時刻を示すメッセージ画面が表示される

マクロで表を作成する

　もう一つ、Excelを使った実務に応用できそうなマクロの例を紹介しよう。作業中のワークシートのB4〜D5セルに、自動的にデータを入力し、表の書式を設定するプログラムだ（図19）。

シートに表を作成するマクロ

```
Sub Sample_1_03()
    Range("B4").Value = "A社"
    Range("C4").Value = "B社"
    Range("D4").Value = "C社"
    Range("B5").Value = 100
    Range("C5").Value = 120
    Range("D5").Value = 150
    Range("B4:D5").Borders.LineStyle = xlContinuous
    Range("B4:D4").Interior.Color = vbYellow
    Range("B4:D4").HorizontalAlignment = xlCenter
End Sub
```

◐ 図19　B4〜D5セルの範囲に、表を作成するSubプロシージャ。どのセルを対象にどのような操作を行っているかは、セル参照と英単語の一般的な意味から、ある程度は推測できるだろう

　それぞれの命令についての詳細は省くが、いずれも「Range ("○○")」の部分で対象のセルやセル範囲を指定し、そのセルに値を入れたり、罫線や塗り潰しの色、セル内の配置などの書式を設定したりしている（図20）。使われている英単語の意味を知っていれば、ある程度は推測できるだろう。VBAの命令や構文については次章以降で詳しく見ていこう。

◐ 図20　図19のマクロ「Sample_1_03」の実行結果。まずB4〜D5セルにデータを入力し、格子の罫線を設定。さらに、見出し部分のB4〜D4セルを黄色に塗り潰し、配置を「中央揃え」に設定する

入力したコードもブックに保存

　作成したSubプロシージャは、いずれもブックに標準モジュールを挿入し、その中に記述したものだった。このように標準モジュールを挿入したブックは、マクロ記録のときと同様「名前を付けて保存」画面の「ファイルの種類」で「Excelマクロ有効ブック」を選択する必要がある（図21）。

⚙ 図21　「名前を付けて保存」画面で、「ファイルの種類」を「Excelマクロ有効ブック」に変更する

　マクロ記録のときと同様、マクロを含むブックを一度閉じ、再びExcelで開くと、通常はマクロが使用できない状態になり、「セキュリティの警告」が表示される。そのブックに危険がないことが分かっている場合は、メッセージバーの「コンテンツの有効化」をクリックする（図22）。

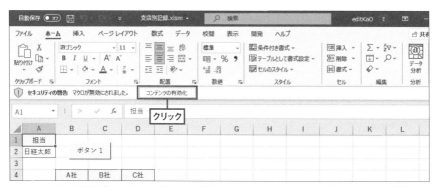

⚙ 図22　マクロを含むブックをいったん閉じて、再び開いた。メッセージバーの「コンテンツの有効化」を押せば、以後、そのブックのマクロが使用可能になる

条件が成り立つかどうかで 処理を分ける

　ここでは、プログラミングの重要な要素である「条件分岐」の構文と「変数」の使い方を習得しよう。入力用画面を表示するための「InputBox」関数も利用し、最終的にはシンプルな「おみくじ」のようなマクロを作成する（図1）。

作成するマクロの実行例

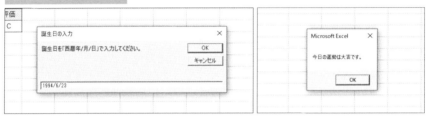

◯ 図1　ここでは、「If」を使った条件分岐、データを一時保存する「変数」、「InputBox」関数による入力用画面がポイント。最終的には、誕生日を入力すると運勢を表示するというマクロを作ってみよう

　VBAなどのプログラムは、コード（記述されたプログラム）の先頭から末尾まで、1行ずつ順番に実行されていくのが基本だ。しかし、いつも同じ処理を順番に実行するだけでは、さまざまな機能を自由自在に実現することは難しい。条件に応じて処理を切り替えたり、同じ処理を繰り返したりといった、処理の流れを制御するための仕組みが必要になる。それらの中で、条件が成り立つかどうかで処理を分岐させる「条件分岐」の方法を見ていこう。

「If」構文の1行で条件分岐

　VBAでは「Ifステートメント」によって条件分岐を行う。Ifステートメントには、1行だけで記述する書き方と、複数行にわたる"ブロック"に分けて記述する書き方がある。

　まずは1行だけの書き方を見てみよう。図2は、C3セルの値を調べ、70以上であれば、D3セルに「合格」と入力するプログラムだ。「If」というキーワードの

後に条件を指定する式を記述し、さらに「Then」キーワードの後に、その条件が「真（True、成り立つ）」の場合に実行する操作を指定する（図3）。「もし〜なら〜」という書き方そのものだ。実行すると、C3セルの値が「72」の場合は、D3セルに「合格」と入力される。しかし、C3セルの値が「58」の場合は何の操作も行われないため、D3セルには全く変化がない（図4）。

一定の点数以上で「合格」と入力するマクロ

```
Sub Sample_2_01()
        '70以上なら隣のセルに「合格」と入力する
        If Range("C3").Value >= 70 Then Range("D3").Value = "合格"
End Sub
```

条件 ── 真の場合の操作

🔴 図2　C3セルの値が70以上なら、D3セルに「合格」と入力するプログラム。「>=」は「以上」を意味する。なお、「'」は補足説明用の「コメント」を書くための記号で、そこから行の終わりまでの記述は、プログラムの実行に影響しない

Ifステートメントの構文❶

If 条件 Then 真の場合の操作

🔴 図3　指定した条件が成り立つときだけ何かを実行したい場合は、「Ifステートメント」を使用する。左は1行で記述する書き方。「条件」の判定結果が「True（真）」のときだけ、「真の場合の操作」を実行する

🔴 図4　マクロ「Sample_2_01」の実行例。C3セルに入力されている点数が70以上なら、D3セルに「合格」という評価が入力される（上）。そうでない場合は何もしないため、D3セルは空白のままだ（下）

　図2では、「Range ("C3") .Value ＞＝ 70」という部分が条件を表す。「Range ("C3") .Value」で「C3セルの値」を取り出し、「＞＝」という「比較演算子」を使って「70以上かどうか」を調べている。この条件が真だった場合に実行されるのが「Range ("D3") .Value ＝ "合格"」の部分。これは「D3セルの値として『合格』と

いう文字列を入力する」という命令になる。

　注意したいのは、この「Range ("D3") .Value = "合格"」で使われている「=」の役割だ。この場合の「=」は、「右辺の値を左辺に入れる」という役割を担う「代入演算子」である。「=」自体は比較演算子としても使われるので、混同しないように気を付けよう。

　なお、図2のマクロでは、コードの中に「コメント」を書き込んでいる。コメントとは、プログラムの実行に影響しない記述のことで、コードの説明やメモなどを書き込むために使用する。VBAの場合、「'」がコメントの始まりを表し、その位置から行末までがコメントと見なされる。

条件が偽の場合の処理も加える

　条件が真の場合だけでなく、「偽（False、成り立たない）」の場合にも特定の操作を実行したいことがあるだろう。例えば、C3セルの値が70以上なら「合格」、そうでなければ「不合格」とD3セルに入力する、といったケースだ。これを実現するには図5のように記述する。

「合格」でなければ「不合格」と入力するマクロ

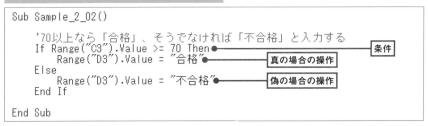

```
Sub Sample_2_02()
    '70以上なら「合格」、そうでなければ「不合格」と入力する
    If Range("C3").Value >= 70 Then
        Range("D3").Value = "合格"
    Else
        Range("D3").Value = "不合格"
    End If

End Sub
```

🔊 図5　C3セルの値が70以上だった場合はD3セルに「合格」と入力し、そうでなければ「不合格」と入力するプログラム。「If」「Else」「End If」の行はブロックの区切りを表し、各ブロック内に記述する操作は［Tab］キーで1段階字下げ（インデント）すると分かりやすくなる

　条件が真の場合と偽の場合で異なる操作を実行したいときには、ブロック形式で記述するIfステートメントの構文を使う（図6）。「If」の後に「条件」を指定したら「Then」を付けて改行。次の行から「Else」の行までの間に「真の場合の操作」を記述する。さらに「Else」と「End If」の間に「偽の場合の操作」を記述。これで、真の場合と偽の場合とをそれぞれ指定して、処理を分岐させられる。図5のマクロを実行した様子が図7だ。

Ifステートメントの構文❷

If 条件 Then
　　　真の場合の操作
Else
　　　偽の場合の操作 ┐省略可
　　　　　　　　　　┘
End If

◯ 図6　「ブロック形式」で記述するIfステートメントの構文。条件が偽（False）の場合の操作を「Else」以下に指定でき、ブロックの終わりを「End If」で示す。Else以下は省略可能で、操作の内容は複数行記述できる

▲	A	B	C	D	E	F
1						
2		氏名	点数	評価		
3		美比太郎	84			
4						
5						
6						

▲	A	B	C	D	E	F
1						
2		氏名	点数	評価		
3		美比太郎	84	合格		
4						
5						
6						

▲	A	B	C	D	E	F
1						
2		氏名	点数	評価		
3		江久世竜	58			
4						
5						
6						

▲	A	B	C	D	E	F
1						
2		氏名	点数	評価		
3		江久世竜	58	不合格		
4						
5						
6						

◯ 図7　マクロ「Sample_2_02」の実行例。C3セルに入力されている点数が70以上ならD3セルに「合格」と入力され、そうでない場合は「不合格」と入力される

　このようにブロック形式の構文を使う際は、「真の場合の操作」と「偽の場合の操作」の記述を、字下げ（インデント）するとよい。VBAではインデントがプログラムの実行に影響しないが、条件分岐のブロックが明確になり、後からコードを見直したり、修正したりする際にミスを防止できる。

　なお、真の場合の操作だけ指定したい場合も、ブロック形式の書き方は有効だ。偽の場合の操作を指定する必要がなければ、「Else」と「偽の場合の操作」を省略し、ブロックを閉じる「End If」だけ記述すればよい。図3に示した1行の構文では「真の場合の操作」を1つしか指定できないが、ブロック形式の構文なら、真の場合の操作として複数の命令を記述できる。「End If」までの間に書いた命令が、全て「真の場合の操作」と見なされるからだ。もちろん、「Else」を使った「偽の場合の操作」にも、複数の操作を記述できる。

ランダム表示の「おみくじ」を作る

　Ifステートメントをブロック形式で使用した例を、もう一つ紹介しよう。図8

は、0〜2未満の範囲の乱数を生成し、その値が1以上であれば「今日の運勢は大吉です。」、そうでなければ「今日の運勢は凶です。」と表示するプログラムだ。実行すると図9のようになる。

ランダムにメッセージを表示するマクロ

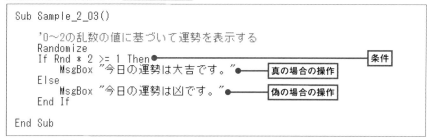

```
Sub Sample_2_03()
    '0〜2の乱数の値に基づいて運勢を表示する
    Randomize
    If Rnd * 2 >= 1 Then                      ← 条件
        MsgBox "今日の運勢は大吉です。"           ← 真の場合の操作
    Else
        MsgBox "今日の運勢は凶です。"             ← 偽の場合の操作
    End If

End Sub
```

🔵 図8　Rnd関数で0〜2未満の範囲の乱数を求め、その値が1以上であれば「今日の運勢は大吉です。」、そうでなければ「今日の運勢は凶です。」というメッセージ画面を表示するプログラム。Rndは、ワークシート関数のRANDと同様の機能を持つVBAの関数だ。冒頭の「Randomize」という命令で、乱数のパターンに変化を与えている

🔵 図9　マクロ「Sample_2_03」の実行例。「今日の運勢は大吉です。」または「今日の運勢は凶です。」のいずれかのメッセージ画面がランダムに表示される

　このプログラムで使用している「Rnd」は、ワークシート関数の「RAND」と同じく、0〜1未満の範囲の乱数を生成するVBAの関数だ。Ifステートメントの条件を「Rnd * 2 >= 1」と記述して、Rndの戻り値に2を掛けた結果が1以上かどうかで「大吉」か「凶」かを決めている。「Rnd >= 0.5」と記述しても確率は同じ2分の1だが、確率を変更しやすいように、図8の書き方にした。確率を3分の1にしたければ「Rnd * 3 >= 2」のように変更すればよい。

　また「Randomize」は、Rnd関数が乱数を生成する基準の値を変更する命令だ。これを入れておかないと、ブックを開き直して再度このプログラムを実行した際に、前回と同じパターンで乱数が生成されてしまい、面白くない。Rndを使うときの注意点の一つだ。

　ここで、「*」などの算術演算子や、「>=」などの比較演算子をまとめて紹介

しておこう（図10）。VBAで使う演算子の多くは、セルに入力する数式で使う演算子と同じだが、「¥」や「Mod」といった、VBAならではの演算子もある。

▶ **主な算術演算子**

演算子	機能	使用例	結果
＋	数値の加算	2 ＋ 3	5
－	数値の減算	4 － 1	3
＊	数値の乗算	3 ＊ 5	15
/	数値の除算	8 / 2	4
¥	数値の商の整数部分	10 ¥ 3	3
Mod	数値を除算した余り	9 Mod 4	1
^	数値のべき乗	4 ^ 3	64

▶ **主な比較演算子**

演算子	機能	使用例	結果
<	左辺が右辺より小さい	5 < 5	False
<=	左辺が右辺以下	5 <= 5	True
>	左辺が右辺より大きい	7 > 7	False
>=	左辺が右辺以上	7 >= 7	True
=	左辺と右辺が等しい	9 = 10	False
<>	左辺と右辺が等しくない	9 <> 10	True

🔵 図10　VBAのプログラムでは、ワークシートの数式で使う演算子と同様の、さまざまな演算子を使える

　Ifステートメントでは、最初に指定した条件が偽だった場合に、さらに別の条件を指定してその真偽に応じた操作を実行させることもできる。つまり、条件に応じて3つ以上の処理に分岐させることが可能だ。

　図11は、C3セルの値が80以上かどうかを判定し、真の場合はD3セルに「A」と入力。偽の場合は、さらにC3セルの値が60以上かどうかを判定し、真なら「B」、偽なら「C」とD3セルに入力するプログラムだ。このような処理には、Ifステートメントの中で「ElseIf」というキーワードを使用して、2番目の条件を指定する。「ElseIf」は1つだけでなく、いくつも重ねて使用可能。さらに、その全ての条件に合わない場合の操作として、最後に「Else」のブロックを記述できる（図12）。図11のマクロを実行すると、C3セルの値に応じて、D3セルに「A」「B」「C」のいずれかが入力される（図13）。

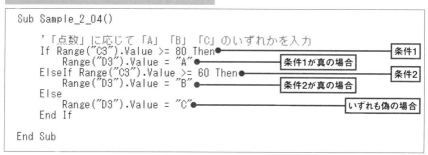

点数に応じた3段階の評価を入力するマクロ

```
Sub Sample_2_04()

    ' 「点数」に応じて「A」「B」「C」のいずれかを入力
    If Range("C3").Value >= 80 Then ●――――――――― 条件1
        Range("D3").Value = "A" ●――――― 条件1が真の場合
    ElseIf Range("C3").Value >= 60 Then ●――――――― 条件2
        Range("D3").Value = "B" ●――――― 条件2が真の場合
    Else
        Range("D3").Value = "C" ●――――― いずれも偽の場合
    End If

End Sub
```

🔌 図11　C3セルの値に応じて「A」「B」「C」のいずれかをD3セルに入力するプログラム。最初に80以上かどうかを調べ、そうでない場合は「ElseIf」を使って60以上かどうかを調べる

Ifステートメントの構文❸

If 条件1 **Then**
　　条件1が真の場合の操作
ElseIf 条件2
　　条件2が真の場合の操作
Else ┐
　　いずれも偽の場合の操作 ┘ 省略可
End If

🔌 図12　ブロック形式のIfステートメントでは、2つめの条件を「ElseIf」、いずれも偽の場合を「Else」で指定することで、操作を3つに分岐できる。同様に「ElseIf」を重ねて、4つ以上に分岐させることも可能だ

	A	B	C	D	E	F
1						
2		氏名	点数	評価		
3		日経花子	72			
4						
5						

→

	A	B	C	D	E	F
1						
2		氏名	点数	評価		
3		日経花子	72	B		
4						
5						

	A	B	C	D	E	F
1						
2		氏名	点数	評価		
3		美比太郎	84			
4						
5						

→

	A	B	C	D	E	F
1						
2		氏名	点数	評価		
3		美比太郎	84	A		
4						
5						

	A	B	C	D	E	F
1						
2		氏名	点数	評価		
3		江久世竜	58			
4						
5						

→

	A	B	C	D	E	F
1						
2		氏名	点数	評価		
3		江久世竜	58	C		
4						
5						

🔌 図13　マクロ「Sample_2_04」の実行例。C3セルの点数が80以上ならD3セルに「A」と入力される。60以上なら「B」、そうでなければ「C」と入力される

「変数」の使い方と「データ型」

　最後にもう一つ、少し手の込んだ「おみくじ」プログラムを作成してみよう。実行するとInputBox関数による入力画面が表示されるので、誕生日を入力して「OK」をクリックする。すると、当日の日付と誕生日の日付に基づく計算により、「大吉」「吉」「凶」の運勢が表示される（図14）。具体的なコードが図15だ。

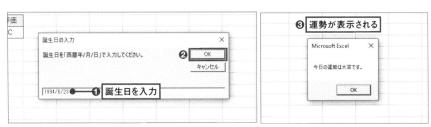

⤴ 図14　実行すると、まず入力画面が表示される。誕生日を入力して「OK」をクリックすると、「大吉」「吉」「凶」の3段階で運勢が示される。そんな「おみくじ」マクロを作ってみよう

日付に応じたメッセージを表示するマクロ

```
Sub Sample_2_05()

    Dim var1 As String      ┐── 変数の宣言
    Dim var2 As Integer     ┘

    '入力画面で誕生日を入力してもらう
    var1 = InputBox("誕生日を「西暦年/月/日」で入力してください。",
        "誕生日の入力")

    '入力値を日付として解釈できるかどうかを判定
    If IsDate(var1) Then

        '誕生日から今日までの日数を3で割った余りを求める
        var2 = (Date - CDate(var1)) Mod 3

        '余りに応じて3種類の運勢を表示する
        If var2 = 2 Then
            MsgBox "今日の運勢は大吉です。"
        ElseIf var2 = 1 Then
            MsgBox "今日の運勢は吉です。"
        Else
            MsgBox "今日の運勢は凶です。"
        End If
    End If

End Sub
```

入力画面を表示し、入力されたデータを変数「var1」に代入

⤴ 図15　図14のマクロを実現するコード。InputBox関数を使って入力画面を表示し、ユーザーが入力した誕生日を、データの一時的な入れ物である「変数」に代入。それが日付と解釈できるデータだった場合、今日の日付との差を求めて3で割り、その余りの値に応じて、3段階の「運勢」を表示する

　このコードでは、Ifステートメントに加えて、「変数」を使用している点に注目してほしい。変数とは、データを一時的に保管するための"入れ物"のようなものだ。ここでは、「var1」「var2」という2つの変数を使用している。「var1」は、入力画面で受け取った誕生日を表す文字列を収めるための変数。「var2」は、誕生日から今日までの日数を3で割った余りの数値を収めるための変数だ。変数に値を入れるには、セルに値を代入する操作で使用したのと同じ「＝」を使う（図16）。

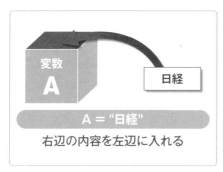

A ＝ "日経"
右辺の内容を左辺に入れる

○ 図16　変数に値を格納するときは、「変数名 ＝ 代入する値」という書き方をする。「＝」は「等しい」という意味ではなく、「右辺の内容を左辺に入れる」という役割を担う

　変数に使う文字列（変数名）は、任意の文字を組み合わせてよいが、一般的な記号が使えず、先頭の文字に数字を使用できないなどの制約がある。ここでは、「変数」を意味する英語の「variable」から「var」の部分を取って変数名に使った。
　VBAでは、コードの中でいきなり新しい変数名を記述して使うこともできる。しかし、変数を利用する際は、冒頭で変数の使用を「宣言」するのが一般的だ。変数を宣言して使うことで、キーワードと変数の区別が明確になり、プログラムのミスの発見やメモリーの適正使用に役立つといったメリットがある。
　変数の宣言は「Dimステートメント」で行う。「Dim」の後に半角スペースを空けて任意の変数名を書き、「As」に続けて「データ型」を指定する（図17）。データ型とは、変数に収めるデータの種類を示すものだ。

Dimステートメントの構文

Dim 変数名 As データ型
省略すると「バリアント型」に

○ 図17　変数を使うときは、通常は「Dimステートメント」で"宣言"を行う。「Dim」に続けて変数名を書き、「As」以下にデータ型を指定する。「As」以下を省略した場合は「バリアント型」になる

データ型には、大きく分けて「数値」と「文字列」がある。「数値」はさらに、取り扱うデータが整数か実数か、どの程度の大きさかなどに応じて、より細分化される（図18）。また「バリアント型」は、あらゆる種類のデータを格納できる特殊なデータ型。その分、割り当てられるメモリーも大きくなり、プログラムの効率が悪くなる可能性がある。変数に代入される値をある程度限定できるのであれば、適切なデータ型で宣言するとよい。変数の宣言で「As」以下を省略したり、宣言そのものを省略したりした場合は、いずれもバリアント型の変数になる。

変数のデータ型には、ほかに「オブジェクト型」と呼ばれるものもあるが、まずは数値型、文字列型、バリアント型の3つを押さえておこう。

▶ **VBAの主なデータ型**

データ型	型名	扱えるデータ
Boolean	ブール型	論理値TrueまたはFalse
Integer	整数型	正負約3万程度までの整数
Long	長整数型	Integerよりも広い範囲の整数（32ビット）
LongLong		Longよりも広い範囲の整数（64ビット）
LongPtr		環境に応じてLongまたはLongLongと同じ
Single	単精度浮動小数点数型	広い範囲の実数
Double	倍精度浮動小数点数型	Singleよりも広い範囲の実数
Date	日付型	整数部を日付、小数部を時刻とする数値
String	文字列型	約2GBまでの文字列
Variant	バリアント型	全てのデータ型に対応可能

⊙ 図18　3種類ある「長整数型」は環境（32ビットまたは64ビット）によるので注意が必要だ。「バリアント型」はどんなデータにも対応できるが、その分メモリーを消費する

適切なデータ型に変換する

「おみくじ」のプログラムに戻ろう。冒頭で2つの変数を宣言した後、誕生日の入力画面を表示させるために使っているのがInputBox関数だ（図19）。この関数を使うと、MsgBox関数と同様、Excelが標準機能として用意しているダイアログ画面を簡単に表示させられる。

ここではInputBoxに続くかっこ内に2つの引数を指定した。1番目の引数は入力画面に表示するメッセージ、2番目の引数は入力画面の上端に表示させるタイ

トルだ。メッセージの指定は必須だが、タイトルは省略してもよい。

　なお、ここでは、1番目の引数の後ろに「 _」（半角スペースとアンダースコア）を入力してコードを途中で改行している。この部分は、実際にはつながった1行のコードと解釈される。この「 _」を「行継続文字」と呼び、1行の記述が長くなって見づらいときなどに途中改行するために利用する。ただし、VBAのキーワードの途中や「"」で挟んだメッセージの途中などの部分では、行継続文字を使っても途中改行できないので注意しよう。

```
'入力画面で誕生日を入力してもらう
var1 = InputBox("誕生日を「西暦年/月/日」で入力してください。", _
        "誕生日の入力")
```

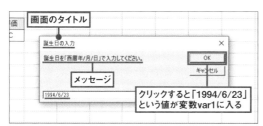

○⊖ 図19　InputBox関数でメッセージ「誕生日を……入力してください。」と画面のタイトル「誕生日の入力」を表示し、入力された値を変数var1に代入する

　InputBox関数で表示した入力画面に誕生日を入れて「OK」をクリックすると、入力されたデータがInputBox関数の戻り値となる。これを文字列型で宣言した変数「var1」に代入している。

　「1994/6/23」のような日付形式のデータが入力されても、InputBox関数は文字列型のデータを返す。これを日付型の変数に代入すると自動的に日付型に変換されるが、入力画面で「キャンセル」が押された場合は「空文字列（""）」を返すため、日付型に変換できずエラーになってしまう。日付形式ではないデータが入力された場合も同様だ。そのため、ここでは文字列型の変数「var1」で受け取った後、別の処理で日付データに変換する。

　変数「var1」に代入された文字列が日付データに変換可能かどうかは、「IsDate」関数を使って調べられる（図20）。この関数は、引数に指定したデータが日付として扱えるなら「True」、そうでなければ「False」を返す。この式をIfステートメントの条件に指定すると、日付以外のデータが入力されたり、「キャンセル」が押されたりした場合は「False」と判定され、以降の処理を行わない。

```
'入力値を日付として解釈できるかどうかを判定
If IsDate(var1) Then

End If
```

⚲ 図20　変数var1の値が日付データとして扱えるかどうかを「IsDate」関数で判定。これをIfステートメントの条件とすることで、日付データとして扱える場合のみ、以降の処理を実行する

　日付形式の文字列を日付データに変換するには、「CDate」関数を使う（図21）。VBAの日付データの実体は、Excelの「シリアル値」と同様、1日に1ずつ増えていく数値だ。例えば、「2021/1/1」という日付は、内部的には「44197」という整数として管理されている。VBAの「Date」関数は「今日の日付」を返すので、ここから誕生日の日付を引けば、2つの日付間の日数が求められる。

```
'誕生日から今日までの日数を3で割った余りを求める
var2 = (Date - CDate(var1)) Mod 3
```

⚲ 図21　変数var1の値を「CDate」関数で日付データに変換し、「Date」関数で求めた今日の日付から引く。「Mod」演算子でその結果を3で割った余りを求めて変数var2に代入する

　ここでは、「Mod」演算子でこの日数を3で割った余りを求め、整数型の変数「var2」に代入。その値が2か1か0かに応じて、「大吉」「吉」「凶」を判定した。もちろん判定は単なる"お遊び"なので、占いとしての根拠はない。

Column

データ型を自動変換する場合も

　「おみくじ」のマクロプログラムでは、InputBox関数から文字列型で渡された値を、文字列型の変数var1に代入し、CDate関数で日付型の値に変換している。今日の日付を返すDate関数の戻り値も当然日付型だ。この2つの日付の差を求める計算の結果は、自動的に倍精度浮動小数点数型になる。日付に限ればデータの実体は整数だが、日付型には実体が小数である時刻データも含まれるからだ。ここではその日数の値を、さらに整数型で宣言した変数var2に代入している。これによって、日数の値は整数型に自動変換される。このように、VBAのコードの中では、処理に応じて自動的にデータ型が変換されることも多い。

一部を変えながら
同じ処理を繰り返す

　処理の流れを制御するための仕組みとして、ここでは「繰り返し処理」を取り上げる。全く同じ内容を繰り返す場合もあるが、通常は、変数などを利用して、繰り返しのたびに処理の内容を少しずつ変化させるという使い方だ（図1）。

作成するマクロの実行例

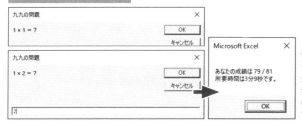

◆ 図1　ここでは「Do〜Loop」や「For〜Next」による繰り返し処理がポイント。「MsgBox」関数の詳細も解説する。最終的には、九九の練習のマクロを作ってみよう

　VBAで繰り返し処理を実現する構文の一つが、「Do〜Loopステートメント」（図2）。この構文は、特に指定しなければ「Do」と「Loop」の行に挟まれた一連のブロックを、無限に繰り返し続ける。繰り返しを抜けるための条件は、「Do」または「Loop」の後に指定することが可能。また、繰り返すブロックの中で条件判断を行い、「Exit Do」という命令で繰り返しを抜けることもできる。

Do〜Loopステートメントの構文❶	Do〜Loopステートメントの構文❷
Do Until 繰り返しをやめる条件	**Do While** 繰り返しを続ける条件
繰り返す処理　　　省略可	繰り返す処理　　　省略可
Loop	**Loop**

◆ 図2　「Do〜Loopステートメント」は、ブロック内の処理をいつまでも繰り返す命令だ。「Until」を指定した場合は条件が真（True）になるまで、「While」を指定した場合は条件が真の間、処理を繰り返す。繰り返しの中で「Ifステートメント」を使い、条件に応じて「Exit Do」を実行することで、繰り返しを抜けることも可能

正しく入力をするまで繰り返す

図3は、質問に「正解」するまで、同じ出題画面を何度も表示するプログラムの例だ。InputBox関数を使って出題画面を表示し、入力された文字列が正解かどうかをIfステートメントで判定している。

正解するまで同じ問題を繰り返すマクロ

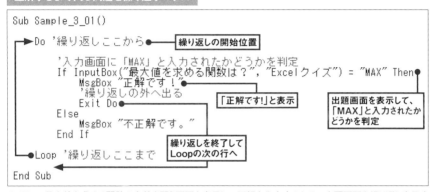

```
Sub Sample_3_01()
    Do '繰り返しここから          ← 繰り返しの開始位置
        '入力画面に「MAX」と入力されたかどうかを判定
        If InputBox("最大値を求める関数は？", "Excelクイズ") = "MAX" Then   ← 出題画面を表示して、「MAX」と入力されたかどうかを判定
            MsgBox "正解です！"      ← 「正解です!」と表示
            '繰り返しの外へ出る
            Exit Do
        Else
            MsgBox "不正解です。"
        End If
    Loop '繰り返しここまで          ← 繰り返しを終了してLoopの次の行へ
End Sub
```

🔾 図3　最大値を求める関数の名前を問う画面を表示し、正解を入力するまで、出題画面を繰り返し表示するマクロのプログラム。出題画面は「InputBox」関数で表示し、入力された文字列が正解の「MAX」かどうかをIfステートメントで判定している。正解が入力されたら、「Exit Do」で繰り返しから抜けて終了する[※]

大文字で「MAX」と入力された場合は「正解です！」というメッセージを表示。「OK」を押すと、「Exit Do」によって繰り返しを抜けて、そのままプログラムを終了する（図4）。それ以外は「不正解です。」というメッセージを表示した後、「Loop」の行で「Do」の行へと戻り、再び出題画面を表示する。

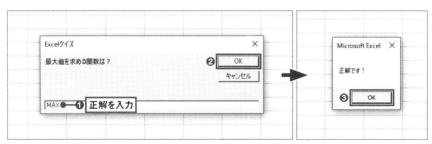

🔾 図4　マクロ「Sample_3_01」の実行例。入力画面が表示されるので、答えを入力し、「OK」を押す。正解（大文字の「MAX」）の場合は「正解です!」という画面が表示され、「OK」を押すとマクロが終了する

※記述ミスなどにより、「Exit Do」による繰り返しの終了処理がうまく機能せず、プログラムが止まらなくなってしまった場合は、[Ctrl] キーを押しながら [Break] キーを押すと、強制的に中断できる

図3のコードは、出題画面で「キャンセル」を押した場合も、不正解として扱う。「キャンセル」を押した場合、InputBox関数は「空文字列 ("")」を返すので、正解とは異なると判断されるからだ。

「キャンセル」が押された場合は繰り返しを中断するように修正したコードが図5だ。InputBox関数の戻り値を変数「ans」(answerの略) にいったん格納。Ifステートメントで「ElseIf」キーワードを使用して、ansの値に応じた3通りの処理に分岐させている。

InputBoxの「キャンセル」に対応するマクロ

```
Sub Sample_3_02()

    Dim ans As String

    Do
        '入力画面に入力された文字列を変数ansに代入
        ans = InputBox("最大値を求める関数は？", "Excelクイズ")

        '入力欄が空白または「キャンセル」かどうかを判定
        If ans = "" Then
            'メッセージ画面で「はい」が押されたかどうかを判定
            If MsgBox("ギブアップですか？", vbYesNo) = vbYes Then
                Exit Do
            End If

        ElseIf ans = "MAX" Then
            MsgBox "正解です！"
            Exit Do
        Else
            MsgBox "不正解です。"
        End If
    Loop

End Sub
```

◎ 図5　マクロ「Sample_3_01」を修正して「キャンセル」に対応した。InputBox関数の戻り値をいったん変数「ans」に収め、その内容に応じて処理を終了できるようにIfステートメントで条件分岐している。さらに、終了してよいかを確認するために「MsgBox」関数を使い、戻り値が「vbYes」なら繰り返しを抜けて終了する

ansの値が、「キャンセル」が押されたことを意味する空文字列 ("") だった場合は、「ギブアップですか？」というメッセージを表示する。この画面では、「はい」と「いいえ」の2つのボタンを表示し、「はい」が押されたことで戻り値が「vbYes」だった場合のみ、繰り返しを抜けて終了する (図6)。何も入力せずに「OK」を押したときも、「キャンセル」を押した場合と同じ動作になる。

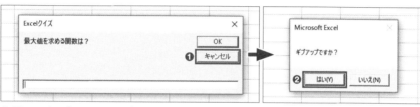

🔾 図6　マクロ「Sample_3_02」を実行した様子。出題画面で「キャンセル」を押すか、または空欄のまま「OK」を押すと、「ギブアップですか?」というメッセージが表示される。そこで「はい」を押すとマクロが終了し、「いいえ」の場合は再び出題画面が表示される

　これまで紹介したMsgBox関数の使い方では、画面に表示するメッセージだけを1番目の引数として指定していた。一方、図5のコードでは、画面に表示するボタンの種類を表す2番目の引数を指定している。2番目の引数を指定することで、「はい」「いいえ」や「中止」「再試行」「無視」といった、決まった文字のボタンをメッセージ画面に表示できる(図7)。

▶ **MsgBox関数で表示ボタンを指定する第2引数の定数**

定数	値	表示されるボタン
vbOKOnly	0	「OK」
vbOKCancel	1	「OK」「キャンセル」
vbAbortRetryIgnore	2	「中止」「再試行」「無視」
vbYesNoCancel	3	「はい」「いいえ」「キャンセル」
vbYesNo	4	「はい」「いいえ」
vbRetryCancel	5	「再試行」「キャンセル」

Microsoft Excel	vbYesNoCancelの場合

ギブアップですか?

[はい(Y)] [いいえ(N)] [キャンセル]

Microsoft Excel	vbAbortRetryIgnoreの場合

ギブアップですか?

[中止(A)] [再試行(R)] [無視(I)]

🔾 図7　MsgBox関数の2番目の引数に上の表のような定数や値を指定すると、メッセージ画面に表示するボタンの組み合わせを指定できる

　ただし、2番目の引数は「キャンセル」「中止」などのボタンを表示させるだけで、実際にキャンセルや中止の処理を実行するわけではない。押されたボタンに応じた実際の処理は、自分でコードを書いて指定する必要がある。そのために利用するのが、MsgBox関数の「戻り値」だ。

　MsgBox関数で2番目の引数を指定した場合は、どのボタンが押されたかを表す値を戻り値として返す（図8）。この戻り値をIfステートメントの条件判断に利用して、押されたボタンに応じた処理を指定すればよい。

▶ **MsgBox関数の戻り値を表す定数**

定数	値	クリックされたボタン
vbOK	1	「OK」
vbCancel	2	「キャンセル」
vbAbort	3	「中止」
vbRetry	4	「再試行」
vbIgnore	5	「無視」
vbYes	6	「はい」
vbNo	7	「いいえ」

⊙ 図8　これらの値や定数を使って、押されたボタンに応じた処理を指定する

　MsgBox関数の第2引数に指定する値と戻り値は、本来は「1」や「2」といった整数だ。ただ、コードの中にこうした数値を指定しても、それが具体的に何を表すのかよく分からない。そこでVBAでは、数値の代わりに「定数」を使用できる。定数とは、特定の用途を想定し、あらかじめ数値などに設定されている名前のことだ。図5の例では、MsgBox関数の第2引数に「4」と指定してもよいが、「vbYesNo」と記述した方が、「はい」と「いいえ」のボタンを表示する、ということが明白になる。また、「はい」が押された場合の戻り値は「6」だが、「vbYes」を使って記述することで分かりやすくなる。

　なお、メッセージ画面を表示することだけが目的の場合、MsgBox関数をいわば「命令」として使っていたため、引数は関数名の後にスペースを空けて指定した。この例のように関数の戻り値を受け取って使用する場合は、関数名の後ろにかっこを付け、その中に引数を指定する。

連続するセルを順番にチェックする

　Excelのセル範囲に対する処理で、Do〜Loopステートメントを使う例も見てみよう（図9）。テストの成績表で、C列の各セルに入力されている点数が70以上なら「合格」、そうでなければ「不合格」と、右隣の各セルに入力していく。ただし、対象となる「点数」のセルは、「C3セルからC7セルまで」のように限定はしない。

C3セルを開始位置として、上から順番に1行ずつチェックして、セルが空白になったら処理を終わらせることにする。終了する行を行番号で指定しないことで、行数が増減しても対応できるようにする。

🔾 図9　C列の「点数」に応じてD列の「評価」欄に合否を入力するマクロを作りたい。C3セル以降を順番に判定し、値が70以上なら「合格」、そうでなければ「不合格」と入力。空白であるC8セルまで達したところで終了させる

　具体的なプログラムが図10だ。このコードでは、シートの行と列をそれぞれ番号で指定して、処理の対象とするセルを特定している。列はC列と決まっているので直接「3」と指定するが、行の番号は変数「num」(numberの略)で指定し、繰り返し処理の中で変化させていく。

　ここで、行番号と列番号でセルを特定するために使用しているのが「Cells」だ。関数の引数と同様、後ろにかっこを付けて行番号と列番号を指定することで、そのセルを対象とした処理を実行できる。セルを指定する方法として、「Range」を使う方法もある。しかし、行や列を変化させながらセルを指定する場合は、RangeよりもCellsの方が簡単だ。

　Cellsの行番号に指定する変数numには、最初に「3」を代入している。すると繰り返し処理の1回目では、「Cells (num, 3)」が「3行目で3列目のセル」、つまりC3セルを意味することになる。このセルを引数に指定した「IsEmpty」関数は、

対象セルが空白かどうかを調べるもの。その結果は「True」か「False」という論理値で返され、Ifステートメントの条件判定に使用できる。図10のコードでは、対象セルが空白だった場合に、「Exit Do」でDo～Loopの繰り返しを抜ける。

　一方、セルが空白でない場合は、「ElseIf」で対象のセルの値が70以上かどうかを調べる。その結果が真なら、「Cells（num，4）」と指定した「同じ行の4列目のセル」（1回目ならD3セル）に「合格」と入力。偽の場合は、やはり同じ行の4列目のセルに「不合格」と入力する。

　繰り返しの最後にある「num ＝ num＋1」という命令に注目しよう。「左辺のnumと右辺のnum＋1が等しいというのはおかしいのでは？」と疑問に感じる人がいるかもしれない。だが、この場合の「＝」は「等しい」の意味ではなく、「右辺を左辺に代入する」という役割になっている。つまり、変数numの値に1を加算し、その結果を改めてnumに代入する操作だ。これにより、行番号を表すnumの値が1増加して「4」となり、2回目の繰り返しでは4行目を対象として同じ処理が行われる。以降、5、6、7……と変数numの値は1ずつ増え、5行目、6行目、7行目……と空白セルになるまで同じ処理を繰り返す。

連続セルに「合格」「不合格」を入力するマクロ

```
Sub Sample_3_03()

    Dim num As Integer

    '変数numに3を代入
    num = 3                                    行番号を指定するための変数numに
                                               初期値の「3」を代入（先頭は3行目）
    Do
        'C列のセルが空白なら繰り返しを終了
        If IsEmpty(Cells(num, 3)) Then         num行目の3列目が空白だったら
            Exit Do                            繰り返しから抜ける
        'C列のセルの値に応じてD列に合否を入力
        ElseIf Cells(num, 3).Value >= 70 Then
            Cells(num, 4).Value = "合格"        C列の値が70以上かを
        Else                                   判定して合否を入力
            Cells(num, 4).Value = "不合格"
        End If

        '変数numの値に1を加算
        num = num + 1                          次行に移るためにnumに
    Loop                                       1を加える

End Sub
```

⬆ 図10　図9を実現するプログラム。変数「num」にまず「3」を代入し、num行目の3列目（C列）に当たるセルを「Cells（行番号，列番号）」の形で指定。その値を調べ、右隣のセルにその合否を入力する。その後、numに1を加算し、この処理を繰り返す。セルが空白になった時点で繰り返しを終了する

繰り返し処理で九九練習のマクロを作る

　もう一つ、VBAで繰り返し処理を行う構文を紹介しておこう。「For〜Next
ステートメント」だ（図11）。これは、ある変数を、指定した開始値から終了値に
なるまで自動的に変化させながら繰り返しを行う構文。このように変化させて使
う変数のことを「カウンター変数」と呼ぶ。カウンター変数の値は通常、1回の
繰り返しごとに1ずつ自動で増える。「Step」キーワードを使って、いくつずつ増
えるか、あるいは減らすかを、任意に指定することもできる。

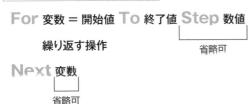

For〜Nextステートメントの構文

For 変数 ＝ 開始値 To 終了値 Step 数値

　　繰り返す操作　　　　　　　　　　　　省略可

Next 変数

　　　省略可

○ 図11 「For〜Nextステートメント」
は、数値型の変数を開始値から一定の
間隔で変化させ、終了値になるまで処理
を繰り返す命令。変化の間隔は、特に
指定しなければ1ずつ増加していく。間
隔を指定したい場合は、「Step」の後に
指定する

　ここからは、For〜Nextステートメントを使って、掛け算の「九九」の練習プ
ログラムを作成してみよう（図12）。やはりInputBox関数を使い、まず練習する
九九の段を指定。続けて、その段の出題画面が「×1」から「×9」まで順に表示
される。解答を全て終えると、メッセージ画面に正解した数が表示される。

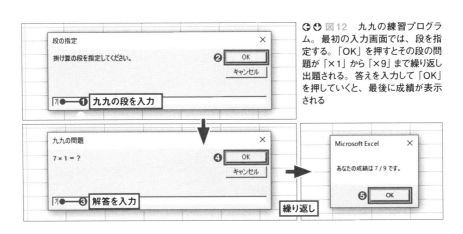

○○ 図12　九九の練習プログラ
ム。最初の入力画面では、段を指
定する。「OK」を押すとその段の問
題が「×1」から「×9」まで繰り返し
出題される。答えを入力して「OK」
を押していくと、最後に成績が表示
される

これを実現するプログラムが図13だ。最初にInputBox関数で段を指定する画面を表示し、入力された数字を、文字列型の変数「num1」に収める。想定されるデータは1〜9の整数だが、誤入力や「キャンセル」に対応するために、InputBox関数の戻り値のデータ型である文字列型として受け取っておく。

指定した段の九九の問題を出すマクロ

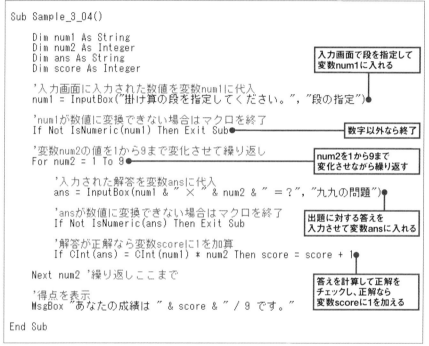

```
Sub Sample_3_04()

    Dim num1 As String
    Dim num2 As Integer
    Dim ans As String
    Dim score As Integer

    '入力画面に入力された数値を変数num1に代入
    num1 = InputBox("掛け算の段を指定してください。", "段の指定")

    'num1が数値に変換できない場合はマクロを終了
    If Not IsNumeric(num1) Then Exit Sub

    '変数num2の値を1から9まで変化させて繰り返し
    For num2 = 1 To 9

        '入力された解答を変数ansに代入
        ans = InputBox(num1 & " × " & num2 & " ＝?", "九九の問題")

        'ansが数値に変換できない場合はマクロを終了
        If Not IsNumeric(ans) Then Exit Sub

        '解答が正解なら変数scoreに1を加算
        If CInt(ans) = CInt(num1) * num2 Then score = score + 1

    Next num2 '繰り返しここまで

    '得点を表示
    MsgBox "あなたの成績は " & score & " / 9 です。"

End Sub
```

入力画面で段を指定して
変数num1に入れる

数字以外なら終了

num2を1から9まで
変化させながら繰り返す

出題に対する答えを
入力させて変数ansに入れる

答えを計算して正解を
チェックし、正解なら
変数scoreに1を加える

🔵 図13　最初に、入力画面で指定した段の数を変数「num1」に入れる。次に、For〜Nextステートメントで1から9まで変化する変数「num2」を用意し、以下の処理を繰り返す。num1とnum2の掛け算の答えを入力させて変数「ans」に入れ、正解の場合は変数「score」に1を加算。最後にscoreの値を表示する

　num1の値を数値として扱えるかどうかは、「IsNumeric」関数で判定する。この関数は、引数に指定した値が数値に変換可能な文字列の場合は「True」を返す。これに、真偽を反転させる論理演算子「Not」を付けることで、「数値に変換できない文字列だったら、Exit Subでマクロを終了する」という条件分岐を行った。「キャンセル」が押された場合も同様に終了となる。
　続くコードでは、整数型の変数「num2」を「1」から1ずつ増加させながら「9」

になるまで、For ～ Next ステートメントのブロックを繰り返す。InputBox関数で出題画面を表示し、num1とnum2に代入された数字の掛け算の答えを入力させる。この答えも文字列型の変数「ans」で受け取るが、数値に変換できない値だった場合は、マクロを終了する。文字列型でnum1やansに収めた数字は、そのまま計算に使っても数値に自動変換されるが、ここでは「CInt」関数で明示的に整数に変換し、掛け算の答えをチェックした。正解の場合は、成績を表す整数型の変数「score」に1を加算する。この処理を9回繰り返してFor ～ Next ステートメントを終了したら、scoreに記録された正解の数をメッセージ画面に表示する。

なお、最初の入力画面では、「数字かどうか」以外のチェックは行っていない。整数については、よほど桁が大きくない限りは問題なく使用できるが、小数の場合は正誤判定が正しく行われないので注意しよう。

繰り返しを重ねて九九の全段を出題する

最後に、「1×1」から「9×9」までの九九の問題に全て解答するプログラムを作成しよう。解答が終わると、その正解数と所要時間が表示される（図14）。

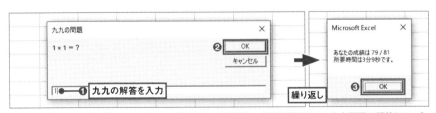

🔼 図14　「1×1」から「9×9」までの81通りの九九の問題を、順番に表示される入力画面で解答していく。「キャンセル」を押すか数字以外を入力すると、メッセージが表示されて終了する。最後まで解答すると、成績と所要時間が表示される

このプログラムでは、整数型の変数「num1」と「num2」を、それぞれ二重に使用したFor ～ Nextのカウンター変数とする（図15）。まず外側のFor ～ Nextで、num1の値を「1」として1回目の繰り返し処理を行う。そして、num2の値が「1」から「9」になるまで、内側のFor ～ Nextの処理を繰り返す。これで1の段が終了する。次に、num1を「2」として外側のFor ～ Nextの2回目の繰り返しを行い、やはりnum2が「1」から「9」になるまで、内側のFor ～ Nextの処理を繰り返す。これが2の段だ。以降、num1が「9」になるまで、つまり9の段まで同じ処理を繰り返す。なお、このように繰り返しの処理を重ねることを「ネスト」と呼ぶ。

九九の全段を順番に出題するマクロ

```
Sub Sample_3_05()

    Dim num1 As Integer
    Dim num2 As Integer
    Dim ans As String
    Dim score As Integer
    Dim sTime As Date

    '現在時刻を変数sTimeに代入
    sTime = Time          ← Time関数で開始時刻を取得

    '変数num1の値を1から9まで変化させて繰り返し
    For num1 = 1 To 9     ← 「A×B」のAの部分の繰り返し

        '変数num2の値を1から9まで変化させて繰り返し
        For num2 = 1 To 9
            ans = InputBox(num1 & " × " & num2 & " ＝？", "九九の問題")

            'ansが数値に変換できない場合は
            If Not IsNumeric(ans) Then
                'メッセージを表示してマクロを中止
                MsgBox "キャンセルされたか、数字以外が入力されました。", _
                    vbOKOnly, "中止"
                Exit Sub
            End If

            If CInt(ans) = num1 * num2 Then score = score + 1
        Next num2 'num2の繰り返しここまで    ← 「A×B」のBの部分の繰り返し

    Next num1 'num1の繰り返しここまで

    '得点と併せて、所要時間を「○分○秒」の形式で表示
    MsgBox "あなたの成績は " & score & " ／ 81" & vbCr & _     ← 成績と所要時間を表示
        "所要時間は" & Format(Time - sTime, "n分s秒") & "です。"

End Sub
```

○ 図15　For〜Nextステートメントを二重にして使い、1〜9の各段について、それぞれ1〜9を掛ける問題を順番に出す。最後に成績と所要時間を表示する

　出題画面の表示と、入力結果に対する処理は、内側のFor〜Nextの中で行う。出題画面では、num1の値とnum2の値を掛け算する問題を表示し、入力された答えが正解の場合は、変数「score」に1を加える。数字以外の答えが入力されるか、「キャンセル」が押された場合は、その旨を告げるメッセージを表示してマクロを終了する。なお、このMsgBox関数では、メッセージとボタンに加えて、3番目の引数に画面のタイトル文字（「中止」）も指定している。

　所要時間の計算には、現在時刻を求めるTime関数を使用した。最初にTime関数で開始時刻を求めて変数「sTime」に代入。終了時のTime関数の値から開始時刻を引いて、所要時間を求める。これを、表示形式を設定した文字列を作る「Format」関数で、「○分○秒」の形式で表示させている。

Lesson 04

メソッドとプロパティで オブジェクトを操作する

　ここまでは、簡単なプログラムを作りながら、VBAではどんな命令や構文を使うのかを見てきた。ここからは、VBAのコードの成り立ちを含め、VBAプログラミングを基本から理解していこう。

　具体的には「オブジェクト」「プロパティ」「メソッド」といった基礎的な概念を押さえる（図1）。オブジェクトとは、セルやワークシートなどの操作対象、あるいはフォントや罫線といった特定の機能を、象徴的に"モノ"として表したものをいう。プロパティは、オブジェクトの状態や属性のこと。メソッドは、オブジェクトの機能を利用したり、状態を変化させたりする操作のことだ。

オブジェクト操作の基本

↩ 図1　セルやシートといった操作対象や特定の機能などを、象徴的な"モノ"として表したのが「オブジェクト」だ。VBAでは、オブジェクトの状態や属性を表す「プロパティ」に値を設定したり、「メソッド」でオブジェクトを操作したりする形でプログラムを記述する

　VBAのコードは、まず操作対象にするオブジェクトを取得し、そのプロパティに値を設定したり、そのメソッドを実行したりする形で記述する。プロパティやメソッドは、対象にするオブジェクトの後に「.」（半角ピリオド）でつなげて指定する（図2）。プロパティやメソッドによっては「引数」を指定するものもある。

オブジェクト操作の構文❶

オブジェクト.プロパティ ＝ 設定値

オブジェクト操作の構文❷

オブジェクト.メソッド

↩ 図2　まずオブジェクトを記述し、「.」（半角ピリオド）に続けてプロパティやメソッドを指定する。プロパティに値を設定すると、オブジェクトの属性が変更される。メソッドは、オブジェクトを操作したり、その機能を実行したりする

操作するオブジェクトを取得する

VBAでオブジェクトを取得するときは、プロパティなどを使って間接的に指定することが多い。例えば、セルは「Range」オブジェクトだが、アクティブセルを表すRangeオブジェクトは、「ActiveCell」プロパティで指定できる。このとき、ActiveCellプロパティ自体の対象オブジェクトは何なのだろうか。結論から言うと、ExcelのVBA環境を表す"隠れオブジェクト"であり、この環境の中では特に指定することなく、その機能を利用できることになっている。

こうしたプロパティやメソッドは、対象オブジェクトの指定を省略して、直接コードで使用できる。逆に言うと、VBAのコードの多くは、こうしたプロパティまたはメソッドから、記述を始めることになる。

一方、Rangeオブジェクトの「Value」プロパティは、対象のセルの「値」を表す。例えば、アクティブセルに「本店」という文字を入力したい場合は、代入演算子の「=」を使って「ActiveCell.Value = "本店"」のように記述する。

Valueプロパティは、現在の設定状態を調べる用途にも使える。図3のコードでは、「=」の右辺の「ActiveCell.Value」が、アクティブセルの現在の値を取り出すための記述だ。取り出された値に、文字列演算子「&」で「本店」という文字を結合し、改めて左辺の「ActiveCell.Value」に設定している。

オブジェクトのプロパティで値を設定するマクロ

```
Sub Sample_4_01()
    'アクティブセルの値に「本店」を追加
    ActiveCell.Value = ActiveCell.Value & "本店"

End Sub                                    アクティブセルの値
```

⚫ 図3 「ActiveCell」プロパティは、アクティブセルを表す「Range」オブジェクトを返す。このRangeオブジェクトの「値」を取得・設定するのが「Value」プロパティ。このコードでは、「=」の右辺でアクティブセルの現在の値を取り出し、「本店」の文字列を結合。左辺のValueプロパティ（アクティブセルの値）に代入している

なお、「Range ("D3") .Value = "合格"」（D3セルに「合格」と入力する）といった記述では、「Range ("D3")」の部分が、D3セルを表すRangeオブジェクトである。ただし、記述された「Range」自体はオブジェクトではなく、指定したセル参照をRangeオブジェクトとして返すプロパティだ。VBAでは、オブジェクトとそれを取得するプロパティが同名の場合も多いので、混同しないようにしよう。

オブジェクトをメソッドで操作する

次に、オブジェクトのメソッドを使用する例を見てみよう。

Excelでは、かな漢字変換の操作でセルに漢字を入力すると、変換前の「かな」の情報が、セルの「ふりがな」として自動設定される。ただし、ほかのアプリなどから文字列をコピーして貼り付けた場合や、VBAのコードで自動的に漢字を入力した場合などは、セルのふりがなは設定されない。Excelの標準機能で、セル範囲にふりがなを自動設定するコマンドもない。

そんなときマクロを使えば、選択した複数のセルを対象にふりがなを自動設定できる。図4がそのコードだ。「Selection」プロパティで、選択範囲を表すRangeオブジェクトを取得。その範囲に対し、ふりがなを設定する「SetPhonetic」メソッドを実行している。このマクロ「Sample_4_02」を実行すると、選択範囲の各セルに一括で、漢字から自動で判定したふりがなが設定される（図5）。

オブジェクトをメソッドで操作するマクロ

```
Sub Sample_4_02()

    '選択範囲の各セルにふりがなを追加
    Selection.SetPhonetic ●――――――――――― 漢字にふりがなを設定する

End Sub
```

🔾 図4　セルの漢字にふりがなを設定するマクロ。「Selection」プロパティは、選択したセル範囲を表すRangeオブジェクトを返す。このRangeオブジェクトの「SetPhonetic」メソッドで、各セルのデータに応じたふりがなを自動設定する。SetPhoneticメソッドは引数が不要で、戻り値もない

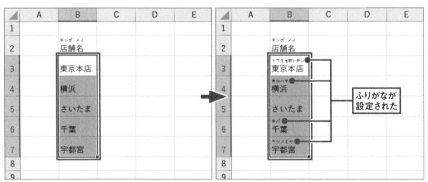

🔾 図5　セルのふりがなは、範囲を選択して「ホーム」タブの「ふりがなの表示／非表示」を選ぶと表示される。ほかからコピーするなどして取り込んだデータは、セルにふりがなが設定されていない。こうしたセルを選択してマクロ「Sample_4_02」を実行すると、Excelが自動で判定したふりがなを設定する

Applicationオブジェクトのメソッドを使う

　VBAでは、Excelというアプリケーションそのものは「Application」オブジェクトとして表される。これは、対象オブジェクトを省略した「Application」プロパティで取得可能だ。オブジェクトの記述を省略できるプロパティの対象オブジェクトと、ExcelのApplicationオブジェクトには、共通する機能も多い。例えば、ActiveCellプロパティやRangeプロパティは、Applicationオブジェクトを対象としても同じ結果になる。ただし、両者は決して同一の存在ではなく、使用可能なプロパティやメソッドの種類はApplicationオブジェクトの方が豊富である。

　Applicationオブジェクトのメソッドの一つが「InputBox」メソッドだ。これまで、入力画面を表示するInputBox関数を何度も使用してきたが、InputBoxメソッドはExcelのApplicationオブジェクトから独自の入力画面を表示するためのもの。同じInputBoxなので紛らわしいが、「InputBox」から書き始めれば関数、「Application.InputBox」と記述した場合はメソッドになる。

　InputBoxメソッドも、入力画面に入力された文字列を戻り値として返す。戻り値を取得する場合、入力画面に表示するメッセージなどの引数を、やはりかっこ内に指定する。図6は、これを利用したマクロの例。実行すると入力画面が現れ、入力した漢字の読みがメッセージ画面に表示される（図7）。

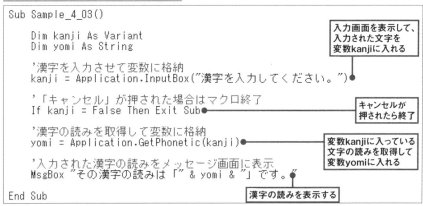

InputBoxメソッドを利用するマクロ

```
Sub Sample_4_03()

    Dim kanji As Variant
    Dim yomi As String

    '漢字を入力させて変数に格納
    kanji = Application.InputBox("漢字を入力してください。")

    '「キャンセル」が押された場合はマクロ終了
    If kanji = False Then Exit Sub

    '漢字の読みを取得して変数に格納
    yomi = Application.GetPhonetic(kanji)

    '入力された漢字の読みをメッセージ画面に表示
    MsgBox "その漢字の読みは「" & yomi & "」です。"

End Sub
```

入力画面を表示して、入力された文字を変数kanjiに入れる

キャンセルが押されたら終了

変数kanjiに入っている文字の読みを取得して変数yomiに入れる

漢字の読みを表示する

🔾 図6 「Application」オブジェクトの「InputBox」メソッドを使うと、「InputBox」関数とは少し異なる機能を備えた入力画面を表示できる。このマクロは、入力した漢字の読み方を「GetPhonetic」メソッドで求め、メッセージ画面に表示する

⚲ 図7　マクロ「Sample_4_03」を実行すると、入力画面が表示され、漢字の入力を促す。適当な漢字を入力したり貼り付けたりして「OK」を押すと、その読みがメッセージ画面に表示される。もう一度「OK」を押すと、マクロが終了する

　図6のコードでは、InputBoxメソッドの戻り値を変数「kanji」に収め、それが「キャンセル」でないことを確認した上で、Applicationオブジェクトの「GetPhonetic」メソッドの引数に指定した。このメソッドは、戻り値として、漢字の読みを表すカタカナを取得できる。この文字列をさらに変数「yomi」に格納し、それをMsgBox関数によるメッセージ画面に表示させている。

　InputBoxメソッドがInputBox関数と大きく異なる点は、入力画面を表示している状態で、セルを直接クリックまたはドラッグして、そのセル参照を入力できることだ。1つのセルの参照を指定すると、そのセルの値が戻り値となる。

　またInputBoxメソッドでは、「キャンセル」を押されたときの戻り値が論理値「False」になる。空白文字列 ("") を返すInputBox関数とは異なる。

下位のオブジェクトを取得する

　ここまで見てきた「オブジェクトを返すプロパティ」は、ActiveCellプロパティのように、対象オブジェクトを省略できるものばかりだ。しかし、オブジェクトのプロパティとして別のオブジェクトを取得し、さらにそのプロパティに値を設定するといった操作もできる。1行のコードの中で、階層的に下位のオブジェクトを取得していく形だ (図8)。

⚲ 図8　オブジェクトのプロパティの中には、値としてオブジェクトを返す機能を持つものがある。そのオブジェクトを対象にして、さらにプロパティやメソッドで操作を行うことが可能だ

図9のマクロでは、まずRangeプロパティを使ってB2〜E7セルを表す
Rangeオブジェクトを取得し、その「Borders」プロパティで、四辺の罫線の設
定を表す「Borders」オブジェクトを取得。その「LineStyle」プロパティに定数
「xlContinuous」を指定して、実線の罫線を引く（図10）。

オブジェクトに含まれるオブジェクトを取得するマクロ

```
Sub Sample_4_04()

    'B2〜E7セルに格子の罫線を引く
    Range("B2:E7").Borders.LineStyle = xlContinuous

End Sub      B2〜E7セルの四辺の罫線の線種      実線
```

🔗 図9　「Range」プロパティにセル参照を表す文字列を指定すると、そのセルやセル範囲を表すRangeオブジェクトを返す。このRangeオブジェクトの「Borders」プロパティは、さらに各セルの四辺の罫線の設定を表す「Borders」オブジェクトを返す。このBordersオブジェクトの「LineStyle」プロパティは線種を表すもの。そこに実線を表す定数（あらかじめ決められた単語）を設定することで、四辺に実線を引く

	A	B	C	D	E
1					
2		店舗名	2019年	2020年	2021年
3		東京本店	17650	20340	19580
4		横浜	15360	15030	17270
5		さいたま	12670	14290	16130
6		千葉	9850	10290	9710
7		宇都宮	8400	7920	9280
8					
9					
10					

格子の罫線が引かれた

🔙 図10　図9のマクロ「Sample_4_04」を実行すると、B2〜E7セルのセル範囲に、格子の罫線が引かれる。マクロの実行時にどのセルが選択されているかや、入力データの有無は、ここでは関係ない

図9のマクロは対象範囲を固定しているが、表の大きさに応じて自動的に対象
範囲を特定することもできる。図11のマクロ「Sample_4_05()」はその例だ。

表全体に罫線を設定するマクロ

```
Sub Sample_4_05()

    'アクティブセルを含む表の範囲に格子の罫線を引く
    ActiveCell.CurrentRegion.Borders.LineStyle = xlContinuous

End Sub      アクティブセルを含む表全体の領域
```

🔗 図11　アクティブセルを表すRangeオブジェクト（ここではActiveCell）の「CurrentRegion」プロパティは、アクティブセルを含む表全体の範囲（アクティブセル領域）を表すRangeオブジェクトを返す。このRangeオブジェクトに対して、図10と同様に罫線の設定を行う

まず、ActiveCellプロパティでアクティブセルのRangeオブジェクトを取得し、その「CurrentRegion」プロパティで、対象のセルの「アクティブセル領域」を取得する。アクティブセル領域とは、対象のセルを含み、連続してデータが入力されている長方形の領域のこと。つまり、「表」の範囲を表す。このRangeオブジェクトのBordersプロパティでBordersオブジェクトを取得し、以下、図9と同様のコードで範囲全体に罫線を設定する（図12）。

⊙ 図12　表の中の1つのセルを選択して、マクロ「Sample_4_05」を実行した様子。対象の範囲はあらかじめ特定していないが、アクティブセルを含み、連続してデータが入力されている長方形の範囲が自動的に取得され、格子の罫線が引かれる

同じオブジェクトに複数の操作

同じオブジェクトを対象に複数の操作を行う場合、操作ごとに毎回オブジェクトを取得し直すのは面倒だ。特に、取得する操作自体が複雑な場合、それを何回も繰り返すのは、プログラムとして効率が悪い。

こんなとき「Withステートメント」を使うと、オブジェクトの取得が1回で済む。「With」の後ろにオブジェクトを表す記述をすると、以降「End With」までの間、そのオブジェクトに対するプロパティなどをまとめて指定できる（図13）。

Withステートメントの構文

With オブジェクト
　.オブジェクトに対する操作1
　.オブジェクトに対する操作2
　⋮
End With

⊙ 図13 「Withステートメント」を利用すると、オブジェクトを表す記述が1回で済み、同じオブジェクトに対する操作を効率化できる。「With」の後にオブジェクトを書き、そこから「End With」の行までの間に、「.」に続けてそのプロパティやメソッドを指定する

　ここでは例として、アクティブセルを含む表の範囲に書式を設定するマクロ「Sample_4_06 ()」を作成した（図14）。

表全体に書式と罫線を設定するマクロ

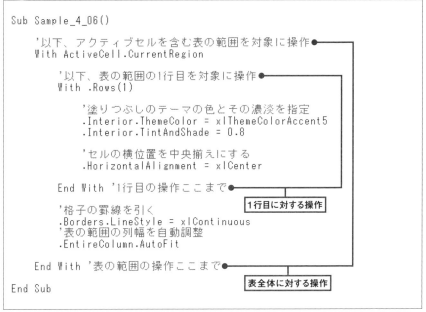

```
Sub Sample_4_06()
    '以下、アクティブセルを含む表の範囲を対象に操作
    With ActiveCell.CurrentRegion

        '以下、表の範囲の1行目を対象に操作
        With .Rows(1)

            '塗りつぶしのテーマの色とその濃淡を指定
            .Interior.ThemeColor = xlThemeColorAccent5
            .Interior.TintAndShade = 0.8

            'セルの横位置を中央揃えにする
            .HorizontalAlignment = xlCenter

        End With '1行目の操作ここまで
                                    1行目に対する操作

        '格子の罫線を引く
        .Borders.LineStyle = xlContinuous
        '表の範囲の列幅を自動調整
        .EntireColumn.AutoFit

    End With '表の範囲の操作ここまで
                                    表全体に対する操作

End Sub
```

⊙ 図14　Withステートメントの使用例。With〜End Withを二重に使い、外側ではアクティブセルを含む表全体を対象に指定。内側では、その範囲の1行目（見出し行）に当たるRangeオブジェクトを「Rows」プロパティで取得して、これを対象に処理を行う。表全体に対しては罫線の設定と列幅の自動調整、1行目に対しては塗り潰しの色や明るさ、セル内の横位置を設定している

　まずアクティブセル領域を表すRangeオブジェクトを取得して、Withステートメントの対象に指定する。すると以降は、「.」に続けて記述するだけで、この

Rangeオブジェクトのプロパティやメソッドを表せる。ここではその「Rows」プロパティで、対象のセル範囲全体を、行単位のまとまりとして取得し直す。かっこ内に「1」という番号（インデックス）を指定することで、対象範囲の1番目の行を、改めてRangeオブジェクトとして取得している。このRangeオブジェクトを、2つめのWithステートメントの対象とする。

2つめ（内側）のWithステートメントでは、「Interior」プロパティで、塗り潰しの設定を表す「Interior」オブジェクトを取得。テーマの色を表す「ThemeColor」プロパティを定数で設定し、色の明るさを表す「TintAndShade」プロパティを数値で設定している。また、文字の横位置を表す「HorizontalAlignment」プロパティに「中央揃え」を意味する定数を設定した。

内側のWithステートメントを抜けた後は、アクティブセル領域に対する操作となる。まず、表全体に格子の罫線を設定。続く「EntireColumn」プロパティは、対象のセルを含む列全体を、Rangeオブジェクトとして取得し直すものだ。その「AutoFit」メソッドで、各列の幅を自動調整する（図15）。

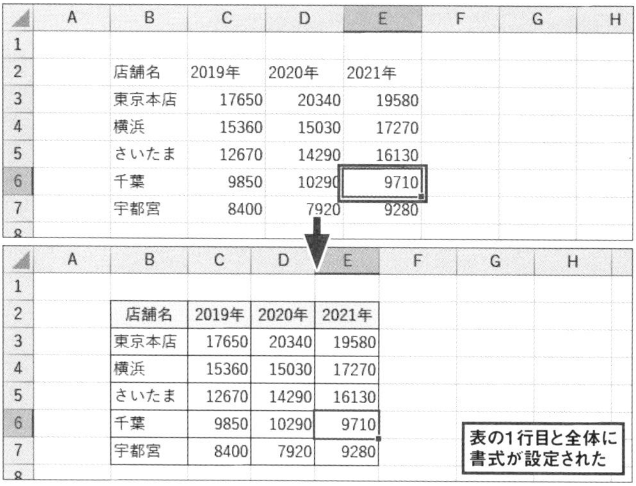

● 図15　表の中の1つのセルを選択し、マクロ「Sample_4_06」を実行した様子。アクティブセル領域のセル範囲に罫線が設定され、その1行目の見出し行には塗り潰しの色と中央ぞろえの設定が施される。さらに、各列の幅がデータに合わせて自動的に調整される

コレクションの要素ごとに繰り返す

「コレクション」という形式で扱われるオブジェクトもある。例えば「対象のセル範囲内の各セル」「1つのブック内の各シート」といった、同類のオブジェクト

の集合がコレクションだ。

　コレクションに含まれる各オブジェクトは、「Rows (1)」のように「インデックス」で指定して、特定の要素を取り出せる。また、「For Each 〜 Next ステートメント」の構文を使うことで、各オブジェクトに対して同じ処理を繰り返して実行することもできる (図16)。

> For Each〜
> Nextステートメントの構文

For Each 変数 **In** コレクション
　　繰り返す操作
Next 変数
　　　　　└─ 省略可

○ 図16　「コレクション」とは、「セル範囲内の各セル」や「ブック内の各シート」のような、同類のオブジェクトの集合のこと。「For Each 〜 Next ステートメント」は、コレクションに含まれるオブジェクトの数だけ処理を繰り返す

　図17のマクロ「Sample_4_07 ()」は、選択したセル範囲を表す「Selection」プロパティで取得したRangeオブジェクトを対象に、For Each 〜 Next ステートメントを実行する例だ。

> **選択範囲に文字列を追加するマクロ**

```
Sub Sample_4_07()

    'Range型のオブジェクト変数rngを宣言
    Dim rng As Range

    '選択範囲の各セルに対して同じ処理を繰り返す
    For Each rng In Selection

        '各セルの値に「支店」を追加
        rng.Value = rng.Value & "支店"

    Next rng '繰り返しここまで

    'ふりがな設定と列幅調整
    Selection.SetPhonetic
    Selection.EntireColumn.AutoFit

End Sub
```

選択範囲内の
各セルに対して
処理を繰り返す

○ 図17　For Each 〜 Next ステートメントの使用例。Selectionプロパティで選択範囲を表すRangeオブジェクトを取得し、その中の各セルの値に「支店」という文字を追加する処理を繰り返す。この操作によってセルのふりがなが失われるので、改めてSetPhoneticメソッドで設定。列幅も「AutoFit」メソッドで自動調整する

　1回の繰り返しごとに、選択範囲内の1つのセルを表すRangeオブジェクトが、変数「rng」にセットされる。その各セルの文字列の後に「支店」を追加し、改めて同じセルに入力している。各セルの処理が終わったら、SetPhoneticメソッドで、この操作で失われたふりがなを再設定。さらに、選択範囲の列幅を自動調整している（図18）。

○ 図18　B4～B7セルを範囲選択し、マクロ「Sample_4_07」を実行したところ。各セルの店舗名に「支店」の文字が追加され、列の幅も文字の長さに合わせて自動調整される。図では表示させていないが、選択範囲の各セルにはふりがなも設定されている

　なお、ここで「rng」は、オブジェクトを収めるための「オブジェクト変数」になる。オブジェクト変数は通常の変数とは異なり、「Range」のようなオブジェクト名を、そのまま変数のデータ型として宣言する。

VBAの関数とワークシート関数

VBAのコードでは、「Sub」や「If」といった基本的なキーワードと演算子、オブジェクトのプロパティやメソッドなどに加えて、VBAの関数が利用できる。この章に出てきた「MsgBox」「Time」「InputBox」などもVBAの関数だ。

VBAの関数は、Excelの数式で使用する関数（ワークシート関数）とは別のものだが、使い方はワークシート関数に近い。計算や処理で使用するデータなどを「引数」と呼び、「( )」の中に指定する。複数の引数を指定する場合は、「,」（半角カンマ）で区切る。引数を必要としない関数もあり、その場合はワークシート関数と違って末尾の「( )」を省略できる。関数による計算や処理の結果は、やはり「戻り値」と呼ばれる。

MsgBox関数は、単にメッセージ画面を表示する命令として使用することが多いが、この関数にも戻り値はある。戻り値を受け取らず、関数を単に命令として使う場合、引数は「( )」の中に入れず、半角スペースを空けて指定する。

VBAの関数とワークシート関数では、Int関数やLeft関数のように、名前と機能がほぼ同じものもある。とはいえ、機能が微妙に違っているものや、名前は同じでも機能が全く異なるものもあり、注意が必要だ。また、VBAの関数には、配列処理やファイル操作といった、プログラミング言語ならではの関数もある。

ワークシート関数の中にも、配列データの処理に使えるものはある。最近のExcelでは、FILTER関数やSORT関数といった、まさに配列処理のための関数が追加されている。以前からの関数でも、SUM関数やCOUNT関数といった、セル範囲を対象とした集計が可能なタイプの多くは、そのまま配列の集計に利用が可能だ。また、VLOOKUP関数やMATCH関数、INDEX関数なども、セル範囲だけでなく配列の値の取得に利用できる。

こうしたワークシート関数をVBAのプログラムで利用できるのは、ほかのアプリのVBAにはない、Excel VBAならではのメリットだ。配列処理に限らず、数値計算や日時、文字列などの処理でも、VBAで便利に使えるワークシート関数は多い。ワークシート関数をVBAのプログラムの中で使うには、「WorksheetFunction」プロパティで取得できる「WorksheetFunction」オブジェクトのメソッドとしてワークシート関数名を指定する。ただし、このようなワークシート関数の便利な機能をVBAで活用するには、やはりワークシート関数についての知識とスキルが必要となる。

第 4 章

VBAのエディターを使いこなす

Lesson **01**

コード入力を簡単にする VBEの支援機能

VBAのプログラムの作成や編集には、「Visual Basic Editor (VBE)」という専用エディター（開発環境）を使用する。VBEにはVBAのプログラム作成を支援する各種の機能がある。ここでは、VBEの便利機能と主な使い方を見ていこう。なお、第3章と重複する説明もある。

Excel画面からVBEを開く

「開発」タブ[※]の「Visual Basic」をクリック（図1上）。すると、Excelの画面とは別のウインドウで、VBEが表示される（図1下）。一見Excelとは別のアプリのようだが、Windowsのタスクバーでは VBE のウインドウが Excel のアイコンの中に表示されるなど、Excelに含まれる機能という位置付けだ。

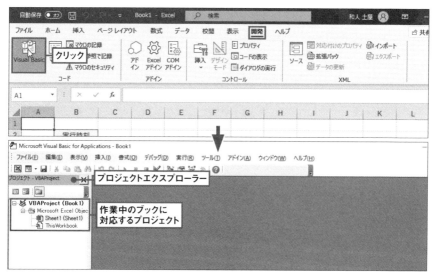

○ 図1 「開発」タブの「Visual Basic」をクリックする（上）。これで、VBEの画面が、Excelとは別のウインドウとして表示される（下）。画面の左上側の部分は「プロジェクトエクスプローラー」と呼ばれ、作業中のブックに対応する「プロジェクト」が表示されている

※Excel画面に「開発」タブを表示させる方法は44ページ参照

　VBEの画面では、まず左上側にある「プロジェクトエクスプローラー」に注目しよう。ここで「VBAProject」と表示されているアイコンのグループが、プログラムの保管場所を表す「プロジェクト」だ。Excel VBAのプロジェクトは、そのExcelで開いているブックに対応する。新規作成のブックなら、未保存の「Book1」というブックだ。また、ここでは1つのブックしか開いていないが、複数のブックを開いている場合は、その全てに対応するプロジェクトが表示される。

　なお、VBEの表示には、[Alt]キーと[F11]キーを同時に押すというショートカットキーも使用できる。この方法なら、「開発」タブを表示していない状態でも手早くVBEを開ける。

Subプロシージャを入力する

　それでは、このVBEの画面で、実際に新しいプログラムを作成してみよう。VBAのプログラムは、それを使うブックのプロジェクトに含まれる「モジュール」の中に入力する。Excelのマクロとして実行できるのは、「標準モジュール」に記述された、「Subプロシージャ」という種類のプログラムだ。

　標準モジュールは、初期状態ではプロジェクトに含まれていないため、まずこれを作成する必要がある。「挿入」メニューをクリックし、「標準モジュール」を選ぶ（図2上）。これで、作業中のプロジェクトの中に標準モジュールが作成され、右側にその内容を表す「コードウィンドウ」が表示される（図2下）。このウインドウに、プログラムを入力していく。

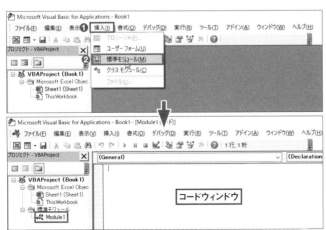

◆図2　「挿入」メニューをクリックして、「標準モジュール」を選ぶ（上）。これで、作業中のプロジェクトの中に標準モジュールが追加され、その内容を表すコードウィンドウが画面の右側に開く（下）。このコードウィンドウの中に、マクロのプログラムを入力していく

　なお、この例ではプロジェクトが1つだけなのでこの手順で問題ないが、複数のプロジェクトが表示されている場合は、モジュールを追加したいプロジェクト、またはその要素を最初に選択してから、図2の操作を実行すると確実だ。

　コードウィンドウの中に、ここでは「sub 時刻入力」と入力し、[Enter] キーを押す（図3）。すると、VBEの機能によって「sub」が自動的に「Sub」に変わり、「時刻入力」の後に「()」が付き、1行空けて「End Sub」という行が自動的に追加される（図4）。ここでは、「時刻入力」が任意に付けられるマクロ名であり、「Subマクロ名 ()」から「End Sub」までの行が、1つの「Subプロシージャ」だ。具体的な処理を指定するコードは、この2行の間に入力していく。

○ 図3　Excelのマクロの実体は、「Subプロシージャ」と呼ばれるコードのまとまりだ。「sub」の後に半角スペースを空けて、付けたいプロシージャ名（マクロ名）を入力する。ここでは「時刻入力」という名前を入力し、[Enter] キーを押す

○ 図4　プロシージャ名の後に「()」が付き、1行空けて、「End Sub」という行が自動追加される。最初に入力した「sub」は、自動的に「Sub」に修正される。この「Sub マクロ名 ()」から「End Sub」までがSubプロシージャであり、この間にコードを入力していく

　ここでは「時刻入力」としたが、マクロ名には一定の範囲で自由な文字の組み合わせを指定可能だ。ただし、ほとんどの記号類は使用できず、数字から始めることもできない。また、英文字を使う場合は、VBAの用語（キーワード）と重複しないように注意する必要がある。

　VBAのコードでは、この「Sub マクロ名 ()」と「End Sub」のように開始と終了の行を組み合わせて、その間の処理のグループを指定することが多い。このグループを分かりやすく示すため、開始行と終了行の間の行は、インデント（字下げ）するのが一般的だ。VBEでは、[Tab] キーを押すと、自動的に一定の数（通常は4）の半角スペースが入力される（図5）。また、インデントした行で [Enter] キーを押して改行すると、次の行の先頭も自動的に同じインデント位置になる。

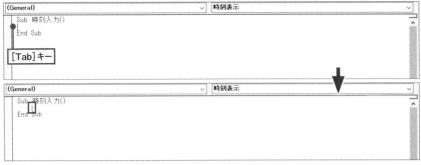

🔵 図5　この「Sub マクロ名 ()」と「End Sub」の間のコードの行は、1段階インデント（字下げ）しよう。プログラムの実行に影響はないが、プログラムのまとまりが分かりやすくなる。[Tab] キーを押すと、一定の数（通常は4）の半角スペースが、インデントとして挿入される

VBEの入力サポート機能を活用

　次に、Subプロシージャ「時刻入力」の処理として、まず「range ("B3").」と入力する（図6上）。「.」（半角ピリオド）まで入力すると、その後に指定できるキーワードの候補が、メニューとして表示される。続けて「v」と入力すると、メニューが「V」で始まる行まで自動的にスクロールする（図6下）。その中から、ここでは [↓] キーで「Value」を選択し、[Tab] キーを押してプログラム中に入力した（図7）。さらに「= time」と入力し、カーソルを別の行へ移すと、やはり「range」や「time」などの表記が自動修正される（図8）。

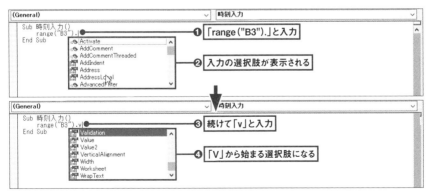

🔵 図6　Subプロシージャ「時刻入力」のコードとして、まず「range ("B3").」と入力する（上）。この「.」を入力したところで、その後に指定できるキーワードのリストが自動表示される。続けて「v」と入力すると、さらにキーワードのリストが「V」から始まる項目にスクロールする（下）

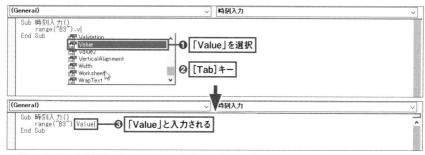

⤷ 図7　表示された選択肢の中から、ここでは方向キーで「Value」を選択して [Tab] キーを押す（上）。これで、「Value」がカーソル位置に入力される（下）。なお、選択肢の中のキーワードをダブルクリックしてもよい

⤷ 図8　続けて「= time」と入力する。別の行へカーソルを移すと、「range」が「Range」になるなど、大文字・小文字が正しい表記に自動修正される

このコードは、B3 セルを表す Range オブジェクトの Value プロパティに、現在の時刻を返す Time 関数の戻り値を代入するというものだ。その結果として、作業中のワークシートの B3 セルに、現在の時刻が自動入力される。

コードを実行してExcel画面に戻る

このSubプロシージャを実行した後（図9）、「標準」ツールバーの左端にある「表示 Microsoft Excel」をクリックして、Excelの画面に戻ってみよう（図10）。開かれているワークシートのB3セルに、マクロ実行時の時刻が入力されていることが確認できる（図11）。

⤷ 図9　実行したいSubプロシージャの中にカーソルを置き、「標準」ツールバーの「Sub ／ユーザーフォームの実行」をクリックする。または、「実行」メニューから「Sub ／ユーザーフォームの実行」を選んでもよい

⊙ 図10　VBEの画面からExcelの画面に戻るには、「標準」ツールバーの「表示 Microsoft Excel」をクリックする。タスクバーで画面を切り替えてもよい

⊙ 図11　Excelの画面に戻る。先にマクロ「時刻入力」を実行しているため、B3セルにその時刻が入力されていることが確認できる

　なお、VBEからExcelの画面に戻るには、Windowsのタスクバーの Excel のアイコンにマウスを合わせ、表示したいExcelの画面を選んでもよい。また、VBEを閉じてExcelの画面に戻っても、ここでの作業内容が失われることはない。

　VBEで作業した内容は、最終的に、そのプロジェクトに対応するブックに保存される（図12）。保存の操作は、Excelに戻って実行してもよいが、VBEでも「標準」ツールバーの「上書き保存」から実行が可能だ（図13）。未保存の新しいブックの場合は、この操作で「名前を付けて保存」画面が表示されるので、通常のブックと同様に保存を実行する（図14）。なお、VBAのプログラムを含むブックの場合は、「ファイルの種類」として必ず「Excelマクロ有効ブック」を選ぶ。

⊙ 図12　VBEの作業内容は、その標準モジュールを含むプロジェクトに対応するブックのファイルに保存される。この「時刻入力」のプログラムは、未保存の「Book1」というブックのプロジェクトに含まれている

⊙ 図13　保存の操作は、Excel側で実行してもよいが、VBEの画面で実行することも可能だ。「標準」ツールバーの「上書き保存」をクリックすればよい。すでにファイル名を付けて保存していた場合は、この操作で上書き保存される

off

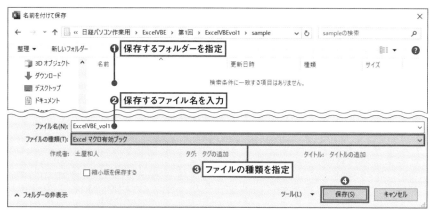

🔼 図14 新しいブックの場合は、「名前を付けて保存」画面が表示される。VBAのプログラムを含むブックの場合、「ファイルの種類」として、「Excel マクロ有効ブック」を選択する。保存場所やファイル名を指定して、保存を実行する。ファイルの拡張子は「xlsm」になる

1行のコードをその場で実行する

わざわざSubプロシージャを作成しなくても、VBE画面のまま1行のコードを簡単に実行できる方法も紹介しておこう。

VBEの「表示」メニューから「イミディエイトウィンドウ」を選ぶ（図15）。これでイミディエイトウィンドウが表示され、その中にカーソルが点滅する。

🔼 図15 1行のコードの実行結果をすぐに確認したい場合は、「イミディエイトウィンドウ」を利用すると便利だ。「表示」メニューをクリックし、「イミディエイトウィンドウ」を選ぶ（上）。イミディエイトウィンドウが表示され、その中にカーソルが点滅する（下）

　ここにコードを入力して［Enter］キーを押すと、その処理が実行される。ここでは、MsgBox関数とTime関数を使用して、現在の時刻をメッセージ画面に表示するコードを実行した（図16）。

● 図16　イミディエイトウィンドウに1行のコードを入力し、［Enter］キーを押す（上）。その命令が実行され、メッセージ画面に「現在の時刻は14：16：42」のように表示されるので、「OK」をクリックして閉じる（下）

　処理を実行するだけではなく、イミディエイトウィンドウを使って関数などの式の結果を簡単に確認することも可能だ。「？」に続けて式を入力し、［Enter］キーを押せばよい。ここでは、Date関数を使用して、今日の日付をこのウィンドウの中に出力している（図17）。

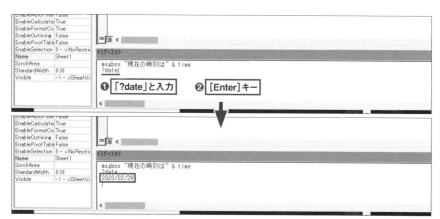

● 図17　イミディエイトウィンドウでは、命令を実行するだけでなく、「?」に続けて入力することで、関数などの式の結果も求められる。ここでは「?date」と入力し、［Enter］キーを押した（上）。Date関数によって今日の日付が返され、このウィンドウ内に結果が表示される（下）

Lesson 02 コードのキーワードについて調べる

　VBEには、VBAで使用する各種キーワードの情報を調べるための機能もある。「ヘルプ」と「オブジェクトブラウザー」を活用する使い方だ。なお、VBAのキーワードは、厳密にいえば基本的な用語（予約語）のこと。ここでは、アプリケーション独自のオブジェクトのプロパティやメソッドなども含めて、VBAのコードで使われる用語全般をキーワードと呼ぶことにする。

記録機能でサンプルのマクロを作成

　キーワードの情報を調べるサンプルとして、まずマクロの記録機能を利用し、簡単なマクロプログラムを作成しよう。B3セル以外のセルを選択している状態で、「開発」タブの「マクロの記録」をクリックする（図1）。または、「表示」タブの「マクロ」の「▼」から「マクロの記録」を選ぶか、ステータスバー左側の「マクロの記録」ボタンをクリックしてもよい。

⬆ 図1　まずは情報を調べる対象のプログラムとして、記録機能を利用してサンプルを作成しよう。B3セル以外のセルを選択し、「開発」タブの「マクロの記録」をクリックする

「マクロの記録」画面で、まず「マクロ名」欄に「連続番号入力」と入力。さらに、「ショートカットキー」欄に「q」、「説明」欄に「1から10までの番号を自動入力します。」と入力し、「OK」をクリックする（図2）。なお、「マクロの保存先」は、「作業中のブック」にしておく。

記録が開始されるので、まずB3セルを選択して「1」と入力。改めてこのセルを選択し、薄い緑の背景色を設定して、オートフィルの操作でB12セルまで、1ずつ増えていく連続番号を入力する（図3）。記録したい操作は以上なので、「開発」タブの「記録終了」をクリックする。

○ 図2 「マクロの記録」画面が表示される。「マクロ名」「ショートカットキー」「説明」の各入力欄に図のように入力し、「OK」をクリックする

○ 図3 B3セルを選択して「1」と入力。改めてB3セルを選択し、背景色として「緑、アクセント6、白＋基本色80％」を設定する。そのフィルハンドルを［Ctrl］キーを押しながらB12セルまでドラッグして、連続番号を入力。「開発」タブの「記録終了」をクリックする

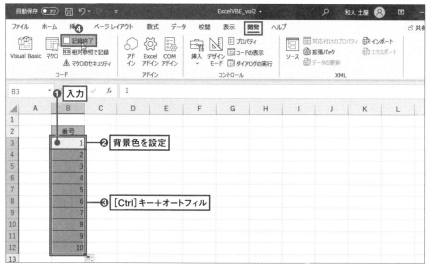

作成されたマクロ「連続番号入力」の動作を確認してみよう。「実行用」シートを開き、[Ctrl] キーを押しながら [Q] キーを押す (図4)。そのとき選択しているセルに関係なく、B3〜B12セルに薄い緑の背景色が付き、1〜10の連続番号が自動入力される。

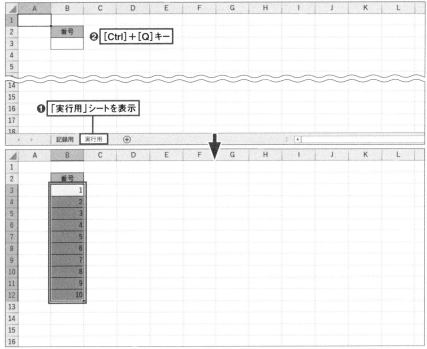

⬆ 図4　このブックの「実行用」シートを表示して、作成したマクロ「連続番号入力」の動作を確認しよう。[Ctrl] キーを押しながら [Q] キーを押すとこのマクロが実行され、B3〜B12セルに薄い緑の背景色が付いて、1〜10の連続番号が自動入力される

VBEを開いてコードを表示する

　VBEを開き、このマクロ「連続番号入力」が実際にどのようなプログラムになっているかを確認する。コードウィンドウが表示されていない場合は、プロジェクトエクスプローラーで「標準モジュール」のフォルダーを開き、その中にある「Module1」をダブルクリック (図5)。画面の右側にコードウィンドウが開き、Subプロシージャ「連続番号入力」のプログラムが表示される。

🔵 図5　VBEを表示する。プロジェクトエクスプローラーで、「標準モジュール」のフォルダーが閉じている場合は「＋」をクリックして開き、「Module1」をダブルクリック。コードウィンドウが開き、マクロのプログラムを確認できる

　先頭部分の緑色の文字列は、記録機能で作成したプログラムに自動的に入力される「コメント」だ（図6）。VBAでは、「'」（シングルクォート）からその行末までがコメントと見なされ、コードとしては実行されない。

マクロ記録で作成したサンプルマクロ

```
Sub 連続番号入力()
'
' 連続番号入力 Macro
' 1から10までの番号を自動入力します。
'
' Keyboard Shortcut: Ctrl+q
'
    Range("B3").Select
    ActiveCell.FormulaR1C1 = "1"
    Range("B3").Select
    With Selection.Interior
        .Pattern = xlSolid
        .PatternColorIndex = xlAutomatic
        .ThemeColor = xlThemeColorAccent6
        .TintAndShade = 0.799981688894314
        .PatternTintAndShade = 0
    End With
    Selection.AutoFill Destination:=Range("B3:B12"), _
        Type:=xlFillSeries
    Range("B3:B12").Select
End Sub
```

🔵 図6　Subプロシージャの先頭部分の緑色の文字列は「コメント」で、このマクロプログラムの記録時の情報だ。「'」（シングルクォート）の後に入力した文字列は、その行末まではコメントと見なされ、VBAのコードとしては実行されない

　なお、行末の「　_」(半角スペースとアンダースコア)は「行継続文字」と呼ばれ、見た目上改行されていても、その次の行も実質的につながった1行のコードとして処理される。図6にある行継続文字は、マクロの記録時に自動的に挿入されていたわけではなく、後から追加したものだ。

キーワードのヘルプを表示する

　このプログラムの中に登場するキーワードの意味を、まず「ヘルプ」で調べてみよう。調べたいキーワードを選択、またはその中にカーソルを置いて、[F1]キーを押す(図7)。Webブラウザーが開き、マイクロソフトのサポート用サイト内の、該当項目の説明ページが表示される(図8)。

🔽 図7　コード中に入力されているVBAのキーワードの意味を調べたいときは、まずその「ヘルプ」を確認するとよいだろう。ここでは、このマクロプログラムの「FormulaR1C1」の部分を選択し、[F1]キーを押す

🔽 図8　Webブラウザーが起動し、マイクロソフトのサポート用サイトで、選択したキーワードの説明ページが表示される。ただし、この記事では英文を自動翻訳した部分も多く、説明が分かりにくいことがある

オブジェクトの構成を調べる

一方、「オブジェクトブラウザー」では、対象のキーワードについて、オブジェクトとの関係や構成を調べることができる。「標準」ツールバーの「オブジェクトブラウザー」をクリック（図9）。または、「表示」メニューから「オブジェクトブラウザー」をクリックすると、オブジェクトブラウザーが表示される（図10）。

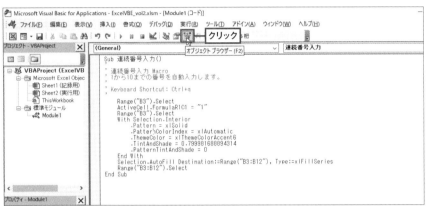

⊙ 図9　プロパティで取得できるオブジェクトや、各オブジェクトのメンバー（プロパティやメソッド）などの構成を調べたいときは、「オブジェクトブラウザー」を利用しよう。「標準」ツールバーの「オブジェクトブラウザー」をクリックする

⊙ 図10　オブジェクトブラウザーの左側はクラス（オブジェクト）の一覧、右側は選択したクラスのメンバーの一覧だ。「グローバル」クラスのメンバーは対象オブジェクトを指定せず使用できる

　その左側には「クラス」の一覧が表示されている。クラスとはいわばオブジェクトのひな型で、ここではオブジェクトそのものと理解してもよい。一覧で目的のクラスを選択すると、画面右側にそのメンバー（プロパティやメソッドなど）が一覧表示される。各項目の先頭には、クラスやプロパティ、メソッドといった種別に応じたアイコンが表示されている。

　クラス一覧の先頭にある「グローバル」は、いわばExcelのVBA環境そのものを表す。このクラスのメンバーは、対象オブジェクトの指定を省略することができる。Excel VBAのコードのほとんどの行は、この「グローバル」クラスのメンバーから記述を始める。

　このクラスの「ActiveCell」を選択すると、画面の下側にこのキーワードの情報が表示される（図11）。この表示にある最初の「Property ActiveCell」は、ActiveCellがプロパティであるという意味。また、「As Range」は、値としてRangeオブジェクトを返すということを意味する。

⊙ 図11　メンバー一覧で「ActiveCell」を選択すると、画面の下に「Property ActiveCell As Range」という情報が表示される。これは、ActiveCellというキーワードがプロパティであり、戻り値としてRangeオブジェクトを返すことを表している

　その「Range」のリンクをクリックすると、クラス一覧で「Range」クラスが選択され、メンバー一覧がRangeクラスのメンバーに変わる（図12）。さらに、そのメンバーの「Interior」を選択すると、下側の情報欄に「Property Interior As Interior」と表示される（図13）。つまり、このInteriorは、Interiorオブジェクトを返すプロパティという意味だ。この「Interior」のリンクをクリックすると、やはりクラス一覧で「Interior」クラスが選択される。

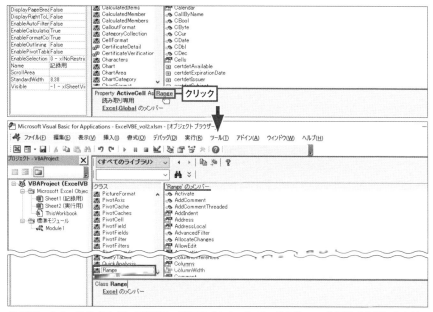

🔵 図12　ActiveCellプロパティの情報の一部はリンクになっている。その「Range」のリンクをクリックすると、左側のクラス一覧で「Range」クラスが選択され、右側のメンバー一覧がRangeクラスのメンバーに変わる

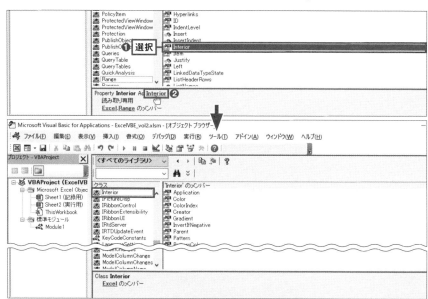

🔵 図13　メンバー一覧で「Interior」を選択すると、情報欄に「Property Interior As Interior」と表示される。つまり、「Interior」はプロパティだ。「Interior」のリンクをクリックすると、「Interior」クラスが選択される

　なお、クラス一覧とメンバー一覧のどちらの項目についても、選択して［F1］キーで、そのヘルプを表示できる。ここでは、「Interior」クラスのヘルプページを表示した（図14）。

⤴ 図14　オブジェクトブラウザーを使用しているときでも、項目を選択して［F1］キーを押せば、その項目（ここではInteriorクラス）のヘルプが表示される

　次に、Rangeクラスの「AutoFill」を選択してみよう（図15）。メソッドの場合、情報欄の先頭は「Function」または「Sub」になる。また、メソッドやプロパティには引数を持つものもあり、それらは「()」の中に表示される。AutoFillメソッドの「Type As XlAutoFillType」は、引数「Type」に「XlAutoFillType」の値を指定するという意味だ（図16）。このリンクから、XlAutoFillTypeという定数のクラスのメンバーである定数の一覧が表示される。その中の定数を選択すると、情報欄でその定数の実際の値を確認できる（図17）。

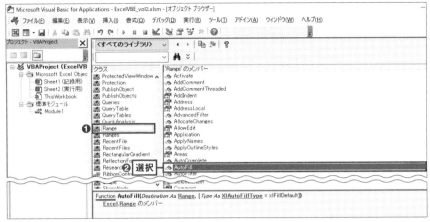

⊙ 図15　Rangeクラスのメンバーの「AutoFill」を選択してみよう。メソッドの情報欄の文字列の先頭は「Function」または「Sub」。引数を指定するメソッドやプロパティでは、「( )」の中に引数が表示される

⊙ 図16　AutoFillメソッドの引数「Type」には「As XlAutoFillType」と表示されている。この「As」以降は引数のデータ型を表し、「XlAutoFillType」はオブジェクトではなく列挙型 (Enum) として定義された定数のクラスだ。このリンクをクリックすると、そのクラスが選択される

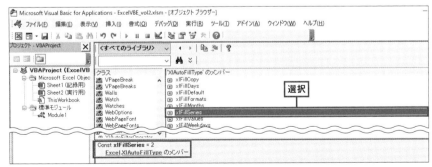

⊙ 図17　XlAutoFillTypeクラスのメンバーは、AutoFillメソッドの引数Typeに指定できる定数だ。ここで「xlFillSeries」を選択すると、情報欄に「Const xlFillSeries = 2」と表示され、このキーワードが定数 (Const) であること、その値が「2」であることが分かる

「中断モード」で
プログラムを検証する

Visual Basic Editor（VBE）では、プログラムの実行中にエラーが発生した場合、その行で実行を中断し、そこまでの処理結果などを確認できる。エラー発生時以外でも、コードを1行ずつ実行し、各段階での状態を検証することが可能だ。

動作確認用のマクロを用意

説明で使う例として、マクロプログラム「支出合計入力」を作成した（図1）。このマクロを実行すると、入力画面が繰り返し表示され、ユーザーに数値を入力させる。入力した数値は、画面では見えないが、全て合計されていく。最後に「キャンセル」または何も入力せずに「OK」をクリックすると、アクティブセルに今日の日付が、その右隣のセルに合計された数値が、それぞれ自動的に入力される。以下、このプログラムの処理について、一通り説明しておこう。

動作確認用のサンプルマクロ

```
Sub 支出合計入力()
    Dim ipt As Variant
    Dim tmp As Integer
    Do
        ipt = InputBox("各支出額を入力")
        If ipt = "" Then Exit Do
        tmp = tmp + ipt
    Loop
    If tmp > 0 Then
        ActiveCell.Value = Date
        ActiveCell.Offset(, 1).Value = tmp
    End If
End Sub
```

🔼 図1　説明で使うマクロのサンプルとして、標準モジュールにマクロプログラム「支出合計入力」を作成した。繰り返し表示される入力画面に数値を入力していくと、アクティブセルに今日の日付を、その右隣のセルに入力された数値の合計を自動入力する。ただし、入力値次第でエラーが発生する

「Sub」と「End Sub」の行を除いたプログラムの実行部分のうち、冒頭の2行では、このプログラムで使用する変数を宣言している。変数の宣言には「Dim」

という命令を使用し、その後に任意の変数名を指定して、さらに「As」に続けてそのデータ型を指定する。ここでは、あらゆる種類のデータに対応できる「バリアント型」(Variant) の変数iptと、「整数型」(Integer) の変数tmpを宣言した。

「Do」と「Loop」を組み合わせると、その間の全ての行の処理が、無制限に繰り返される。このような処理のグループでは、その間の行は通常、処理のまとまりが分かりやすくなるように、1段階インデント(字下げ)しておく。

繰り返しの中では、まず「InputBox」関数を使用して、入力画面を表示する(図2)。その引数に指定した「各支出額を入力」という文字列は、入力画面上に説明として表示される。この関数は、ユーザーが入力して「OK」をクリックしたデータを戻り値として返すので、代入演算子の「=」を使用して、その戻り値を変数iptに代入している。

```
ipt = InputBox("各支出額を入力")
```

⟳ 図2 「InputBox」は、入力画面を表示する関数。引数として、その画面に表示する説明の文字列を指定している。入力画面でユーザーが入力した文字列が、この関数の戻り値として返される。その戻り値を、代入演算子「=」で、変数iptに代入している

入力画面で「キャンセル」をクリックした場合、InputBox関数の戻り値は空文字列 ("") になる。何も入力しないで「OK」をクリックした場合も同様だ。条件を判定する「If 〜 Then」を使って、変数iptに代入されたデータが空文字列かどうかを判定。その結果がTrue (真) だった場合は、「Exit Do」という命令でDo 〜 Loopの繰り返しを終了して、その次の行の処理に移る(図3)。

```
If ipt = "" Then Exit Do
```

⟳ 図3 変数iptの値が空文字列 ("") かどうかを判定する。これを「If 〜 Then」に指定することで、判定結果がTrueだった場合、「Exit Do」でDo 〜 Loopの繰り返しを終了し、その次の行に処理を移動する

変数iptの値が空文字列でなかった場合は、変数tmpに変数iptの値を加算し、改めて変数tmpに代入する(図4)。InputBox関数の戻り値は基本的に文字列型だが、数値と見なせる場合は、ほかの数値と加算することで、自動的に数値型に変換される。また、変数tmpの初期値は0で、1回の繰り返しごとに、その回

の変数iptの値が加算されていく。

図3の判定によって繰り返しを抜けた後、やはりIf ～ Thenで、変数tmpの値が0より大きいかどうかを判定する。Thenの後に直接処理を書かずに改行すると、判定結果がTrueだった場合、その次の行から「End If」の前の行までの処理が実行される。

```
tmp = tmp + ipt
```

🔿 図4　整数型の変数tmpの初期値は「0」だ。これに変数iptの値を加算し、改めて変数tmpに代入する。この一連の処理が繰り返されることで、入力画面への入力値を収めた変数iptの値が、変数tmpに加算されていく

その内容としては、まず「ActiveCell」プロパティで取得したRangeオブジェクトの「Value」プロパティに、今日の日付を返す「Date」関数の戻り値を代入（図5）。これで、アクティブセルに当日の日付データが入力される。さらに、アクティブセルを表すRangeオブジェクトの「Offset」プロパティの第2引数に「1」を指定して、1列右のセルを表すRangeオブジェクトを取得。そのValueプロパティに代入することで、変数tmpの値をそのセルに入力する（図6）。

```
ActiveCell.Value = Date
```

🔿 図5　「ActiveCell」は、アクティブセルを表すRangeオブジェクトを返すプロパティ。その「Value」プロパティに、今日の日付を返す「Date」関数の戻り値を代入することで、アクティブセルに当日の日付データが入力される

```
ActiveCell.Offset(, 1).Value = tmp
```

🔿 図6　「Offset」プロパティは、対象のRangeオブジェクトが表すセルやセル範囲を、指定した行数や列数だけずらした状態のRangeオブジェクトを返す。ここではアクティブセルの1列右のセルを取得し、変数tmpの値を入力している

VBEを開いてマクロを実行する

それでは、実際にこのマクロ「支出合計入力」を実行してみよう。Excelの画面でA7セルを選択し、VBEで「標準」ツールバーの「Sub／ユーザーフォームの実行」をクリックする（図7）。表示される入力画面に数値を入力していき、最

後に「キャンセル」をクリック（図8）。これで、選択したA7セルに日付が、その右のB7セルに指定した全ての数値の合計が、それぞれ入力される（図9）。

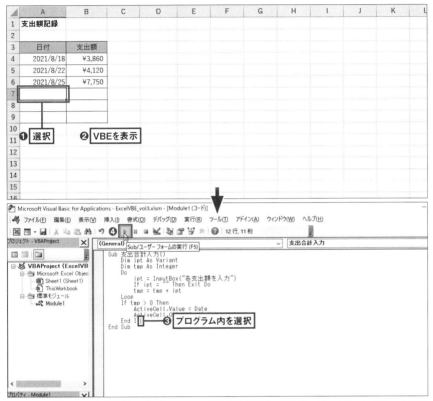

⭕図7　まずExcelの画面を開いて、表のA7セルを選択する（上）。その後、Visual Basic Editor（VBE）を表示（下）。マクロプログラム「支出合計入力」の中にカーソルを置いて、「標準」ツールバーにある「Sub／ユーザーフォームの実行」をクリックする

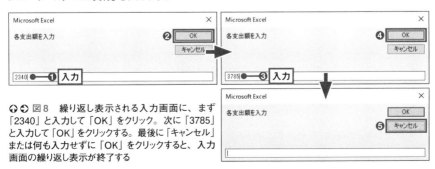

⭕⭕図8　繰り返し表示される入力画面に、まず「2340」と入力して「OK」をクリック。次に「3785」と入力して「OK」をクリックする。最後に「キャンセル」または何も入力せずに「OK」をクリックすると、入力画面の繰り返し表示が終了する

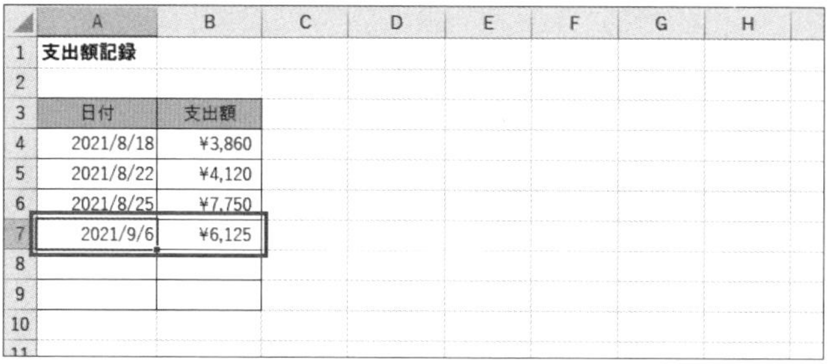

A
B
C
D
E
F
G
H
1 支出額記録
2
3 日付 支出額
4 2021/8/18 ¥3,860
5 2021/8/22 ¥4,120
6 2021/8/25 ¥7,750
7 2021/9/6 ¥6,125
8
9
10

図9　選択していたA7セルに今日の日付が入力され、その右のB7セルに、連続入力した数値の合計が表示される。この表の「支出額」列には、あらかじめ「通貨」の表示形式が設定してあるため、合計の数値は「¥」記号と桁区切りのカンマが付いた通貨形式になる

エラー発生で中断モードへ

ただし、この例のように、各入力画面に数値だけを入力した場合はよいが、文字列や大きすぎる数値などを入力した場合は、問題が発生する。ここでは、合計したい支出額の入力が全て完了したという意味で「以上」と入力し、「OK」をクリックしてみよう（図10）。

Microsoft Excel
各支出額を入力
❷ OK
キャンセル
以上 ❶ 入力

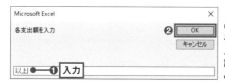

図10　このマクロで入力を想定しているのは、ある程度の大きさまでの整数だ。文字列のデータなどを入力した場合は、問題が発生してしまう。例えば、合計したい支出額を全て入力し終えたという意味で「以上」と入力し、「OK」をクリックしてみよう

すると、「実行時エラー」が発生したことを知らせるメッセージ画面が表示される（図11）。プログラムの実行を終了するなら「終了」をクリックすればよいが、ここでは「デバッグ」をクリックする。

Microsoft Visual Basic
実行時エラー '13':
型が一致しません。
クリック
継続(C)
終了(E)
デバッグ(D)
ヘルプ(H)

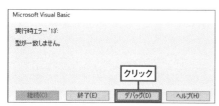

図11　VBAの「実行時エラー」が発生し、そのことを知らせるメッセージ画面が表示される。ここで「終了」をクリックするとプログラムが終了するが、ここでは「デバッグ」をクリックする

VBEの画面が表示され、エラーが発生した行の左側に矢印が付き、黄色く反転して表示される（図12）。この状態を、「中断モード（ブレークモード）」という。

矢印の付いた行は、その行の前まででプログラムの実行が中断されていることを意味する。実行を再開すると改めてこの行から実行されていくが、エラーの原因が解消されていないため、もう一度同じエラーが発生することになる。

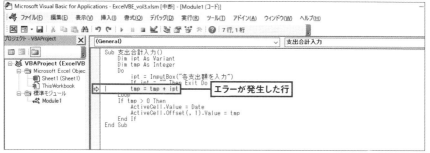

⊙ 図12　エラーが発生した行で、このプログラムの実行が中断する。その行の左側に矢印が付き、黄色く反転した状態で、VBEの画面が表示される。この状態を、「中断モード」または「ブレークモード」と呼ぶ

　中断モードの状態で、変数にマウスポインターを合わせると、その変数の現在の値がヒントとして表示される（図13）。これによって、変数に適切な値が入力されているかどうかを確認できる。変数だけでなく、値を返す関数やプロパティにマウスポインターを合わせても、同様にその値を確認することが可能だ。

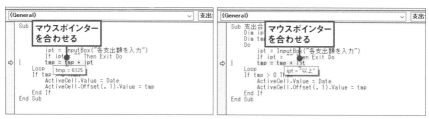

⊙ 図13　中断モードで変数にマウスポインターを合わせると、その変数の現在の値が、ヒントとして表示される。なお、値を返す関数やプロパティにマウスポインターを合わせても、同様にその値がヒントとして表示される

　このエラーが発生した原因は、変数iptに文字列が代入されたのに、数値データと「＋」で加算しようとしたことだ。そこで、If ～ Thenでの条件を、引数が数値であればTrueを返す「IsNumeric」関数と、否定の「Not」を組み合わせ、変数iptの値が数値でないかどうかを判定する式に変更する（図14）。中断行から実行を再開しても変数の値は変わらないので、やはり同じエラーになる。そこで、

113

「標準」ツールバーの「リセット」をクリックして、中断しているプログラムを終了（図15）。改めてこのマクロを実行し、文字列を入力した場合の結果を確認してみよう。

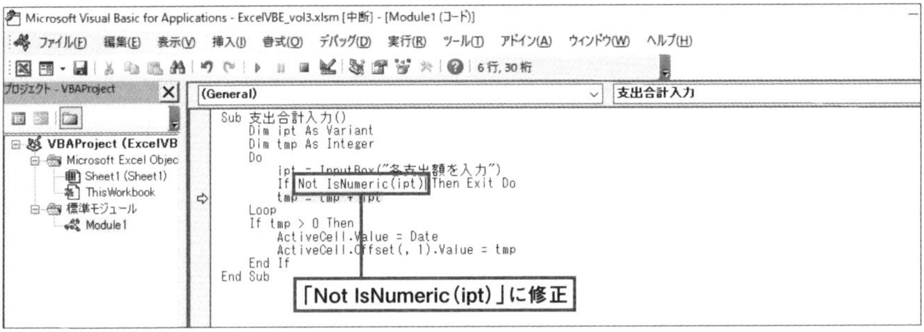

図14　ここで発生したエラーの原因は、変数iptに代入した文字列を、「+」で数値と加算してしまったことだ。そこで、引数が数値かどうかを判定する「IsNumeric」関数と否定の「Not」を使い、変数iptの値が数値以外かどうかを判定するコードに修正した

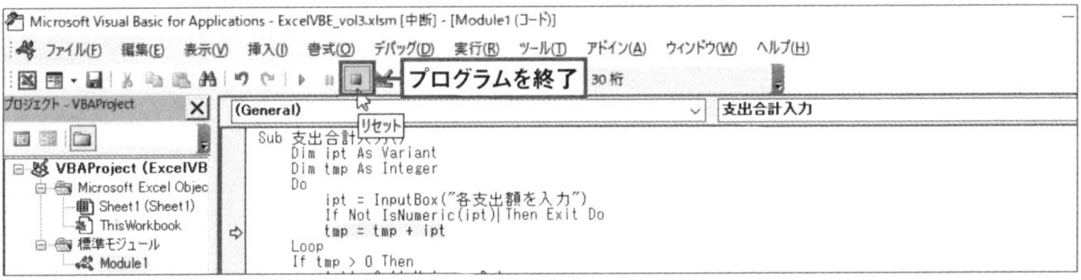

図15　修正内容によってはそれだけでプログラムが終了するが、ここでは中断モードが継続している。「標準」ツールバーの「リセット」をクリックして、プログラムを終了。改めてこのマクロを実行し、入力画面に文字列を入力した場合の動作を確認しよう

なお、図14のように修正しても、入力画面に大き過ぎる数値を入力した場合や、加算後の変数tmpの値が大きくなり過ぎた場合は、やはりエラーが発生する。この問題に対処するには、その値が一定の数値未満かどうかを判定するような処理をプログラムに加えるとよい。

設定した行で処理を中断する

エラーによって中断モードに入るのではなく、プログラムの中で中断する行をあらかじめ設定しておくことも可能だ。目的の行の左側の部分をクリックすると、その位置に茶色のマークが付き、行全体も茶色に反転する（図16）。この設定を「ブレークポイント」と呼ぶ。

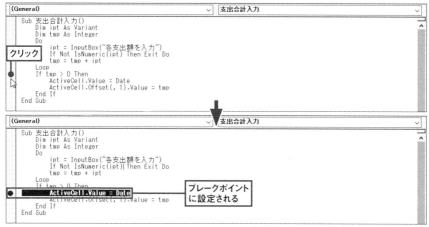

⤴ 図16　エラーによって意図せず中断モードに入るのではなく、プログラムの動作を確認するため、最初から中断モードに入る行（ブレークポイント）を設定しておくことも可能だ。中断したい行の左側をクリックすれば、その行がブレークポイントに設定される

　この状態でマクロ「支出合計入力」を実行すると、ブレークポイントが設定された行でプログラムが中断モードに入り、行全体が黄色く反転する（図17）。なお、ブレークポイントの設定を解除するには、もう一度同じ位置をクリックする。

⤴ 図17　この状態で、マクロ「支出合計入力」を実行してみよう。入力画面の表示などの一連の処理を実行後、アクティブセルに今日の日付を入力する処理の前の行で中断モードに入り、黄色く反転して、この行で中断していることを示す

　途中の行でプログラムを中断するのではなく、先頭から1行ずつ、実行と中断を繰り返す形でプログラムを進めていくことも可能だ。この操作は「デバッグ」メニューからも実行できるが、ここでは「デバッグ」ツールバーを利用する方法を紹介しよう。ツールバー上で右クリックし、表示されるメニューから「デバッグ」をクリックする（図18）。これで、「デバッグ」ツールバーが表示される。

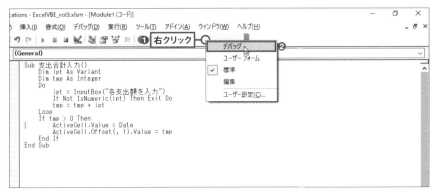

🔵 図18　プログラムの先頭から1行ずつ実行と中断を繰り返し、動作を確認していくこともできる。この操作は「デバッグ」メニューからも実行できるが、ツールバー上で右クリックし、「デバッグ」を選んで表示される「デバッグ」ツールバーを利用した方が便利だ

　　マクロ「支出合計入力」のプログラムの中にカーソルを置き、「デバッグ」ツールバーの「ステップイン」をクリックする（図19上）。プログラムが開始されると同時に中断モードに入り、最初の「Sub」の行が黄色く反転した状態になる（図19下）。ここから、「ステップイン」をクリックするたびに、1行ずつ実行され、中断行が次の処理に移っていく。このように、動作の検証のために1行ずつ実行させていくことを、「ステップ実行」と呼ぶ。

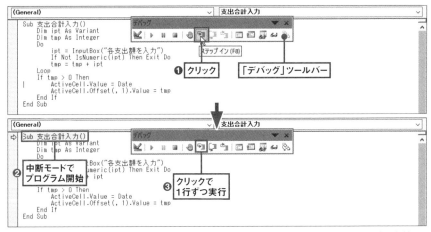

🔵 図19　「デバッグ」ツールバーの「ステップイン」をクリックする。プログラムが開始されると同時に中断モードに入り、最初の「Sub」の行で中断した状態になる。以下、「ステップイン」をクリックするたびに、1行ずつ処理が実行され、プログラムが進んでいく

　中断モードの状態で、次に実行する行を、プログラム中の任意の行に変更することも可能だ。目的の行をクリックしてカーソルを置き、「デバッグ」メニューから「次のステートメントの設定」を選べばよい（図20）。

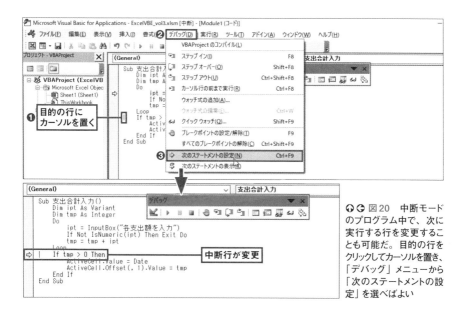

⬇️⬆️ 図20　中断モードのプログラム中で、次に実行する行を変更することも可能だ。目的の行をクリックしてカーソルを置き、「デバッグ」メニューから「次のステートメントの設定」を選べばよい

　また、次に中断したい行の前まで一気に実行させたい場合は、その行にカーソルを置き、「デバッグ」メニューから「カーソル行の前まで実行」を選ぶ。
　さらに、「デバッグ」ツールバーの「ステップアウト」をクリックすれば、中断している行以降のプログラムを全てまとめて実行することができる（図21）。

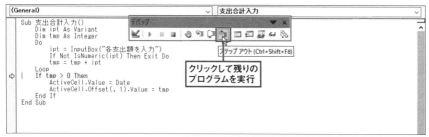

⬆️ 図21　ステップ実行しているプログラムで、現在の中断行から残りのコードを全て実行してしまいたい場合は、「デバッグ」ツールバーの「ステップアウト」をクリックする

自動実行型の「イベントマクロ」

　VBAでは、選択範囲を変更したり、セルにデータを入力したり、あるいは特定のブックを開いたりといったタイミングで、自動的に実行されるプログラムも作成可能だ。実行のきっかけとなる操作や状況のことを「イベント」と言い、それによって自動的に実行されるプログラムを「イベントマクロ」または「イベントプロシージャ」と呼ぶ。ここでは、ブックを開いたときに自動的に実行されるイベントマクロを作成する手順を紹介しよう。

　イベントマクロは標準モジュールではなく、プロジェクトエクスプローラーで「Microsoft Excel Object」というフォルダーに分類されている「Sheet1（シート名）」や「ThisWorkbook」などと表示されたモジュール（ドキュメントモジュール）に記述する。ブックの操作によって自動実行されるイベントマクロは「ThisWorkbook」に記述するので、このモジュールをダブルクリックしてコードウィンドウを表示（図A）。コードウィンドウ左上の「オブジェクトボックス」右側の「▼」をクリックして、「Workbook」を選ぶ。すると、コードウィンドウ内に「Workbook_Open」というSubプロシージャが作成される。ここに、ブックを開いたときに自動的に実行したいプログラムを記述していく。

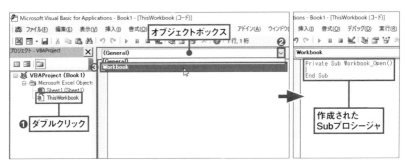

図A　「ThisWorkbook」のコードウィンドウを表示し、「オブジェクトボックス」右側の「▼」をクリックして「Workbook」を選択すると、対応するSubプロシージャが作成される

　さらに、この状態でオブジェクトボックスの右にある「プロシージャボックス」右側の「▼」をクリックすると、ブックで使用可能なイベントの一覧が表示され、選択するとそのイベントマクロを作成できる。

第5章

セル範囲を
「Range」で操作する

Rangeオブジェクトの取得と操作

「Range（レンジ）」は、Excel VBAで最も重要な要素の一つだ。Excelでのセルの操作に対応するものであり、Rangeオブジェクトの使い方を詳しく見ていくことで、VBA全体の理解が深まるだろう。まずは、このオブジェクトの基本的な指定方法を見ていこう。

セル参照で指定して操作する

作例のSubプロシージャ「セル操作1」は、C3～C5セルを選択し、選択範囲に「通貨」の表示形式を設定するプログラムだ（図1、図2）。ここでは標準モジュールに直接記述したが、記録機能で作成した場合も、コメント部分を除いて、ほぼ同様になる。なお、「コメント」とは、「'」で始まる緑の文字の行のことで、プログラムとしては実行されない。

セルを選択して操作するマクロ

```
Sub セル操作1()

    'セル範囲を選択
    Range("C3:C5").Select

    '選択範囲に「通貨」の表示形式を設定
    Selection.NumberFormatLocal = "¥#,##0_);[赤](¥#,##0)"

End Sub
```

🔾 図1　VBEを開いて標準モジュールを挿入し、Subプロシージャ「セル操作1」を作成した。このプログラムでは、まずC3～C5セルを選択し、選択範囲に「通貨」の表示形式を設定する

	A	B	C	D	E	F
1						
2		商品種別	A店売上	B店売上		
3		弁当	79600	68500		
4		おにぎり	63200	64800		
5		惣菜パン	84300	58100		
6						

	A	B	C	D	E	F
1						
2		商品種別	A店売上	B店売上		
3		弁当	¥79,600	68500		
4		おにぎり	¥63,200	64800		
5		惣菜パン	¥84,300	58100		
6						

🔾 図2　マクロ「セル操作1」の実行例。「マクロの記録」機能で操作手順を記録して作成したマクロプログラムの場合、通常は、このように操作対象のセルまたはセル範囲を選択し、選択範囲に対して操作を実行するという手順になる

VBAでは、「セル」や「ワークシート」といった操作対象を、「オブジェクト」として指定。その後に、「.」(半角ピリオド)に続けて「メソッド」や「プロパティ」を指定し、各種の操作を実行する。メソッドとはいわば「命令」のこと。また、プロパティは「属性」などを意味し、その設定値を変更することで、対象オブジェクトを操作する。ExcelのVBAで最も重要なオブジェクトが、セルまたはセル範囲を表す「Range」オブジェクトだ。

VBAのオブジェクトは、名前などで直接指定するのではなく、プロパティなどの戻り値として、間接的に指定することが多い。「セル操作1」のコードでは、まず対象オブジェクトを省略した「Range」プロパティに、引数としてセル参照の文字列を指定することで、そのセル範囲を表すRangeオブジェクトを取得(図3)。そのRangeオブジェクトに「Select」メソッドを実行することで、対象のセル範囲を選択している。なお、オブジェクトの取得に使われるのはプロパティが多いが、オブジェクトを返すメソッドもある。

Rangeプロパティを使う

Range("C3:C5").Select
プロパティ　　　　　　　メソッド

Rangeオブジェクト

◐ 図3　「Range」プロパティの引数にセル参照の文字列を指定して、そのセル範囲を表すRangeオブジェクトを取得。その「Select」メソッドで、対象のセル範囲を選択できる

次の行では、対象オブジェクトを省略した「Selection」プロパティで、選択範囲を表すRangeオブジェクトを取得(図4)。その「NumberFormatLocal」プロパティに、「=」を使って、表示形式を書式記号で表した文字列を設定することで、選択範囲の表示形式を変更している。

Selectionプロパティを使う

Selection.NumberFormatLocal = "¥#,##0_);[赤](¥#,##0)"
プロパティ　　　　　　　プロパティ　　　　　　　　設定値

Rangeオブジェクト

◐ 図4　「Selection」プロパティで、選択範囲を表すRangeオブジェクトを取得できる。ここでは、その「NumberFormatLocal」プロパティに、書式記号を表す文字列を代入することで、対象のセル範囲の表示形式を設定している

つまり、「セル操作1」では、記録機能で作成されるマクロと同様、まず対象の範囲を選択し、選択範囲に対して表示形式を設定する操作を実行している。しかし、VBEで直接Subプロシージャを記述するのなら、わざわざ選択する操作を入れる必要はない。Rangeプロパティで取得したRangeオブジェクトに対し、目的の操作を直接実行した方が効率的だ。Subプロシージャ「セル操作2」は、「セル操作1」と同様の処理を、範囲選択せずに実行するプログラムの例である（図5）。

記録機能で作成したマクロについては、これと同様に、「対象のセル範囲を選択」→「選択範囲を操作」という手順を、「対象のセル範囲を操作」という形に変更することで、コードを簡潔にできる。

セル範囲を直接操作するマクロ

```
Sub セル操作2()

    '指定のセル範囲に「通貨」の表示形式を設定
    Range("D3:D5").NumberFormatLocal = "¥#,##0_);[赤](¥#,##0)"

End Sub
```

⤴ 図5　記録機能を使わず、VBEに直接記述するのであれば、「選択」の操作は必要ない。Subプロシージャ「セル操作2」は、Rangeプロパティで取得したRangeオブジェクトに、直接表示形式を設定するものだ。選択操作が省かれる分、処理も速くなる

アクティブセルを指定する

Excelで書式などを設定する操作では、選択したセル範囲全体が設定対象となる。しかし、セル範囲を選択している状態でも、入力の対象は、基本的にその中の1つのセルだけだ。選択範囲のセルは全体に濃い色で表示されるが、入力対象のセルはその中で1つだけ薄い色になる。このセルが「アクティブセル」だ。

Subプロシージャ「セル操作3」は、アクティブセルをC4セルに移し、そのアクティブセルの値を変更するプログラムだ（図6）。アクティブセルを変える操作は、事前にセルをどのように選択していたかによって、実行後の状態が異なる。C4セル以外の単独セル、またはC4セルを含まないセル範囲を選択していた場合、

現在の選択が解除され、C4セルだけが選択された状態になる（図7）。一方、C4
セルを含むセル範囲を選択していた場合は、選択範囲自体は変わらず、その中
のアクティブセルだけがC4セルに変わる。いずれの場合も、アクティブになっ
たC4セルに「69000」と入力される。

アクティブセルを指定して操作するマクロ

```
Sub セル操作3()

    'アクティブセルを変更
    Range("C4").Activate

    'アクティブセルに値を入力
    ActiveCell.Value = 69000

End Sub
```

⤵ 図6　選択範囲に関連して、「アクティブセル」の処理についても理解しておこう。Subプロシージャ「セル
操作3」は、C4セルをアクティブにし、アクティブセルの値を変更するプログラムだ

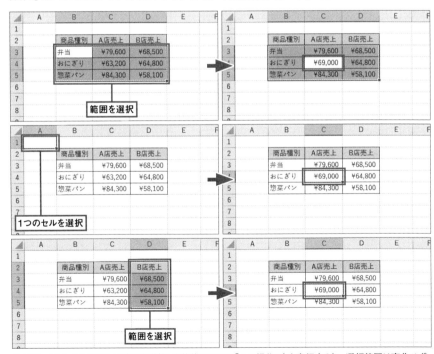

⤵ 図7　C4セルを含むセル範囲を選択した状態でマクロ「セル操作3」を実行すると、選択範囲は変化せず、
その中のアクティブセルがC4セルに変わって、その値が変更される。C4セル以外のセルやセル範囲を選択
していた場合は、C4セルだけが選択された状態になり、値が変更される

123

VBAでアクティブセルを変えるには、目的のセルを表すRangeオブジェクトを対象に、「Activate」メソッドを実行すればよい（図8）。

一方、アクティブセルを表すRangeオブジェクトは、対象オブジェクトを省略した「ActiveCell」プロパティで取得できる（図9）。ここでは、その「Value」プロパティに値を設定することで、対象のセルにその値を入力している。

```
'アクティブセルを変更
Range("C4").Activate
```

⚙ 図8　Rangeプロパティの引数に「C4」と指定して、C4セルを表すRangeオブジェクトを取得。その「Activate」メソッドで、C4セルをアクティブにする。対象のセルが選択範囲に含まれている場合、このメソッドは選択範囲内でアクティブセルだけを変更する

```
'アクティブセルに値を入力
ActiveCell.Value = 69000
```

⚙ 図9　対象オブジェクトを省略した「ActiveCell」プロパティで、現在のアクティブセルを表すRangeオブジェクトを取得できる。ここでは「Value」プロパティに数値を代入することで、対象のセルの値を変更している

Cellsプロパティを使う

Rangeプロパティを使用する方法ではセル範囲も指定できるが、単独のセルを表すRangeオブジェクトを取得するには、「Cells」プロパティを使う方法もよく使われる。この方法では、行番号と列番号を数値で指定する。Subプロシージャ「セル操作4」は、この方法で指定したセルに、数値を入力するプログラムだ（図10）。このマクロを実行すると、作業中のワークシートの3行目で4列目のセル、つまりD3セルに「72000」という数値が入力される（図11）。

行と列の番号でセルを指定する

```
Sub セル操作4()

    '3行目・4列目のセルに値を入力
    Cells(3, 4).Value = 72000

End Sub
```

⚙ 図10　Subプロシージャ「セル操作4」は、「C4」のようなセル参照ではなく、行と列の番号で特定の1つのセルを指定し、Rangeオブジェクトとして取得する例だ。取得したRangeオブジェクトに対し、Valueプロパティの設定で値を変更する

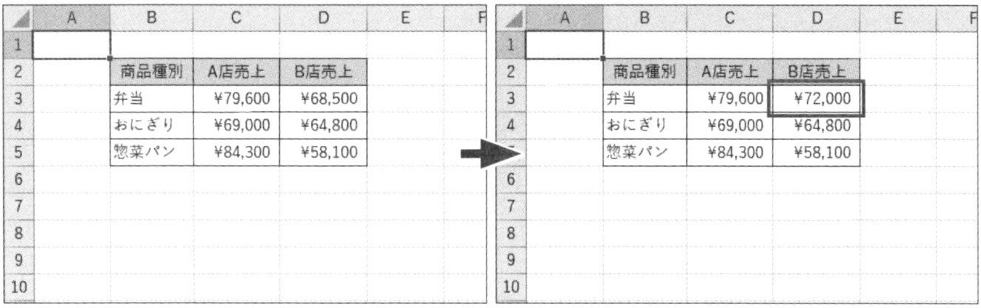

○ 図11　マクロ「セル操作4」の実行例。作業中のワークシートの3行目で4列目のセル、つまりD3セルの値が「72000」に変更される

　このコードの説明の前に、まず「コレクション」について理解しておこう。Excelで開かれている全てのブックや、ブックに含まれる全てのワークシートのように、同種のオブジェクトの集合をコレクションと呼ぶ。コレクションもオブジェクトの一種であり、やはりプロパティやメソッドを使って操作できる。

　コレクションの機能の一つに、「インデックス」を指定して、特定のオブジェクトを取得するということがある。例えば、全てのブックを表す「Workbooks」コレクションに、インデックスとして順番を表す番号、またはブック名の文字列を指定して、該当する「Workbook」オブジェクトを取得することができる。厳密に言うと、これは多くのコレクションの既定のプロパティ（またはメソッド）の機能によるもの。それ自体は非表示であり明記せずに使えるが、その機能を明示したい場合は「Item」プロパティ（メソッド）を使う。

　これまで、セルまたはセル範囲を表すオブジェクトを「Rangeオブジェクト」と呼んできたが、1個以上のセルの集合である「Rangeコレクション」と呼ぶこともできる。通常、コレクションと、その要素（メンバー）であるオブジェクトは完全に別のオブジェクトであり、使用できるプロパティやメソッドも異なっている場合が多い。しかし、セルの集合を表すRangeコレクションと、そのメンバーであるRangeオブジェクトに、機能的な違いはほとんどない。

　以上の説明を踏まえて、「セル操作4」のコードの説明に戻ろう。対象オブジェクトを省略したCellsプロパティの機能は、作業中のワークシートの全てのセルを表すRangeコレクションを返すというもの。このRangeコレクションに、インデックスとして行・列の番号を表す数値を指定することで、その位置に当たる1つのセルを表すRangeオブジェクトを取得できる（図12）。これは、正確に言えば、Rangeコレクションの既定のプロパティの機能によるものだ。

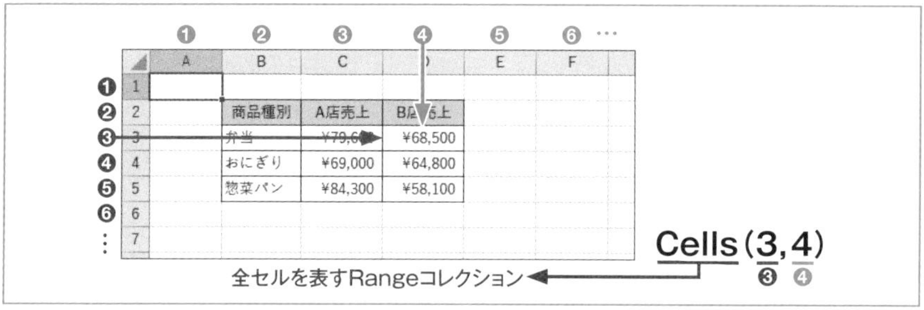

↑ 図12　対象オブジェクトを省略した「Cells」プロパティは、作業中のワークシートの全セルを表すRangeコレクションを返す。Rangeコレクションに行と列のインデックスを指定することで、その位置に当たるセルを表すRangeオブジェクトを取得できる

「Cellsプロパティの引数として行・列の番号を指定する」といった説明もよく見かけるが、インデックスの指定は、実はCellsプロパティ自体の機能ではないので、きちんと区別しておこう。

選択範囲で行と列の番号を指定する

Cellsプロパティだけでなく、別の方法で取得したRangeコレクションに対しても、同様に行と列のインデックスを指定して、該当する位置にあるセルをRangeオブジェクトとして取得することができる。

Subプロシージャ「セル操作5」は、Selectionプロパティで取得した選択範囲を表すRangeコレクションに行と列のインデックスを指定して、該当するセルに数値を入力するプログラムだ（図13）。A2～D5セルを選択してこのマクロを実行すると、その4行目で3列目のセル、つまりC5セルに「91000」と入力される（図14、図15）。

範囲内のセルを番号で指定するマクロ

```
Sub セル操作5()

    '選択範囲の4行目・3列目のセルに値を入力
    Selection(4, 3).Value = 91000

End Sub
```

↑ 図13　Cellsプロパティ以外の方法で取得したRangeコレクションに対しても、同様に行と列のインデックスを指定して、1つのセルを表すRangeオブジェクトを取得できる。Subプロシージャ「セル操作5」は、選択範囲内の特定のセルに値を代入するプログラムだ

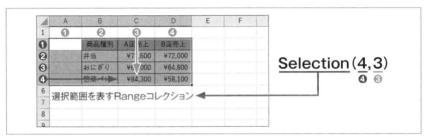
○ 図14　マクロ「セル操作5」の実行例。ここではA2〜D5セルを選択して実行したため、その4行目で3列目に当たるC5セルの値が「91000」に変更される

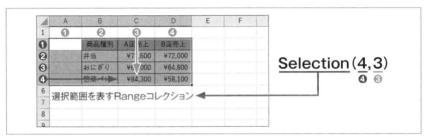

Selection(4,3)

選択範囲を表すRangeコレクション

○ 図15　Selectionプロパティで選択範囲を表すRangeコレクションを取得。このRangeコレクションに、行と列のインデックスとして「4, 3」を指定し、選択したA2〜D5セルの4行目で3列目に当たるC5セルを表すRangeオブジェクトを取得している

　Cellsプロパティと違って、このコードでは選択範囲によって対象のセル範囲が変わるため、処理対象のセルがそのつど変化する。つまり、Selectionプロパティは、事前に選択しておくことでマクロの実行対象を指定したいというプログラムで利用するとよい。

　このほか、Rangeプロパティを使って取得したRangeコレクションに対しても、行と列のインデックスを指定することができる。「Range ("A2：D5") (4, 3)」のようにカッコが続く形になるが、これでもコードとしては問題なく実行される。このような書き方に違和感を覚える場合は、ItemプロパティやCellsプロパティを間に入れて、「Range ("A2：D5") .Item (4, 3)」のように記述してもよい。

1つだけのインデックスで指定する

　Rangeコレクションのインデックスは、2つではなく、1つだけ指定する方法もある。Subプロシージャ「セル操作6」は、この方法で取得したセルに数値を入力するプログラムだ（図16、図17）。

　この方法の場合、対象のセル範囲の中で、指定した順番に当たる1つのセルを

表すRangeオブジェクトが取得される。セルの順番は、まず対象のセル範囲の左上端のセルを「1」として、右方向に「2」「3」と数えていき、1行目の終わりのセルまで来たら、次の行の左端のセルに戻ってさらに続きを数える（図18）。

1つだけのインデックスで指定するマクロ

```
Sub セル操作6()

    '選択範囲の7番目のセルに値を入力
    Selection(7).Value = 82000

End Sub
```

🔗 図16　Rangeコレクションに対しては、行と列の2つではなく、1つのインデックスだけを指定することもできる。Subプロシージャ「セル操作6」は、この方法で取得したRangeオブジェクトに値を代入するプログラムだ

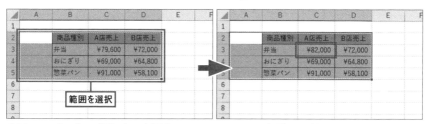

🔗 図17　マクロ「セル操作6」の実行例。ここではA2～D5セルを選択して実行したため、選択範囲の中で7番目のセルに当たるC3セルの値が「82000」に変更される

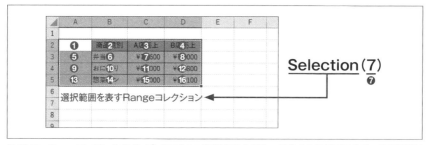

🔗 図18　Rangeコレクションにインデックスを1つだけ指定した場合、対象のセル範囲の中で、その順番に当たるセルを表すRangeオブジェクトを取得できる。順番の数え方は、左上端のセルを1として、そこから右方向へ1ずつ増えていき、右端までいったら折り返して2行目以降に続く

　なお、コレクションに含まれるオブジェクトの数を超える値をインデックスに指定すると、通常はエラーが発生する。しかし、Rangeコレクションに関しては、対象のセル範囲に含まれるセルの数を超える値をインデックスに指定しても、その分だけ延長した位置にあるセルを表すRangeオブジェクトが取得される。

Lesson 02

Rangeオブジェクトの内容を表すプロパティ

　ここでは、セルの内容を表すRangeオブジェクトのプロパティについて理解しよう。Rangeオブジェクトのプロパティには、セルの書式設定を表すものなど、さまざまな種類がある。VBAでセルを操作するときによく使われるのは、その内容を調べたり、入力や変更をしたりするプロパティだ。その中でも主要なプロパティについて、機能と使い分けのポイントを見ていく。

プロパティを使ってデータを入力する

　最初に、ここでの説明で使用する用語についての取り決めをしておこう。数式ではない数値や文字列のデータを、ここでは「固定値」と呼ぶことにする。こうしたデータは「値」や「定数」などとも呼ばれるが、いずれもほかのVBA用語と紛らわしいからだ。

　Subプロシージャ「セルデータ入力1」は、Rangeオブジェクトの各プロパティを使い、セルにデータを入力するプログラムだ（図1）。このマクロを実行すると、C5セルに「18430」という数値、B6セルに「合計」という文字列、C6セルに「＝SUM（C3：C5）」という数式が入力される（図2）。

セルにデータを入力するマクロ

```
Sub セルデータ入力1()

    '値を入力
    Range("C5").Value = 18430
    Range("B6").Value = "合計"

    '数式を入力
    Range("C6").Formula = "=SUM(C3:C5)"

End Sub
```

🔾 図1　セルへのデータ入力操作をVBAで記述すると、「Rangeオブジェクトの内容を表すプロパティに目的のデータを代入する」というコードになる。Subプロシージャ「セルデータ入力1」は、3つのセルに、それぞれ数値、文字列、数式を入力するプログラムだ

⏺ 図2　マクロ「セルデータ入力1」を実行した。作業中のワークシートのC5セルに「18430」という数値、B6セルに「合計」という文字列、C6セルに「＝SUM（C3：C5）」という数式が入力される。C6セルには、自動的に「通貨」の表示形式も設定される

　この作例では、入力対象のセルの表示形式は、実行前はいずれも「標準」のままにしていた。数値を入力したC5セルと、文字列を入力したB6セルでは、マクロ実行後も表示形式は変化していない。しかし、数式を入力したC6セルでは、その数式が上側のセル範囲を参照しているため、自動的にC3セルの「通貨」の表示形式に変更される。

　セルにデータを入力する操作には、「Value」や「Formula」といったプロパティが使用できる。いずれも、代入演算子「＝」を使って、入力したいデータをプロパティに代入すればよい。また、このどちらのプロパティも、データが固定値か数式かを問わず、入力の操作に使用可能。ただし、データが固定値の場合はValueプロパティ、数式の場合はFormulaプロパティを使用すると、コードの意味がより明確になる（図3、図4）。

```
'値を入力
Range("C5").Value = 18430
Range("B6").Value = "合計"
```

⏺ 図3　セルに数値や文字列を入力する操作は、対象のRangeオブジェクトの「Value」プロパティに、代入演算子「＝」で目的の値を代入する。文字列データの場合は、その前後を「"」（半角ダブルクォーテーション）で囲む必要がある。なお、Valueプロパティは省略することも可能だ

```
'数式を入力
Range("C6").Formula = "=SUM(C3:C5)"
```

⏺ 図4　セルへの入力に使用できるプロパティは、Value以外にもいくつかある。数式を入力する操作にもValueプロパティは使用可能だが、入力内容が数式であることを分かりやすくするため、「Formula」プロパティを使用することを推奨する

なお、セルにデータを入力するコードでは、Rangeオブジェクトのプロパティ自体も省略できる。その結果はValueプロパティを指定した場合と同じになるが、やはり入力データに応じたプロパティを指定した方が分かりやすいだろう。

単独のセルだけではなく、セル範囲を表すRangeオブジェクト(コレクション)を対象として、その各セルに一括で同じデータを入力することもできる。Subプロシージャ「セルデータ入力2」は、C6～D6セルに、「=SUM(C3:C5)」という数式を入力するプログラムだ(図5)。入力する数式にセル参照が含まれていた場合、対象の範囲の左上端のセルを基準として、各セルの位置に応じて数式中の相対参照が変化する(図6)。

セル範囲に数式を入力するマクロ

```
Sub セルデータ入力2()

    'セル範囲に数式を入力
    Range("C6:D6").Formula = "=SUM(C3:C5)"

End Sub
```

図5 Subプロシージャ「セルデータ入力2」は、セル範囲を表すRangeオブジェクトを対象に、同じデータを一括で入力するプログラムの例だ。ここでは数式を一括入力している。同様に、同じ数値や文字列を、セル範囲に一括で入力することもできる

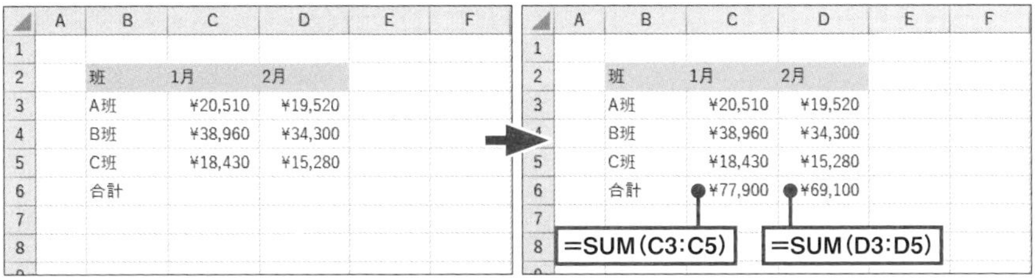

図6 マクロ「セルデータ入力2」の実行例。作業中のワークシートのC6～D6セルに、同じ列の上側の3～5行のセルの合計を求める数式が入力される。数式中の相対参照は、対象のセル範囲の左上端のセルを基準として、各セルの位置に応じて自動的に変化する

各プロパティでデータを取得する

各プロパティの機能の違いが明確に表れるのは、データを入力する操作よりも、現在のデータを取り出す操作だろう。Subプロシージャ「セルデータ表示」は、引数に指定したデータをメッセージ画面に表示するMsgBox関数を使って、Rangeオブジェクトの各プロパティの値を表示するプログラムだ(図7)。

セルのデータを表示するマクロ

```
Sub セルデータ表示()

    '値を表示
    MsgBox Range("D3").Value

    '表示文字列を表示
    MsgBox Range("D3").Text

    '数式の計算結果を表示
    MsgBox Range("D6").Value

    '数式を表示
    MsgBox Range("D6").Formula

    'R1C1形式の数式を表示
    MsgBox Range("D6").FormulaR1C1

End Sub
```

○ 図7　内容を表すプロパティの違いを確認するため、Subプロシージャ「セルデータ表示」で、各プロパティを使って取り出したセルのデータを表示してみよう。VBAのMsgBox関数は、引数に指定したデータをメッセージ画面に表示する

　固定値が入力されているセルから、その値を取り出す操作には、やはりValueプロパティを使用すればよい（図8）。対象のセルに表示形式が設定されていても、数式バー上の表示と同じ、通貨記号などの装飾のないデータが取り出される。

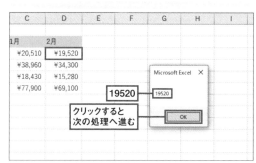

○○ 図8　まずValueプロパティを使い、D3セルの「値」をメッセージ画面に表示した。このセルには「通貨」の表示形式が設定されているが、Valueプロパティでは、通貨記号などの装飾のない、セルの実際の値が取り出される

　セルの表示形式が適用された状態のデータは、「Text」プロパティで取り出すことが可能だ（図9）。表示形式が「通貨」の場合、通貨記号「¥」や桁区切りの「,」

が付いた文字列として取り出される。なお、このプロパティは、値の取り出しのみ可能で、値の設定はできない。

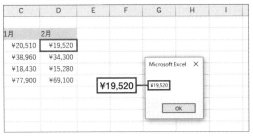

'表示文字列を表示
MsgBox Range("D3").Text

↓↑ 図9 「Text」プロパティを使い、D3セルに表示されている「通貨」形式のデータを、そのままメッセージ画面に表示した。Textプロパティでは、対象のセル上に表示されている状態のデータが、文字列として取り出される

　数式が入力されているセルからValueプロパティでデータを取り出すと、その数式そのものではなく、数式の計算結果の固定値が取り出される（図10）。セルに表示形式が設定されていても、取り出されるのは、やはり通貨記号などの装飾が付かない、単なる数値のデータだ。

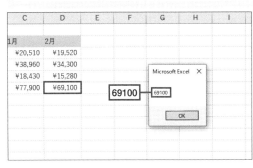

'数式の計算結果を表示
MsgBox Range("D6").Value

↓↑ 図10　やはりValueプロパティを使い、D6セルの値をメッセージ画面に表示した。対象のセルのデータが数式である場合、Valueプロパティでは、数式そのものではなく、その計算結果の値が取り出される

　数式が入力されたセルから、その数式自体を文字列のデータとして取り出したい場合は、Formulaプロパティを使用する（図11）。なお、このプロパティでは数式だけではなく、固定値として入力されたデータを取り出すこともできる。

133

```
'数式を表示
MsgBox Range("D6").Formula
```

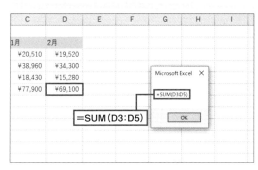

⬆⬇ 図11 Formulaプロパティを使い、D6セルの数式をメッセージ画面に表示した。対象のセルが数式の場合、Formulaプロパティでは、その数式がそのまま文字列として取り出される。なお、このプロパティで、数値や文字列のデータを取り出すこともできる

一方、「FormulaR1C1」プロパティでは、やはり数式が入力されたセルから、セル参照を「R1C1形式」で表した数式を、文字列のデータとして取り出せる（図12）。R1C1形式は、セル番地をR（行）とC（列）の組み合わせで指定する方法。なお、Excelでの標準的な指定方法は「A1形式」と呼ばれる。画面上で数式のセル参照をR1C1形式で表すには、「Excelのオプション」画面の「数式」で設定を変更するが、このプロパティはこの設定に関係なく使用可能だ。また、FormulaR1C1プロパティもセルへの入力に使用でき、数式を入力する場合は、必ずその中のセル参照をR1C1形式で指定する必要がある。

```
'R1C1形式の数式を表示
MsgBox Range("D6").FormulaR1C1
```

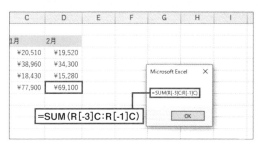

⬆⬇ 図12 「FormulaR1C1」プロパティを使うことで、同じD6セルの数式をメッセージ画面に表示した。Formulaプロパティとの違いは、数式を「R1C1形式」の文字列として取り出す点だ

数式を、A1形式ではなくR1C1形式で表す必要性については、次からのセルの値の転記処理で改めて取り上げる。

数値のデータを転記する

　ここからは、入力済みのセルの値を別のセルに転記する処理を見ていこう。ここで紹介する知識は、セルの値を取り出して加工し、同じセルに再入力する操作、つまりセルの値を変更する処理にも有効だ。

　まず、作成済みの表に入力されたデータを、そのまま別の表のセルに転記する。Subプロシージャ「セルデータ転記1」は、C3セルに入力された数値を、F4セルに転記するプログラムだ（図13）。

セルの値を別のセルに転記するマクロ

```
Sub セルデータ転記1()

    '値を転記
    Range("F4").Value = Range("C3").Value

End Sub
```

⏶ 図13　ここからは、セルのデータを別のセルに転記する操作を通して、各プロパティの使い分けのポイントを見ていく。Subプロシージャ「セルデータ転記1」は、C3セルの値をF4セルに転記するプログラムだ

　この例では、F4セルの表示形式はあらかじめ設定しておらず、「標準」のままだ。「通貨」の表示形式が設定されたC3セルの値は、Valueプロパティでは、「通貨型」（Currency）の数値データとして取り出される。これをそのまま「標準」形式のセルに代入すると、その表示形式が自動的に「通貨」に変更される。ただし、その書式は、C3〜C6セルやF3セルの「通貨」形式とは異なり、小数第2位まで表示されてしまう（図14）。

⏶ 図14　マクロ「セルデータ転記1」の実行例。C3セルに「通貨」の表示形式が設定されているため、Valueプロパティで取り出すと「通貨型」のデータになる。これを「標準」の表示形式のセルに入力すると、自動的に小数第2位までの通貨形式が設定されてしまう

　これを防ぐには、F4セルにもあらかじめF3セルと同じ「通貨」形式を設定しておけばよい。しかし、F4セルは「標準」形式のままで、C3セルの値を通貨型にならないように取り出したい場合は、対象のRangeオブジェクトの「Value2」プロパティを使用する方法がある（図15）。このプロパティでは、対象のセルの数値が「倍精度浮動小数点数型」（Double）で取り出され、転記先のF4セルの表示形式を変化させることはない。

```
Sub セルデータ転記2()

    '値を実数形式で転記
    Range("F4").Value = Range("C3").Value2

End Sub
```

◐ ◓ 図15　セルから取り出したデータが通貨型にならないようにするには、Valueプロパティの代わりに「Value2」プロパティを使用する方法がある。Subプロシージャ「セルデータ転記2」は、同じ処理を、Value2プロパティを使って実行したプログラムだ

　Subプロシージャ「セルデータ転記3」も「セルデータ転記1」と同様のプログラムだが、転記元のC6セルのデータが数式である点が異なる（図16）。このセルの値をValueプロパティで取り出すと、数式のままではなく、その結果の固定値が、転記先のF5セルに入力される（図17）。なお、今回は、F5セルにはあらかじめ「通貨」の表示形式を設定している。「標準」形式のセルに、表示形式を変化させることなくC6セルの数式の結果の値を転記したい場合は、やはりValue2プロパティを使えばよい。

数式を値に変換して転記するマクロ

```
Sub セルデータ転記3()

    '数式を値に変換して転記
    Range("F5").Value = Range("C6").Value

End Sub
```

◑ 図16　Subプロシージャ「セルデータ転記3」も、プログラムの処理自体は「セルデータ転記1」と同様だ。ただし、データを取り出すC6セルに入力されているのが、数値ではなく数式である点が異なっている

◑ 図17　マクロ「セルデータ転記3」の実行例。数式が入力されたC6セルからValueプロパティで取り出したことで、数式の計算結果の値がF5セルに入力される。なお、転記先のF5セルには、あらかじめ「通貨」の表示形式が設定されている

数式のデータを転記する

　Valueプロパティの代わりにFormulaプロパティを使用すれば、セルの数式を、数式のまま別のセルに転記できる。Subプロシージャ「セルデータ転記4」は、C6セルの数式をF6セルに転記するプログラムだ（図18）。

セルの数式を別のセルに転記するマクロ

```
Sub セルデータ転記4()

    '数式を数式のまま転記
    Range("F6").Formula = Range("C6").Formula

End Sub
```

◑ 図18　図17右の状態で、同じ列の3〜5行のセルの数値を合計するC6セルの数式を、F6セルに転記してみよう。Subプロシージャ「セルデータ転記4」は、C6セルに入力された数式を、その数式のままF6セルに転記するプログラムだ

　しかし、Formulaプロパティでは、対象のセルのA1形式の数式をそのまま文字列として取り出すため、転記先のセルでも、同じセル参照の数式になる（図19）。コピー／貼り付けした場合のように、コピー先のセルの位置に応じて、相対参照が自動的に変化することはない。
　転記先の位置に応じて相対参照を変化させたい場合は、Subプロシージャ「セルデータ転記5」のように、FormulaプロパティではなくFormulaR1C1プロパティを使用すればよい（図20）。R1C1形式のセル参照の場合、例えば「数式セルの1つ上で2つ右のセル」は、どのセルの数式でも「R［−1］C［2］」と表す。A1

形式のように数式セルの位置には影響されないため、転記しても参照セルとの相対的な位置関係が保持される。

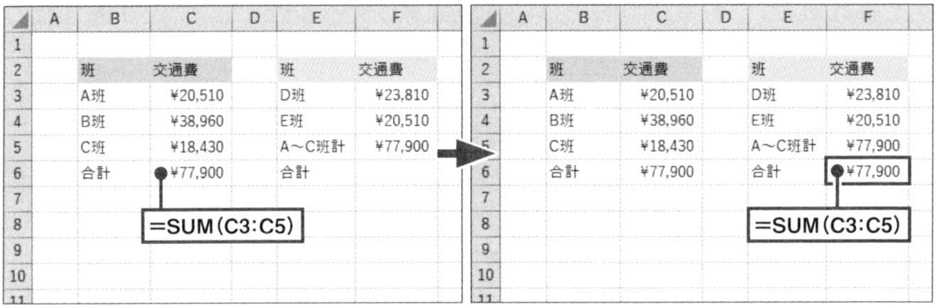

○ 図19 マクロ「セルデータ転記4」の実行例。Formulaプロパティを使用すると、C6セルの数式が文字列として取り出され、F6セルに代入される。そのため、SUM関数の引数の「C3：C5」の部分も変化せず、C6セルと同じ計算結果が表示されてしまう

```
Sub セルデータ転記5()

    '数式の参照関係を維持して転記
    Range("F6").FormulaR1C1 = Range("C6").FormulaR1C1

End Sub
```

○ 図20 数式の中の相対的な位置関係を維持したまま別のセルへ転記したい場合は、FormulaプロパティではなくFormulaR1C1プロパティを使用するとよい。Subプロシージャ「セルデータ転記5」は、「セルデータ転記4」をそのように修正したものだ

　このマクロ「セルデータ転記5」を実行してみよう。転記元のC6セルの数式の「C3：C5」というセル参照が、「数式セルの上の3行分のセル範囲」として転記され、F6セルでは「F3：F5」に変化していることが分かる（図21）。

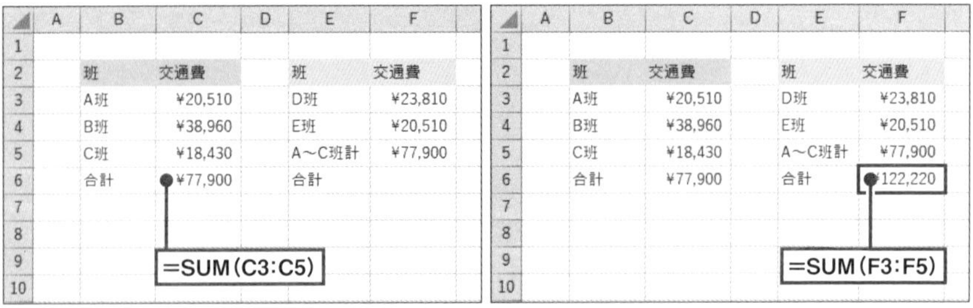

○ 図21 マクロ「セルデータ転記5」の実行例。C6セルの数式の「C3：C5」の部分が、転記先のF6セルでは「F3：F5」に変化していることが確認できる

　ここまでは、単独のセルを表すRangeオブジェクトを対象に、Valueプロパティなどを使った転記の処理を紹介してきた。このような処理は、セル範囲を表すRangeオブジェクトを対象として実行することもできる。

　Subプロシージャ「セルデータ転記6」は、C6〜D6セルの数式を、その計算結果の値に変換してG5〜H5セルに転記。さらに、B6〜D6セルの数式を、相対参照を保持した数式としてF6〜H6セルに転記するプログラムだ（図22）。B6セルのデータは「合計」という文字列だが、このセルも含めてFormulaR1C1プロパティで取り出して問題ない。

セル範囲の値や数式を転記するマクロ

```
Sub セルデータ転記6()

    'セル範囲の数式を値に変換して転記
    Range("G5:H5").Value = Range("C6:D6").Value

    'セル範囲の数式を数式のまま転記
    Range("F6:H6").FormulaR1C1 = Range("B6:D6").FormulaR1C1

End Sub
```

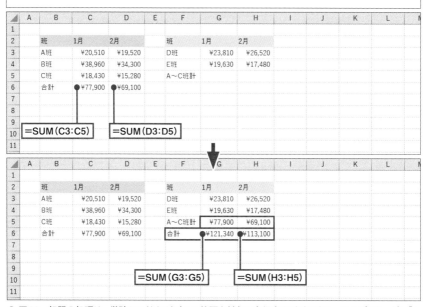

🔾 図22　転記の処理は、単独セルだけでなくセル範囲を対象に実行することもできる。Subプロシージャ「セルデータ転記6」は、C6〜D6セルの数式を値に変換してG5〜H5セルに転記し、さらにB6〜D6セルの文字列や数式をそのままF6〜H6セルに転記するプログラムだ

Rangeプロパティで
複合的に指定する

　ここでは、Rangeプロパティを使った複合的な指定方法について理解しよう。これまで見てきた通り、Rangeプロパティでは、「A1」や「B2：E6」といったセル番号の文字列を引数に指定することで、そのセル参照を表すRangeオブジェクトを取得できる。こうしたセル番号の代わりに、セルやセル範囲に付けた「名前」の文字列を、Rangeプロパティの引数に指定することも可能だ。

「名前」を使ってセルを指定する

　Subプロシージャ「名前選択1」は、「生鮮記録」という名前が設定されているセル範囲をRangeオブジェクトとして取得し、Selectメソッドで選択するプログラムだ（図1、図2）。

　セルやセル範囲に設定できる名前には、ブック全体で有効なものと、そのワークシートだけで有効なものの2種類がある。「生鮮記録」の有効範囲はブック全体なので、別のワークシートを開いているときでも、この名前の範囲をRangeオブジェクトとして取得することが可能だ。ただし、Selectメソッドでは、作業中のワークシート上のセルやセル範囲しか選択することができない。そのため、「生鮮記録」の範囲を含むワークシート以外を表示している状態でこのマクロを実行すると、エラーになってしまう。なお、セルのデータの取得や変更、書式設定などは、別シートの作業中でも実行できる。

Rangeプロパティで名前を指定するマクロ

```
Sub 名前選択1()

    '名前「生鮮記録」の範囲を選択
    Range("生鮮記録").Select

End Sub
```

○ 図1　Rangeプロパティの引数には、セル参照の文字列の代わりに、セルやセル範囲に付けた「名前」を指定することも可能。Subプロシージャ「名前選択1」は、「生鮮記録」という名前のセル範囲を選択するプログラムだ

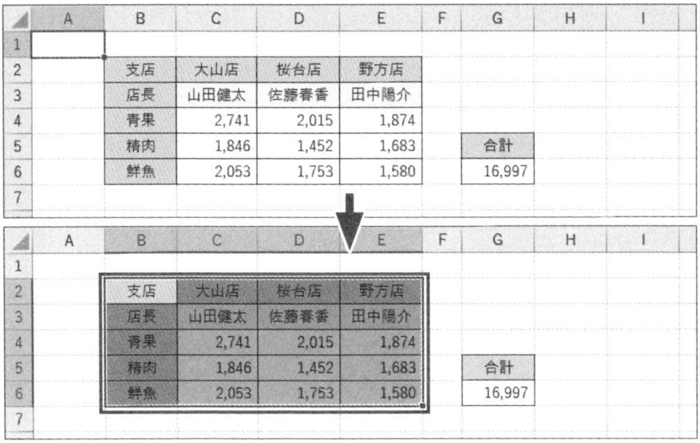

	A	B	C	D	E	F	G	H	I
1									
2		支店	大山店	桜台店	野方店				
3		店長	山田健太	佐藤春香	田中陽介				
4		青果	2,741	2,015	1,874				
5		精肉	1,846	1,452	1,683		合計		
6		鮮魚	2,053	1,753	1,580		16,997		
7									

図2　マクロ「名前選択1」を実行すると、「生鮮記録」という名前の付いたB2～E6セルが選択される。なお、この名前はブック全体で有効で、ほかのワークシートの作業中でもRangeオブジェクトとして取得は可能。ただし、別シートから選択することはできない

これまでRangeプロパティには引数を1つだけ指定していたが、実際には2つまで指定できる。Subプロシージャ「名前選択2」は、その使い方の例だ（図3）。2つの引数を指定した場合、その2カ所のセルやセル範囲を全て含む長方形のセル範囲を表すRangeオブジェクトを取得できる。このプログラムでは、取得したRangeオブジェクトの範囲を、やはりSelectメソッドで選択している（図4）。なお、この2つの引数には、セル番号や名前を文字列で指定できるほか、Rangeオブジェクトも指定可能だ。

Rangeプロパティに2つの引数を指定するマクロ

```
Sub 名前選択2()

    '「生鮮記録」からG6セルまでの範囲を選択
    Range("生鮮記録", "G6").Select

End Sub
```

図3　Rangeプロパティに引数を2つ指定すると、その2つの範囲を全て含む長方形のセル範囲を、Rangeオブジェクトとして取得できる。Subプロシージャ「名前選択2」は、この方法でセル範囲を指定し、選択するプログラムだ

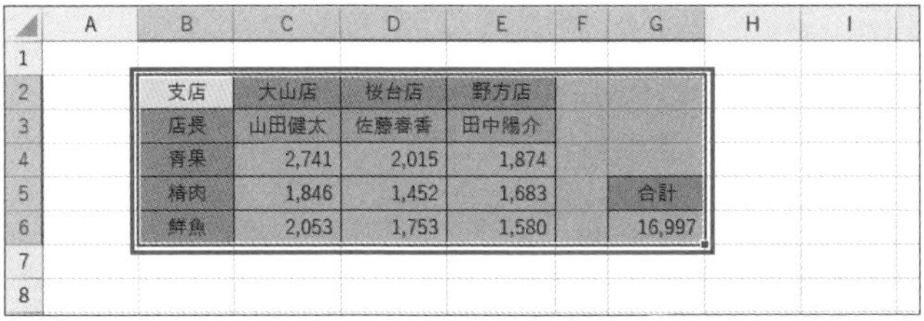

	A	B	C	D	E	F	G	H	I
1									
2		支店	大山店	桜台店	野方店				
3		店長	山田健太	佐藤春香	田中陽介				
4		青果	2,741	2,015	1,874				
5		精肉	1,846	1,452	1,683		合計		
6		鮮魚	2,053	1,753	1,580		16,997		
7									
8									

図4　マクロ「名前選択2」の実行例。Rangeプロパティの引数に、B2～E6セルに付けた名前「生鮮記録」と「G6」を指定したことで、これらを含むB2～G6セルの範囲が選択される

Rangeを組み合わせて指定する

　これまで紹介してきたRangeプロパティの使用例では、対象オブジェクトは全て省略していた。VBAのプログラムで、Rangeプロパティの対象オブジェクトに指定されることが多いのは、ワークシートを表すWorksheetオブジェクトだろう。その場合、対象のワークシートの中のセルやセル範囲を表すRangeオブジェクトを取得できる。

　Rangeプロパティは、対象オブジェクトとして、Rangeオブジェクトを指定することも可能だ。この場合、その対象オブジェクトの左上端のセルを「A1」として、相対的にRangeプロパティで指定されたセル番号に該当するセルやセル範囲を表すRangeオブジェクトが取得される。Subプロシージャ「名前選択3」は、この指定方法で、取得されたRangeオブジェクトのセル範囲を選択するプログラムだ（図5）。このマクロを実行すると、B2セルが基準になるので、C4～E6セルが選択される（図6）。

相対的なセル参照で指定するマクロ

```
Sub 名前選択3()
    '「生鮮記録」を基準とするB3～D5セルの範囲を選択
    Range("生鮮記録").Range("B3:D5").Select
End Sub
```

⚙ 図5　Rangeプロパティは、Rangeオブジェクトを対象とすることもできる。Subプロシージャ「名前選択3」は、名前「生鮮記録」のRangeオブジェクトを対象としたRangeプロパティの引数に「B3：D5」と指定し、該当するセル範囲を選択するプログラムだ

↪ 図6　マクロ「名前選択3」を実行した。対象のRangeオブジェクトの左上端のセル（ここではB2セル）を「A1」として、Rangeプロパティの引数の「B3：D5」の位置に該当するC4～E6セルのRangeオブジェクトが取得され、選択される

　この例の場合、「生鮮記録」という名前は、B2～E6セルに設定されている。その左上端のB2セルを「A1」として、「B3：D5」のセル範囲を指定しているため、

結果的にC4〜E6セルがRangeオブジェクトとして取得されるわけだ。

　なお、ここでは、2番目のRangeプロパティの引数を相対参照で指定している
が、絶対参照で指定しても同じ結果になる。名前で指定した場合も、その名前
の付いたセルやセル範囲のセル番号に基づき、相対的な位置のセルやセル範囲が、
Rangeオブジェクトとして取得される。

各セルを対象に処理を繰り返す

　コレクションの各要素を対象に繰り返し処理を実行したい場合、VBAでは「For
Each 〜 Next」という命令を使用する。特定のセル範囲の各セルに対して、同
じ操作を適用したい場合も、この命令で、Rangeコレクションに対して繰り返し
処理を実行すればよい。Subプロシージャ「一括変更」は、C4〜E6セルの各セ
ルの値を、それぞれ十の位以下を四捨五入した値に変換するプログラムだ（図7）。

範囲内の各セルに処理を繰り返すマクロ

```
Sub 一括変更()

    'Range型の変数を宣言
    Dim tRng As Range

    'C4〜E6セルの各セルについて繰り返し
    For Each tRng In Range("C4:E6")

        '各セルの値を百の位まで四捨五入した値に変更
        tRng.Value = WorksheetFunction.Round(tRng.Value, -2)

    Next tRng

End Sub
```

🔾 図7　Subプロシージャ「一括変更」は、対象のセル範囲の各セルについて、一定の処理を繰り返すプロ
グラムの例だ。ここでは、ワークシート関数の「ROUND」関数を利用し、C4〜E6セルの各セルの数値を、
十の位以下を四捨五入した値に変換している

　まず、コレクションの各要素を収めるための変数「tRng」を宣言する。これは
Rangeオブジェクトをセットして使うオブジェクト変数なので、データ型として、
「Range」という固有オブジェクト型を指定している。

　「For Each」の後にこの変数tRngを指定し、「In」に続けて対象のRangeコレ
クションを指定（図8）。これで、コレクションの要素である各Rangeオブジェク
トがそれぞれ変数tRngにセットされ、要素の数だけ、「Next tRng」の前の行ま
での処理が繰り返される。

```
'C4～E6セルの各セルについて繰り返し
For Each tRng In Range("C4:E6")

Next tRng
```

⤴ 図8 「For Each」の後に変数名を指定し、「In」に続けてコレクションを指定すると、その各オブジェクトを変数に収めて、「Next」の行までの処理を繰り返す。ここでは、C4～E6セルを表すRangeコレクションを指定した

　各繰り返しでは、変数tRngにセットされたRangeオブジェクトに対応するセルの値の十の位以下が四捨五入され、改めて同じセルに入力される（図9）。ここで、四捨五入の処理には、ワークシートの「ROUND」関数を利用している。VBAにも「Round」関数はあるが、整数桁での処理ができなかったり、四捨五入のルールが通常とは異なっていたりする問題がある。VBAでワークシート関数を使うには、「WorksheetFunction」プロパティで取得できる「WorksheetFunction」オブジェクトを利用すればよい。

```
'各セルの値を百の位まで四捨五入した値に変更
tRng.Value = WorksheetFunction.Round(tRng.Value, -2)
```

⤴ 図9 VBAにも「Round」関数はあるが、整数桁での端数処理ができないといった問題点がある。そこで、「WorksheetFunction」オブジェクトを介してワークシート関数「ROUND」を使用し、各セルの値を四捨五入して、同じセルに再代入している

　このマクロ「一括変更」を実行すると、C4～E6セルの数値が、全て四捨五入された値に変更される（図10）。ただし、この範囲のセルに、数値として計算できないデータが入力されていた場合は、エラーが発生してしまう。

⤴ 図10 マクロ「一括変更」を実行した。C4～E6セルの各セルの数値が、それぞれ十の位以下を四捨五入した値に変換される。なお、対象のセル範囲に数値以外のデータが含まれていた場合はエラーになる

行や列のまとまりとして指定する

　次に、VBAで、セル範囲を行単位や列単位のまとまりとして処理する方法について見ていこう。

　「Rows」プロパティは、セル範囲を、行単位に区切ったRangeコレクションとして取得できる機能を持っている。対象オブジェクトを省略すると、ワークシートの全範囲を行単位のまとまりとして表したRangeコレクションが取得できる。これにインデックスを指定すると、ワークシートの上から数えてその順番に当たる行が、Rangeオブジェクトとして返される。Subプロシージャ「行選択」は、この方法で5行目をRangeオブジェクトとして取得し、Selectメソッドで選択するプログラムだ（図11、図12）。

行や列のRangeオブジェクトを操作するマクロ

```
Sub 行選択()

    '5行目を選択
    Rows(5).Select

End Sub
```

🔴 図11　Subプロシージャ「行選択」は、「Rows」プロパティを使用して、作業中のワークシートの5行目全体を表すRangeオブジェクトを取得し、Selectメソッドで選択するプログラムだ

🟢 図12　マクロ「行選択」を実行した。セルの集合を行単位のまとまりにしたRangeコレクションとして取得し、5行目を表すRangeオブジェクトを取得している

　同様に、ワークシート全体のセル範囲を、列単位に区切ったRangeコレクションとして取得するには、対象オブジェクトを省略した「Columns」プロパティを使用すればよい。このRangeコレクションにインデックスを指定すると、左から数えてその順番に当たる列を、Rangeオブジェクトとして取得できる。

　ここまでは対象オブジェクトを省略した場合の例だが、RowsプロパティやColumnsプロパティには、対象オブジェクトを指定することも可能だ。対象にRangeオブジェクトを指定した場合、そのセルやセル範囲の中の行や列の集合

を表すRangeコレクションが取得される。

　ここでは、コレクションに含まれる要素の数を求める「Count」プロパティを使用して、これらのプロパティの働き方を確認してみよう。Subプロシージャ「セルカウント」は、選択範囲のセル、行、列の数を、それぞれメッセージ画面に表示するプログラムだ（図13）。

選択範囲のセルの個数を数えるマクロ

```
Sub セルカウント()

    '選択範囲の全セル数をカウント
    MsgBox "セル数：" & Selection.Count

    '選択範囲の全行数をカウント
    MsgBox "行数：" & Selection.Rows.Count

    '選択範囲の全列数をカウント
    MsgBox "列数：" & Selection.Columns.Count

End Sub
```

🔽 図13　Subプロシージャ「セルカウント」は、選択範囲に含まれるセルの個数、行数、列数を、それぞれメッセージ画面に表示するプログラムだ。以下、各行について、それぞれの実行結果とともに見ていく

　まず、Selectionプロパティで、選択範囲を表すRangeオブジェクトを取得。これに直接Countプロパティを指定すると、セルの集合のRangeコレクションとして、含まれているセルの個数を求めることができる。その結果を、MsgBox関数で画面に表示する（図14）。

```
'選択範囲の全セル数をカウント
MsgBox "セル数：" & Selection.Count
```

🔽🔼 図14　「Count」プロパティは、対象のコレクションに含まれる要素の個数を返すプロパティで、多くのコレクションで利用可能。ここでは、「Selection」プロパティで選択範囲を表すRangeコレクションを取得し、そのCountプロパティで、選択されたセルの個数を求めている

Selectionプロパティで取得したRangeオブジェクトを対象としたRowsプロパティでは、選択範囲の行単位のまとまりを表すRangeコレクションを取得できる。そのCountプロパティでは、対象のセル範囲のセル数ではなく、行数が求められる（図15）。同様に、同じRangeオブジェクトのColumnsプロパティでは、選択範囲の列単位のまとまりを表すRangeコレクションを取得でき、Countプロパティでその列数を求めることができる（図16）。

```
'選択範囲の全行数をカウント
MsgBox "行数：" & Selection.Rows.Count
```

◐◑ 図15　Rangeオブジェクトを対象とした Rowsプロパティでは、そのセルやセル範囲を行単位のまとまりにしたRangeコレクションが取得できる。ここでは選択範囲を行単位のまとまりとして取得し直し、そのCountプロパティで選択範囲の行数を求めている

```
'選択範囲の全列数をカウント
MsgBox "列数：" & Selection.Columns.Count
```

◐◑ 図16　「Columns」プロパティでは、セルやセル範囲を列単位のまとまりにしたRangeコレクションを取得できる。ここでは選択範囲を列単位のまとまりとして取得し直し、そのCountプロパティで選択範囲の列数を求めている

各行を対象に処理を繰り返す

Rangeコレクションを対象としたFor Each ～ Nextでは、そのセル範囲の各セルに対する繰り返し処理だけでなく、セル範囲の各行、または各列に対して繰り返し処理を実行することもできる。Subプロシージャ「行単位処理1」は、B4～E6セルについて、行ごとにその1番目のセルの文字列と、2～4番目のセルの数値の合計を組み合わせて、メッセージ画面に表示するプログラムだ（図17）。ただし、この記述には問題がある。

行単位で処理を繰り返すマクロ（エラー）

```
Sub 行単位処理1()
    Dim tRow As Range

    'B4〜E6セルの各行について繰り返し
    For Each tRow In Range("B4:E6").Rows

        '各行の各セルの値を合計して表示（失敗例）
        MsgBox tRow(1).Value & "計：" & tRow(2).Value + _
            tRow(3).Value + tRow(4).Value

    Next tRow

End Sub
```

🔾 図17　Subプロシージャ「行単位処理1」は、B4〜E6セルを行単位で繰り返し処理し、各行の先頭の文字列に「計：」を付け、さらに2〜4番目のセルの値の合計を結合して、表示するプログラムだ。ただし、このプログラムには問題があり、実行してもエラーになる

　For Each 〜 Nextの処理では、「In」の後に、対象のセル範囲を表すRangeオブジェクトに「.Rows」を付けることで、セル範囲を行単位に区切り直したRangeコレクションとして指定する（図18）。これで、対象範囲の各行を表すRangeオブジェクトが変数tRowにセットされ、以降の処理が繰り返される。

```
    'B4〜E6セルの各行について繰り返し
    For Each tRow In Range("B4:E6").Rows

    Next tRow
```

🔾 図18　For Each 〜 Nextを使った繰り返し処理で、セル範囲を行単位で処理したい場合は、対象のRangeオブジェクトにRowsプロパティを指定すればよい。これで、変数tRowに各行を表すRangeオブジェクトがセットされ、以降の処理が繰り返される

　この変数tRowが表すセル範囲には4つのセルが含まれているため、インデックスで各セルの値を取り出し、文字列結合や数値の合計などの処理を実行。最終的に「青果計：6600」のような文字列にして、メッセージ画面に表示する（図19）。しかし、実際にこのコードを実行すると、エラーが発生してしまう。

　この「行単位処理1」の問題点は、変数tRowにセットされたRangeオブジェクトに指定したインデックスが、各セルを表すものと見なされないことだ。Rowsプロパティで取得したRangeオブジェクトは、セルの行単位のまとまりを表しており、インデックスで取り出されるのも、やはり行単位のセル範囲になる。

```
'各行の各セルの値を合計して表示（失敗例）
MsgBox tRow(1).Value & "計：" & tRow(2).Value + _
       tRow(3).Value + tRow(4).Value
```

⊙ 図19　変数tRowは4つのセルを含むセル範囲なので、インデックスを指定して各セルの値を取り出し、計算などの処理を実行しようとした。なお、「 _ 」（半角スペースとアンダースコア）はコードが継続していることを表し、これ全体で1行のコードだ

　このRangeオブジェクトをセル単位のまとまりに区切り直すには、Cellsプロパティを指定すればよい。修正したSubプロシージャ「行単位処理2」では、変数tRowの後に「.Cells」を付け、さらに1〜4のインデックスを指定して、それぞれの値を取り出している（図20）。このマクロを実行すると、表の「青果」「精肉」「鮮魚」の各行について、3店舗分の数値の合計が表示される（図21）。

行単位で処理を繰り返すマクロ

```
Sub 行単位処理2()
    Dim tRow As Range
    For Each tRow In Range("B4:E6").Rows

        '各行の各セルの値を合計して表示（修正）
        MsgBox tRow.Cells(1).Value & "計：" &
               tRow.Cells(2).Value + tRow.Cells(3).Value + _
               tRow.Cells(4).Value

    Next tRow
End Sub
```

⊙ 図20　「行単位処理1」の問題点を踏まえ、修正版のSubプロシージャ「行単位処理2」を作成した。変数tRowの後に「.Cells」を付けることで、行単位のRangeオブジェクトをセル単位のRangeコレクションに区切り直し、インデックスで各セルを指定している

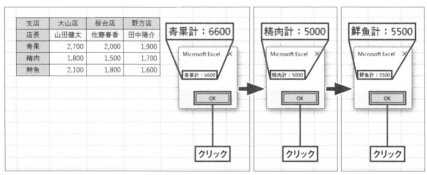

⊙ 図21　マクロ「行単位処理2」の実行例。「青果」「精肉」「鮮魚」の各行を対象として処理が繰り返され、それぞれの3店舗分の数値の合計が表示されていく

Lesson
04

Rangeオブジェクトの 自動判定と範囲修正

　処理対象となるセル範囲を自動的に判定してRangeオブジェクトとして取得したり、取得したRangeオブジェクトが表す範囲を変更したりすることもできる。ここでは、そのためのプロパティやメソッドを見ていこう。これらは、組み合わせて使うことで、より効果的に活用できる。

表の範囲を自動で取得する

　アクティブセルを含み、連続してデータが入力されている長方形の範囲を意味する「アクティブセル領域」は、[Ctrl] + [Shift] + [：]（[Ctrl] + [＊]）キーなどの操作で簡単に選択できる。Excel VBAでは、この機能に対応する「CurrentRegion」プロパティで、対象のセルを含む表の範囲を、Rangeオブジェクトとして取得することが可能だ。

　Subプロシージャ「罫線自動設定1」は、アクティブセルを含む表の範囲を自動的に判定し、「格子」の罫線を設定するプログラムだ（図1）。対象オブジェクトを省略した「ActiveCell」プロパティで、アクティブセルを表すRangeオブジェクトを取得。そのCurrentRegionプロパティで、アクティブセル領域を表すRangeオブジェクトを取得する。さらに、「Borders」プロパティで、セルの四辺の罫線の設定を表す「Borders」オブジェクトを取得し、その「Weight」プロパティで罫線の太さを設定する（図2）。

表の範囲を判定して取得するマクロ

```
Sub 罫線自動設定1()

    '表の範囲に罫線を設定
    ActiveCell.CurrentRegion.Borders.Weight = xlThin

End Sub
```

🔎 図1　Subプロシージャ「罫線自動設定1」は、アクティブセルを含み、連続してデータが入力されている長方形の範囲（アクティブセル領域）を自動的に判定し、「格子」の罫線を設定するプログラムだ。自動判定なので、意図しない範囲が含まれてしまう場合もある

```
'表の範囲に罫線を設定
ActiveCell.CurrentRegion.Borders.Weight = xlThin
```

⚙ 図2　アクティブセルを表すRangeオブジェクトのCurrentRegionプロパティで、そのアクティブセル領域を表すRangeオブジェクトを取得する。Bordersプロパティで罫線の設定を表すBordersオブジェクトを取得し、そのWeightプロパティで線の太さを設定している

　Weightプロパティの設定値は、罫線の太さの種類を表す数値だ。VBAのコードでは、各設定値に対応する定数（数値に付けた名前）を使用できる。標準的な太さの罫線にするには、「xlThin」（実際の値は2）という定数を指定する。

　なお、機能を表す用語は「アクティブセル領域」だが、VBAでCurrentRegionプロパティを使う場合、その対象はアクティブセル以外のセルでも構わない。

　C4セルを選択し、実際にマクロ「罫線自動設定1」を実行してみよう（図3）。このワークシートには「A組」と「B組」の成績データが入力されているが、空白のG列で区切られているため、C4セルを含む「A組」の表の範囲だけに「格子」の罫線が設定される。

⚙ 図3　C4セルを選択して、マクロ「罫線自動設定1」を実行すると、自動的にB2〜F9セルに格子の罫線が設定される。ただし、B2セルに「【A組】」とだけ入力されている2行目は、実際には罫線は不要。本来はB3〜F9セルだけに罫線を設定したかった

　ただし、この範囲の先頭の行は、B2セルに「【A組】」と入力されているだけの、いわば表のタイトル部分だ。本来想定していた設定対象は、このB2〜F2セルを含まないB3〜F9セルだけだった。

　そこで、CurrentRegionプロパティで取得したアクティブセル領域から、その1行目を除外した範囲に罫線を設定するように変更したのが、Subプロシージャ「罫線自動設定2」だ（図4）。

表の範囲から1行目を除外するマクロ

```
Sub 罫線自動設定2()

    '1行目を除外して表の範囲に罫線を設定
    ActiveCell.CurrentRegion.Offset(1).Resize _
        (ActiveCell.CurrentRegion.Rows.Count - 1) _
        .Borders.Weight = xlThin

End Sub
```

Offsetプロパティ	**対象.Offset**(RowOffset,ColumnOffset) 対象のRangeオブジェクトを指定の行数・列数だけずらす
Resizeプロパティ	**対象.Resize**(RowSize,ColumnSize) 対象のRangeオブジェクトの行数・列数を変更する

図4 Subプロシージャ「罫線自動設定2」は、取得したアクティブセル領域から1行目を除外し、罫線を設定するプログラムだ。RangeオブジェクトのOffsetプロパティで対象範囲を1行分下にずらし、さらにResizeプロパティでその行数を現在より1行減らしている

Rangeオブジェクトの「Offset」プロパティでは、対象の範囲から、指定した行数と列数だけずらしたセル範囲を表すRangeオブジェクトを取得。さらに、Rangeオブジェクトの「Resize」プロパティでは、対象の範囲を、指定した行数と列数に変更したセル範囲を表すRangeオブジェクトを取得できる。これらを組み合わせ、元のRangeオブジェクトを1行下にずらし、さらに行数を1行減らした範囲に、罫線を設定する。I4セルを選択した状態でこのマクロ「罫線自動設定2」を実行し、結果を確認しよう(図5)。

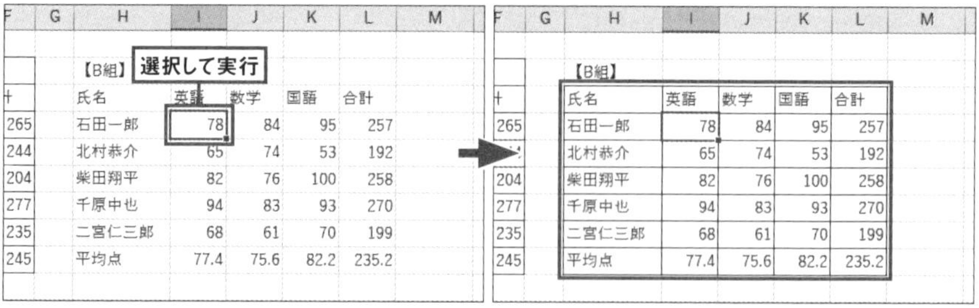

F	H	I	J	K	L
	氏名	英語	数学	国語	合計
265	石田一郎	78	84	95	257
244	北村恭介	65	74	53	192
204	柴田翔平	82	76	100	258
277	千原中也	94	83	93	270
235	二宮仁三郎	68	61	70	199
245	平均点	77.4	75.6	82.2	235.2

図5 I4セルを選択して、マクロ「罫線自動設定2」を実行した。H2セルに「【B組】」と入力されているだけの2行目に罫線は設定されず、H3～L9セルに格子の罫線が設定される

このような処理には、Applicationオブジェクト(省略可能)の「Intersect」メソッドも利用できる。Subプロシージャ「罫線自動設定3」は、このメソッドを使

い、CurrentRegionプロパティで取得した表の範囲と、それをOffsetプロパティで1行下にずらした範囲の共通部分を取得して、同様に罫線を設定している（図6）。

別の方法で1行目を除外するマクロ

```
Sub 罫線自動設定3()

    '1行目を除外して表の範囲に罫線を設定
    Intersect(ActiveCell.CurrentRegion, ActiveCell _
        .CurrentRegion.Offset(1)).Borders.Weight = xlThin

End Sub
```

Intersectメソッド | 対象.Intersect(Arg1,Arg2,…)
複数のRangeオブジェクトの共通部分を返す

🔎 図6　同様の処理は、Intersectメソッドを利用しても実現できる。Subプロシージャ「罫線自動設定3」では、アクティブセル領域と、それを1行下にずらしたセル範囲の共通部分として、1行目を除外する

表の行に背景色を設定する

Subプロシージャ「背景色自動設定1」は、CurrentRegionプロパティなどを利用して、表の1行目だけに背景色を設定するプログラムだ（図7）。取得した表の範囲をOffsetプロパティで1行下にずらし、さらにResizeプロパティで1行だけに変更。「Interior」プロパティでセルの塗り潰しの設定を表す「Interior」オブジェクトを取得し、その「Color」プロパティで背景色を設定する。

表の1行目に色を付けるマクロ

```
Sub 背景色自動設定1()

    '表の1行目に背景色を設定
    ActiveCell.CurrentRegion.Offset(1) _
        .Resize(1).Interior.Color = rgbLightBlue

End Sub
```

🔎 図7　Subプロシージャ「背景色自動設定1」では、表の範囲を1行下にずらし、その1行目の範囲に、薄い青の背景色を設定する。塗り潰しの色はInteriorオブジェクトのColorプロパティで設定する

Colorプロパティの設定値はRGB値を表す1つの数値だが、VBAではさまざまな色にあらかじめ設定された、「rgb」で始まる定数を利用できる。ここでは、D5セルを選択して、マクロ「背景色自動設定1」を実行した（図8）。

⤷ 図8　D5セルを選択して、マクロ「背景色自動設定1」を実行した。OffsetプロパティとResizeプロパティで、アクティブセル領域からB3〜F3セルを表すRangeオブジェクトを取り出し、背景色を設定している

　なお、Subプロシージャ「背景色自動設定2」は、同じような処理を、もっと簡潔なコードで実現した例だ（図9）。Rowsプロパティで表の範囲の2行目を表すRangeオブジェクトを取得し、同様に背景色を設定している。

別の方法で1行目に色を付けるマクロ

```
Sub 背景色自動設定2()

    '表の1行目に背景色を設定
    ActiveCell.CurrentRegion.Rows(2).Interior.Color = rgbLightBlue

End Sub
```

⤷ 図9　Rowsプロパティを使ってアクティブセル領域の2行目を取得しても、同じ結果が得られる。この方法で記述した例が、Subプロシージャ「背景色自動設定2」だ

　一方、Subプロシージャ「背景色自動設定3」は、アクティブセルを含む表の行全体に色を設定するプログラムになる（図10）。

アクティブセルの行に色を付けるマクロ

```
Sub 背景色自動設定3()

    '表のアクティブセルの行に背景色を設定
    Intersect(ActiveCell.CurrentRegion, ActiveCell.EntireRow) _
        .Interior.Color = rgbLightPink

End Sub
```

⤷ 図10　Subプロシージャ「背景色自動設定3」は、表内でアクティブセルを含む行全体に薄いピンクの背景色を設定するプログラムだ。アクティブセル領域と、EntireRowプロパティで取得した行全体を対象に、Intersectメソッドでその共通部分を取得している

基準のセルを含む行全体を、Rangeオブジェクトの「EntireRow」プロパティ
で取得。その範囲と表の範囲との共通部分をIntersectメソッドで取り出して、
やはり背景色を設定する。D5セルを選択し、このマクロ「背景色自動設定3」を
実行すると、B5〜F5セルに、指定した背景色が設定される（図11）。

🔿 図11　D5セルを選択して、マクロ「背景色自動設定3」を実行した、この表の範囲内で、アクティブセ
ルを含む行全体に背景色が設定される

セルの種類を指定して取得する

基準のセルから指定した方向に、連続してデータが入力されている範囲の終
端のセルは、「End」プロパティを利用して取得できる。引数には方向を表す数値
を指定するが、「xlDown」（下）、「xlUp」（上）、「xlToRight」（右）、「xlToLeft」（左）
といった定数が使用可能。Subプロシージャ「背景色自動設定4」では、この
EndプロパティとRangeプロパティを組み合わせ、アクティブセルから同じ表内
の右端のセルまでの範囲を取得して、背景色を設定している（図12、図13）。

表の右端までの範囲に色を付けるマクロ

```
Sub 背景色自動設定4()

    'アクティブセルから表の右端までの範囲に背景色を設定
    Range(ActiveCell, ActiveCell.End(xlToRight)) _
        .Interior.Color = rgbLightGreen

End Sub
```

Endプロパティ　　対象.End (Direction)
　　　　　　　　　　　　対象セルから指定した方向にある終端セルを取得する

🔿 図12　Subプロシージャ「背景色自動設定4」では、アクティブセルから、Endプロパティで取得した同じ
行の右端のセルまでの範囲に、薄い緑の背景色を設定する

⊙ 図13 I6セルを選択して、マクロ「背景色自動設定4」を実行すると、I6〜L6セルに薄い緑の背景色が設定される。なお、表の右端のセルでこのマクロを実行すると、その右側にある入力済みセルか、ワークシートの右端のセルまでの範囲が設定対象となってしまう

Rangeオブジェクトの「SpecialCells」メソッドは、数式セルや定数 (固定値) セルといったセルの種類を指定して自動で一括選択できる「選択オプション」に対応した機能だ。Subプロシージャ「数式斜体設定」は、このメソッドで、数値を返す数式のセルだけをRangeオブジェクトとして取得、「Font」プロパティでフォントの設定を表す「Font」オブジェクトを取得し、その「Italic」プロパティにTrueを指定して、セルの文字を斜体にする (図14)。

数式のセルだけを斜体にするマクロ

```
Sub 数式斜体設定()

    '数式のセルだけに斜体を設定
    Selection.SpecialCells(xlCellTypeFormulas, xlNumbers) _
        .Font.Italic = True

End Sub
```

SpecialCellsメソッド | 対象.SpecialCells (Type, Value)
指定した種類のセルを全て取得する

⊙ 図14 Subプロシージャ「数式斜体設定」は、数値を返す数式のセルだけに一括で斜体を設定するプログラムだ。数式セルの取得にはSpecialCellsメソッドを使用。Fontプロパティでフォントの設定を表すFontオブジェクトを取得し、そのItalicプロパティで斜体を設定している

SpecialCellsメソッドの引数「Type」には数値を指定するが、その内容を分かりやすく表した定数が使用可能。例えば、「xlCellTypeConstants」(固定値)、「xlCellTypeFormulas」(数式)、「xlCellTypeBlanks」(空白セル) などだ。固定値 (定数) と数式を選んだ場合、さらに引数「Value」に、「xlNumbers」(数値) や

「xlTextValues」(文字列) などを指定できる。

1つのセルを選択してこのマクロ「数式斜体設定」を実行すると、ワークシート上で数値を返す全ての数式セルに、一括で斜体が設定される (図15)。

▲	A	B	C	D	E	F	G	H	I	J	K	L	M	N	O
1															
2		【A組】						【B組】							
3		氏名	英語	数学	国語	合計		氏名	英語	数学	国語	合計			
4		秋本明弘	93	82	90	265		石田一郎	78	84	95	257			
5		川口克之	86	75	83	244		北村恭介	65	74	53	192			
6		斉藤聡	61	69	74	204		柴田翔平	82	76	100	258			
7		高橋達也	84	100	93	277		千原中也	94	83	93	270			
8		中村直彦	76	84	75	235		二宮仁三郎	68	61	70	199			
9		平均点	80	82	83	245		平均点	77.4	75.6	82.2	235.2			
10															
11															

↑ 図15　1つのセルだけを選択した状態でマクロ「数式斜体設定」を実行すると、数値を返す全ての数式のセルに斜体が設定される。特定の範囲内の数式だけを斜体にしたい場合は、事前にそのセル範囲を選択してから、このマクロを実行すればよい

同じ数式のセルを一括選択する

最後に、基準のセルと同じ数式が入力されている全てのセルを選択するSubプロシージャ「同数式選択」を紹介しよう (図16)。

同じ数式のセルを全て選択するマクロ

```
Sub 同数式選択()
    Dim tRng As Range, fmla As String, fRng As Range

    'アクティブセルを変数tRngにセット
    Set tRng = ActiveCell
    'アクティブセルの数式を変数fmlaに代入
    fmla = tRng.FormulaR1C1
    '作業済み範囲の全セルを対象に繰り返し
    For Each fRng In ActiveSheet.UsedRange
        '各セルの数式が変数fmlaと等しいかを判定
        If fRng.FormulaR1C1 = fmla Then
            '等しいセルを変数tRngに追加
            Set tRng = Union(tRng, fRng)
        End If
    Next fRng
    '変数tRngのセル範囲を選択
    tRng.Select

End Sub
```

↑ 図16　Subプロシージャ「同数式選択」は、作業中のワークシートで、アクティブセルと同じ数式が入力されているセルを全て選択するプログラムだ

　ここで言う「同じ数式」とは、セル参照以外の部分は全く同じで、かつ相対参照で同じ位置関係のセルを参照している数式のことだ。このセルをコピーすると、コピー先の位置に応じて、数式のセル参照が同じ内容に変化する。

　まず、アクティブセルを表すRangeオブジェクトを、オブジェクト変数「tRng」にセット。そのセルのR1C1形式の数式を、変数「fmla」に代入する。「ActiveSheet」プロパティで作業中のワークシートを表す「Worksheet」オブジェクトを取得し、その「UsedRange」プロパティで、シート上の作業済みのセルを含む長方形のセル範囲を表すRangeオブジェクトを取得する。「作業済みのセル」とは、データの入力や書式設定など、何らかの操作が加えられたセルのこと。この例のように先頭の列や行が空白の場合、必ずしもA1セルが作業済みのセルの起点（左上端）にはならない。ここではB2～L9セルの範囲を表すRangeオブジェクトが取得され、その各セルに対して、For Each ～ Nextを使った繰り返し処理を実行する（図17）。

```
'作業済み範囲の全セルを対象に繰り返し
For Each fRng In ActiveSheet.UsedRange

Next fRng
```

⬆ 図17　ここでは作業中のワークシートを表すWorksheetオブジェクトのUsedRangeプロパティで、作業済みのセルを全て含む長方形のセル範囲をRangeオブジェクトとして取得。For Each ～ Nextで、その各セルを対象とした繰り返し処理を実行する

　Applicationオブジェクト（省略可能）の「Union」メソッドは、指定された複数のRangeオブジェクトを融合して1つのRangeオブジェクトにするもの。例えば、引数にB2、C2、B3、C3の各セルを表すRangeオブジェクトを指定した場合、B2～C3セルという1つの長方形の範囲を表すRangeオブジェクトを取得できる。ここではこれを利用して、最終的に選択の対象となるセル範囲に、条件に該当するセルを追加していく。

　繰り返し処理の中では、各セルのR1C1形式の数式が、変数fmlaの値と等しいかどうかをIf ～ Thenで判定する。Trueの場合は、最初にアクティブセルをセットした変数tRngと、各セルを表す変数fRngを、Unionメソッドで融合し、改めて変数tRngにセットする（図18）。

　全てのセルについての繰り返しを終了したら、最終的に変数tRngにセットさ

れているセル範囲を、Select メソッドで選択する（図19）。

　F4セルを選択してこのマクロ「同数式選択」を実行すると、F4〜F8セルとL4〜L8セルが選択される（図20）。数式だけでなく、固定値のセルを選択してこのマクロを実行し、同じ値が入力されたセルを一括で選択することも可能だ。

```
'各セルの数式が変数fmlaと等しいかを判定
If fRng.FormulaR1C1 = fmla Then
    '等しいセルを変数tRngに追加
    Set tRng = Union(tRng, fRng)
End If
```

Unionメソッド　対象.Union(Arg1,Arg2,…)
複数のRangeオブジェクトを1つにまとめる

◯ 図18　If 〜 Thenで、各セルのR1C1形式の数式が、変数fmlaの文字列と等しいかどうかを判定。等しい場合は、Unionメソッドで変数tRngと各セルをまとめて1つのRangeオブジェクトとし、改めて変数tRngにセットする

```
'変数tRngのセル範囲を選択
tRng.Select
```

◯ 図19　作業済みのセル範囲を対象とする繰り返し処理が終了した時点で、アクティブセルと同じ数式（内容）のセルを全て含むセル範囲が、Rangeオブジェクトとして変数tRngにセットされている。Selectメソッドで、このセル範囲を選択する

	A	B	C	D	E	F	G	H	I	J	K	L	M	N	O
1															
2		【A組】				F4セルを選択して実行		【B組】							
3		氏名	英語	数学	国語	合計		氏名	英語	数学	国語	合計			
4		秋本明弘	93	82	90	265		石田一郎	78	84	95	257			
5		川口克之	86	75	83	244		北村恭介	65	74	53	192			
6		斉藤聡	61	69	74	204		柴田翔平	82	76	100	258			
7		高橋達也	84	100	93	277		千原中也	94	83	93	270			
8		中村直彦	76	84	75	235		二宮仁三郎	68	61	70	199			
9		平均点	80	82	83	245		平均点	77.4	75.6	82.2	235.2			
10															
11															
12															
13															

◯ 図20　F4セルを選択して、マクロ「同数式選択」を実行する。F4セルには、同じ行の左側3列分のセル範囲の合計を求めるSUM関数の数式が入力されている。これと同じF5〜F8セルとL4〜L8セルが、F4セルと併せて選択される

159

セル範囲への入力に 配列を利用する

Excel VBAで、セル範囲のデータを一括で処理するには「配列」の理解と活用が不可欠。プログラムで配列を利用するときのポイントを見ていこう。

まずは、Subプロシージャ「一括入力1」として、C6〜D7セルに一括で「欠席」という文字列を入力するプログラムを作成した（図1）。

セル範囲に同じ値を入力するマクロ

```
Sub 一括入力1()

    'セル範囲に同じ値をまとめて入力
    Range("C6:D7").Value = "欠席"

End Sub
```

⤷ 図1　RangeオブジェクトのValueプロパティなどで値を入力する操作では、対象として単独セルではなくセル範囲を指定した場合、その全てのセルに同じ値が入力される。Subプロシージャ「一括入力1」は、C6〜D7セルに一括で「欠席」と入力するプログラムだ

セル範囲に配列を一括入力する

セル範囲には、「配列」のデータを代入することもできる。配列とは、複数の値をまとめて扱えるデータ構造のこと。Subプロシージャ「一括入力2」は、配列の3つの要素にそれぞれ異なる点数を代入し、そのまま1行×3列のセル範囲に一括で入力するプログラムだ（図2）。

複数の値を一括で入力するマクロ

```
Sub 一括入力2()

    '3要素の配列変数を宣言
    Dim score(2) As Integer

    '配列の各要素に値を代入
    score(0) = 96
    score(1) = 100
    score(2) = 93

    'セル範囲に複数の値をまとめて入力
    Range("B9:D9").Value = score

End Sub
```

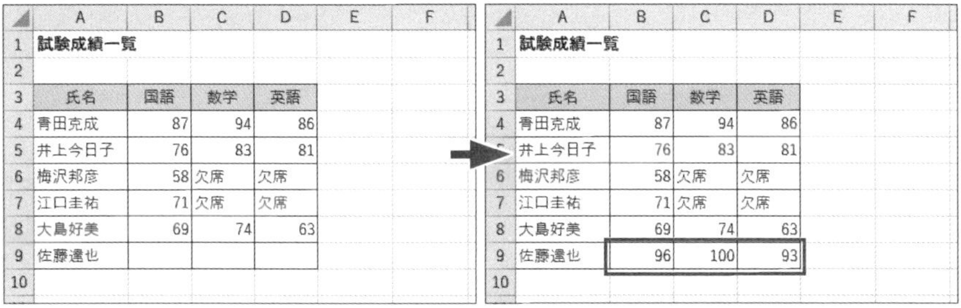

○ 図2　「配列」を利用することで、セル範囲の各セルに対し、それぞれ異なる値を一括で入力することが可能になる。Subプロシージャ「一括入力2」は、B9〜D9セルに、それぞれ別の点数を一括入力するプログラムだ

　一般的な「変数」には1つの値を収めるが、配列の構造を持つ「配列変数」には、複数の要素にそれぞれ異なる値を収めることができる。VBAで単に「配列」といった場合、「配列変数」を意味することが多い。配列変数を使用するときも、まず「Dim」を使って宣言する（図3）。

```
    '3要素の配列変数を宣言
    Dim score(2) As Integer
```

○ 図3　配列変数を利用するには、通常の変数と同様、「Dim」で宣言する。配列は変数名の後に「()」を付けるが、「固定長配列」の場合、設定したい要素数に応じたインデックスの最大値をこの「()」内に指定する。ここでは、要素の数を3個にするため、「2」を指定した

　配列変数の場合、指定した変数名の後に、必ず「()」を付ける。さらに、最初に要素数を決める「固定長配列」の場合、この「()」の中にそのインデックス

の最大値を指定する。インデックスとは、配列の要素の位置を表す番号のこと。VBAでは、通常、インデックスの最小値は0になる。ここでは最大値として「2」を指定したため、この配列変数「score」には3つの要素が含まれることになる。さらに、通常の変数と同様、「As」の後にデータ型を指定することで、配列の全ての要素がそのデータ型になる。ここでは、整数型（Integer）を指定した。

　以降の処理では、この配列変数名の後の「()」にインデックスを指定して、配列の各要素に値を代入したり、収められた値を取り出したりできる。ここでは、配列変数「score」の各要素に、それぞれ異なる数値を代入している（図4）。

```
'配列の各要素に値を代入
score(0) = 96
score(1) = 100
score(2) = 93
```

⬆ 図4　配列のインデックスは、通常、「0」が最小値になる。コードの中では、配列名の後の「()」にインデックスを指定して、配列内でその位置に当たる要素を処理の対象とする。ここでは、「score」という配列変数の3つの要素に、それぞれ異なる数値を代入していく

　この配列「score」の構造は、3つの要素が横1列に並んでいるようなイメージだ。このように、複数の値が1列に並んでいる構造の配列を、「1次元配列」と呼ぶ。

　1次元配列は、同じ列数の1行のセル範囲を表すRangeオブジェクトの内容を表すプロパティに代入することで、対象範囲の各セルに、対応する要素の値を一括で入力できる（図5）。配列をそのまま代入する場合、変数名の後の「()」は省略してもよい。付ける場合も、その中にインデックスは指定しない。

```
'セル範囲に複数の値をまとめて入力
Range("B9:D9").Value = score
```

⬆ 図5　配列と同じサイズ（列数）のセル範囲に対しては、その配列変数をそのまま代入する形で、各要素の値を、対応する位置のセルにまとめて代入できる。このとき、配列変数名の後の「()」は省略可能だ

　宣言時に要素数を決める固定長配列に対し、処理の中で自由に要素数を変えられる配列を「動的配列」と呼ぶ。Subプロシージャ「一括入力3」は、この動的配列を使って3要素の配列を作成し、セル範囲に一括で入力する（図6）。動的配列も、やはりDimを使って宣言するが、変数名の後の「()」の中には何も指定し

ない。また、「Array」は、引数に指定した複数の値を要素とする配列を作成する
VBAの関数。その戻り値を収める変数は、バリアント型の動的配列にする。こ
のプログラムでは、Array関数に各要素の値を直接指定して、3要素の配列変数
「score」を作成。そのまま1行×3列のセル範囲に入力している。

動的配列を使って一括入力するマクロ

```
Sub 一括入力3()

    '動的配列を宣言
    Dim score() As Variant

    '動的配列に3要素の値を代入
    score = Array(96, 100, 93)

    '1行×3列のセル範囲に配列を代入
    Range("B9:D9").Value = score

End Sub
```

🔾 図6　Subプロシージャ「一括入力3」は、同様の処理を「動的配列」を使って実現するプログラムだ。
「Array」は、引数に指定した各データを要素とする1次元配列を作成できる関数。その戻り値を動的配列
「score」に代入し、そのままB9～D9セルに入力している

　一方、値を代入した配列変数を、その要素と同じ列数で複数行のセル範囲に
代入すると、その配列の各要素が、対象範囲の1列ごとに、全てのセルに入力さ
れる。Subプロシージャ「一括入力4」は、やはりArray関数で2要素の配列を作
成し、この配列を6行×2列のセル範囲に代入するプログラムだ（図7）。

複数列の数式をセル範囲に入力するマクロ

```
Sub 一括入力4()
    Dim fmlas() As Variant

    '動的配列に2要素の数式を代入
    fmlas = Array("=SUM(B4:D4)", "=AVERAGE(B4:D4)")

    '6行×2列のセル範囲に数式の配列を代入
    Range("E4:F9").Formula = fmlas

End Sub
```

🔾 図7　Subプロシージャ「一括入力4」は、同じ行の3列分のセル範囲に入力された点数の合計と平均を
求める数式を、6行×2列の範囲に一括入力するプログラムだ。2種類の数式を動的配列「fmlas」に収め、
対象のセル範囲のFormulaプロパティに代入している

　ただし、この配列「fmlas」の要素は、固定値ではなく数式だ。いずれもB4～D4セルを対象に、SUM関数で合計、AVERAGE関数で平均を求めている。この配列を、E4～F9セルを表すRangeオブジェクトのFormulaプロパティに代入すると、E4～E9セルにSUM関数の数式が、F4～F9セルにAVERAGE関数の数式が、それぞれ入力される。数式中の相対参照は、行に応じて自動的に変化し、それぞれ同じ行のB～D列のセルを集計する数式になる（図8）。

⬆ 図8　マクロ「一括入力4」の実行例。配列「fmlas」は1行×2列だが、これを複数行×2列の範囲に代入すると、列ごとに全ての行のセルにそれぞれの要素が代入される。また、要素の内容が数式の場合、代入先のセルの位置に応じて、数式中の相対参照が変化する

セル範囲に2次元配列を入力する

　要素が縦・横の2方向に要素が並んだ配列を「2次元配列」と呼ぶ。Subプロシージャ「一括入力5」は、2次元配列「score」の各要素に数値を代入し、同じサイズ（行数×列数）のセル範囲に一括で入力する（図9、図10）。

　2次元配列もDimを使って宣言するが、配列変数名の後の「()」には、行と列のインデックスの最大値を、「,」(半角カンマ)で区切って指定する。ここでは「2」と「1」を指定したが、インデックスの最小値はやはりいずれも「0」であるため、このscoreは3行×2列の2次元配列になる（図11）。

　以降の処理では、変数名の後の「()」に、やはり行と列のインデックスを指定して、各要素を操作する。ここでは、それぞれに数値を代入し、同じ3行×2列のC4～D6セルを表すRangeオブジェクトのValueプロパティに、この配列をそのまま代入している（図12）。

セル範囲に異なる値を入力するマクロ

```
Sub 一括入力5()

    '3行×2列の2次元配列を宣言
    Dim score(2, 1) As Integer

    '配列の各要素に値を代入
    score(0, 0) = 93
    score(0, 1) = 89
    score(1, 0) = 85
    score(1, 1) = 88
    score(2, 0) = 60
    score(2, 1) = 58

    '配列の値をセル範囲に代入
    Range("C4:D6").Value = score

End Sub
```

⤴ 図9　Subプロシージャ「一括入力5」は、「2次元配列」を使用して、複数行×複数列の範囲にそれぞれ異なる値を一括入力する。基本的に入力データをまとめる2次元配列と、入力対象のセル範囲はそろえる

	A	B	C	D	E	F
1	試験成績一覧					
2						
3	氏名	第4回	第5回	第6回		
4	青田克成	91				
5	井上今日子	83				
6	梅沢邦彦	64				
7	江口圭祐	76	72	67		
8	大島好美	66	70	73		
9	佐藤達也	100	94	97		
10						

	A	B	C	D	E	F
1	試験成績一覧					
2						
3	氏名	第4回	第5回	第6回		
4	青田克成	91	93	89		
5	井上今日子	83	85	88		
6	梅沢邦彦	64	60	58		
7	江口圭祐	76	72	67		
8	大島好美	66	70	73		
9	佐藤達也	100	94	97		
10						

⤴ 図10　Subプロシージャ「一括入力5」の実行例。3行2列の範囲に値が代入された

```
    '3行×2列の2次元配列を宣言
    Dim score(2, 1) As Integer
```

⤴ 図11　2次元配列の宣言では、配列変数名の後の「()」内に、「,」(半角カンマ)で区切って2つの番号を指定する。1番目が行、2番目が列のインデックスの最大値だ。最小値は、基本的には「0」になる

```
    '配列の各要素に値を代入
    score(0, 0) = 93
    score(0, 1) = 89
    score(1, 0) = 85
    score(1, 1) = 88
    score(2, 0) = 60
    score(2, 1) = 58

    '配列の値をセル範囲に代入
    Range("C4:D6").Value = score
```

⤴ 図12　この2次元配列「score」の場合、3行×2列で、6つの要素を持っている。その各要素に数値を代入し、この配列をそのまま、やはり3行×2列のセル範囲に代入している

2次元配列の構造は、Excelのワークシートに近い（図13）。VBAでは、仕様上は3次元以上の配列も使用可能だが、Rangeオブジェクトと直接データをやり取りできるのは2次元配列までだ。

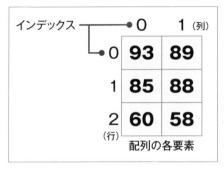

⊖ 図13 「2次元配列」とは、インデックスを付けていく方向が行と列の2つである配列のことだ。行と列のインデックスで1つの要素を特定するという構造は、Excelのセル範囲に近い

入力対象のセル範囲が配列のサイズよりも小さい場合、その範囲内のセルにだけ、対応する配列の要素が入力される。逆に、対象範囲が配列のサイズよりも大きい場合は、対応する要素がないセルの値が「＃N/A」になる（図14）。

▲	A	B	C	D	E	F	G	H	I
1	試験成績一覧								
2									
3	氏名	第4回	第5回	第6回					
4	青田克成	91	93	89	#N/A				
5	井上今日子	83	85	88	#N/A				
6	梅沢邦彦	64	60	58	#N/A				
7	江口圭祐	76	72	67					
8	大島好美	66	70	73					
9	佐藤達也	100	94	97					
10									
11									

⊖ 図14 入力対象のセル範囲が、2次元配列のサイズ（行数×列数）よりも大きい場合、対応する要素のないセルには「＃N/A」が入力される。例えば、「一括入力5」のプログラムで、対象範囲を「C4：E6」に変更した場合、E4～E6セルが「＃N/A」になってしまう

セル範囲の値を配列に代入する

セル範囲のデータをそのまま配列として取り出すことも可能だ。その例として、配列変数を利用し、異なるブックのセル範囲間でデータを転記するプログラムを紹介しよう。配列変数を使用することで、転記元のブックを閉じた後でも、時間差で別のブックにそのデータを書き込むことが可能になる。

Subプロシージャ「前期記録転記」は、「成績記録前期分.xlsx」というブックの

先頭シートのA10～D12セルの内容を、数式の計算結果の固定値と、数式そのままのデータとして、それぞれ配列変数に代入。このブックを閉じた後、作業中のワークシートにそれぞれの配列の内容を入力するプログラムだ（図15）。

配列変数を経由して転記するマクロ

```
Sub 前期記録転記()
    Dim oVal() As Variant
    Dim oFml() As Variant

    '別ブックの先頭シートを対象に処理
    With Workbooks("成績記録前期分.xlsx").Sheets(1)

        'セル範囲の値と数式を配列変数に代入
        oVal = .Range("A10:D12").Value
        oFml = .Range("A10:D12").FormulaR1C1

    End With

    '別ブックを閉じる
    Workbooks("成績記録前期分.xlsx").Close

    '配列の値と数式をセル範囲に代入
    Range("A4:D6").Value = oVal
    Range("F10:I12").FormulaR1C1 = oFml

End Sub
```

○ 図15　Subプロシージャ「前期記録転記」は、「成績記録前期分.xlsx」という別ブックの先頭シートのA10～D12セルの値（数式はその計算結果）と、同じ範囲の数式をそれぞれ配列変数に代入し、そのブックを閉じた後、作業中のシートに転記するプログラムだ

転記元のブックでは、B10～D10セルに同じ列の平均を求めるAVERAGE関数の数式が、B11～D11セルに最大値を求めるMAX関数の数式が、B12～D12セルに最小値を求めるMIN関数の数式が、それぞれ入力されている（図16）。

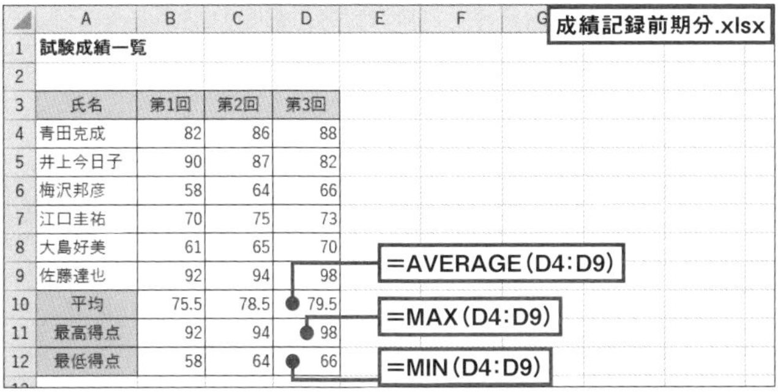

▲	A	B	C	D	E	F	G
1	試験成績一覧						成績記録前期分.xlsx
2							
3	氏名	第1回	第2回	第3回			
4	青田克成	82	86	88			
5	井上今日子	90	87	82			
6	梅沢邦彦	58	64	66			
7	江口圭祐	70	75	73			
8	大島好美	61	65	70			
9	佐藤達也	92	94	98			=AVERAGE(D4:D9)
10	平均	75.5	78.5	79.5			=MAX(D4:D9)
11	最高得点	92	94	98			=MIN(D4:D9)
12	最低得点	58	64	66			

○ 図16　「成績記録前期分.xlsx」の先頭シートでは、B10～D10セルに同じ列の4～9行のセル範囲の平均、B11～D11セルに同じ範囲の最大値、B12～D12セルに同じ範囲の最小値を求める数式が、それぞれ入力されている。このブックを開いた状態にしておく

　転記先のワークシートを開いてマクロ「前期記録転記」を実行すると、自動的に転記元のブックが閉じ、その前に転記元のセル範囲から数式をその結果の値として取り出したデータがA4〜D6セルに、数式をそのまま取り出したデータがF10〜I12セルに入力される（図17）。

⊕ 図17　「成績記録前期分.xlsx」からデータを転記したいブックのワークシートを表示した状態で、マクロ「前期記録転記」を実行する。このA4〜D6セルには、転記元ブックのA10〜D12セルの値が、F10〜I12セルには同じ範囲の数式が、それぞれ転記される

　転記元のブックを表すWorkbookオブジェクトを取得し、さらにその1番目のシートを表すWorksheetオブジェクトを取得して、「With」の対象に指定（図18）。そのA10〜D12セルの値をValueプロパティで取り出して配列変数oValに、同じ範囲の数式をFormulaR1C1プロパティで取り出して配列変数oFmlに、それぞれ代入する（図19）。このとき、配列変数oValでは、元の範囲に入力されていた数式は、その計算結果の固定値に変換されている。また、配列変数oFmlには、元の範囲の固定値とR1C1形式の数式が、全てそのまま取り出されている。

```
'別ブックの先頭シートを対象に処理
With Workbooks("成績記録前期分.xlsx").Sheets(1)

End With
```

⊕ 図18　ブック名で指定した「Workbook」オブジェクトの「Sheets」コレクションに「1」を指定して、その先頭シートを表す「Worksheet」オブジェクトを取得。これを「With」に指定して、「End With」の行までの処理の対象とする

```
'セル範囲の値と数式を配列変数に代入
oVal = .Range("A10:D12").Value
oFml = .Range("A10:D12").FormulaR1C1
```

⤴ 図19　対象シートのA10～D12セルを表すRangeオブジェクトのValueプロパティで値の配列を取得し、配列変数「oVal」に代入。同様に、FormulaR1C1プロパティで取得したR1C1形式の数式の配列を、配列変数「oFml」に代入する

　次に、転記元ブックを表すWorkbookオブジェクトを「Close」メソッドで閉じる（図20）。そして、配列変数oVal、oFmlのデータを、それぞれ作業中のシートのセル範囲に入力する（図21）。配列変数oFmlのデータはR1C1形式の数式なので、代入にもFormulaR1C1プロパティを使用する。これで、転記元の各セルの数式が、それぞれのセル参照の相対的な位置関係を保持したまま、対象のセル範囲に入力される。

```
'別ブックを閉じる
Workbooks("成績記録前期分.xlsx").Close
```

⤴ 図20　ブック名で指定したWorkbookオブジェクトの「Close」メソッドで、このブックを閉じる。なお、このブックに変更を加えていた場合、保存するかどうかを確認される。ブックを閉じても、配列変数に取り出したセル範囲のデータは失われない

```
'配列の値と数式をセル範囲に代入
Range("A4:D6").Value = oVal
Range("F10:I12").FormulaR1C1 = oFml
```

⤴ 図21　A4～D6セルを表すRangeオブジェクトのValueプロパティに、配列変数「oVal」をそのまま代入。同様に、F10～I12セルを表すRangeオブジェクトのFormulaR1C1プロパティに、配列変数「oFml」をそのまま代入する

　なお、セル範囲から取得した配列データは、1行だけでも1次元配列ではなく、1行×複数列の2次元配列になる。また、セル範囲から取得した配列は、行・列のインデックスの最小値が、「0」ではなく「1」になる。この例では取り出した配列をそのまま代入したが、配列の各要素を操作する場合は、インデックスの指定を間違えないように注意する必要がある。

Lesson
06

複数の範囲を
処理する応用技

　VBAで処理の対象とするRangeオブジェクトは、1つの長方形のセル範囲とは限らない。例えば、「Selection」プロパティで取得した、選択範囲を表す

複数範囲の値を割り増しするマクロ

```
Sub 販売予想割増()
    Dim tCell As Range

    '選択範囲の各セルを対象に繰り返し
    For Each tCell In Selection

        'セルの値が数値なら
        If IsNumeric(tCell.Value) Then

            '1.1倍して百の位に四捨五入
            tCell.Value = WorksheetFunction
                .Round(tCell.Value * 1.1, -2)

        End If

    Next tCell

End Sub
```

	A	B	C	D	E	F	G	H	I	J
1	販売数予想									
2										
3	店舗名	1月	2月	3月	4月	5月	6月			
4	千駄ヶ谷店	1,400	1,400	1,500	1,600	1,600	1,700			
5	四谷店	1,600	1,600	1,700	1,800	1,700	1,800			
6	飯田橋店	2,000	2,000	2,100	2,100	2,000	1,900			
7	中野店	1,500	1,400	1,400	1,600	1,600	1,700			
8	荻窪店	1,300	1,300	1,500	1,500	1,600	1,600			
9		[Ctrl]キー＋ドラッグで選択								
10										

	A	B	C	D	E	F	G	H	I	J
1	販売数予想									
2										
3	店舗名	1月	2月	3月	4月	5月	6月			
4	千駄ヶ谷店	1,500	1,500	1,700	1,600	1,600	1,700			
5	四谷店	1,800	1,800	1,900	1,800	1,700	1,800			
6	飯田橋店	2,200	2,200	2,300	2,100	2,200	2,100			
7	中野店	1,500	1,400	1,400	1,600	1,800	1,900			
8	荻窪店	1,300	1,300	1,500	1,500	1,600	1,600			

◐◑ 図1　Subプロシージャ「販売予想割増」は、選択範囲の各セルの値を1.1倍し、四捨五入して百の位までに丸め、元のセルの値と置き換えるプログラム（上）。[Ctrl]キー＋ドラッグで選択した複数の範囲に対しても実行できる（左）

Rangeオブジェクトの場合、[Ctrl]キーを押しながらドラッグして選択した複数の範囲の可能性もある。ここでは、複数のセル範囲を含むRangeオブジェクトの処理について見ていこう。

複数の範囲で処理を繰り返す

Subプロシージャ「販売予想割増」は、選択範囲のセルの値を1.1倍し、四捨五入して百の位までに丸めた値に置き換えるプログラムだ(図1)。このマクロは、1つの長方形の範囲はもちろん、[Ctrl]キー+ドラッグで複数の範囲を選択して実行した場合も、その各セルを問題なく処理できる。

具体的には、For Each 〜 Nextで、選択範囲の各セルを表すRangeオブジェクトを対象に処理を繰り返す(図2)。If 〜 Thenと「IsNumeric」関数でセルの値が数値かどうかを判定。数値の場合は1.1倍して四捨五入する(図3)。VBAにもRound関数はあるが、整数桁での処理ができないなどの問題があるので、ここではワークシート関数の「ROUND」関数を利用している。

```
'選択範囲の各セルを対象に繰り返し
For Each tCell In Selection

Next tCell
```

🔾 図2 「Selection」プロパティで選択範囲を表すRangeコレクションを取得し、For Each 〜 Nextの対象に指定する。その各セルを表すRangeオブジェクトが変数tCellにセットされ、以降の処理が繰り返される

```
'セルの値が数値なら
If IsNumeric(tCell.Value) Then

    '1.1倍して百の位に四捨五入
    tCell.Value = WorksheetFunction
        .Round(tCell.Value * 1.1, -2)

End If
```

🔾 図3 If 〜 Thenと「IsNumeric」関数で、各セルを表す変数tCellの値が数値かどうかを判定。数値であれば、ワークシート関数の「ROUND」関数を利用し、セルの値を1.1倍して百の位までに四捨五入する。その結果を、改めて変数tCellのValueプロパティに代入する

次のSubプロシージャ「販売目標表示」は、選択した複数の範囲について、1〜3番目のセルの値を組み合わせて画面表示するプログラムだ(図4)。[Ctrl]キー+ドラッグで表の中の複数の行を選択してマクロを実行すると、各行の店舗名と

店長名、販売目標の数値を組み合わせた文字列が、それぞれ表示される。

選択した複数範囲の内容を表示するマクロ

```
Sub 販売目標表示()
    Dim tArea As Range

    '選択範囲の各領域を対象に繰り返し
    For Each tArea In Selection.Areas

        '各領域の3つのセルの情報を表示
        MsgBox "店舗名：" & tArea(1).Value & vbCr & _
            "店長：" & tArea(2).Value & vbCr & _
            "目標：" & tArea(3).Value

    Next tArea

End Sub
```

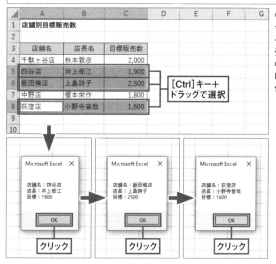

○○図4　複数の範囲を選択して、その各範囲を繰り返し処理の対象とすることもできる。Subプロシージャ「販売目標表示」は、各範囲の1～3番目のセルの値を組み合わせて表示するプログラム。ここでは表内の3つの行単位の範囲を選択し、マクロを実行した

　Rangeオブジェクトが複数の範囲を含む場合、「Areas」プロパティで、その全ての範囲のまとまりを、「Areas」コレクションとして取得できる。単体のAreaオブジェクトはなく、このコレクションのメンバー（要素）は、各範囲を表すRangeオブジェクトだ。AreasコレクションをFor Each ～ Nextに指定して、その各範囲のRangeオブジェクトを対象に、以降の処理を繰り返す（図5）。

　ここで選択している3つの範囲は、それぞれ1行×3列のセル範囲だ。その各範囲を表す変数tAreaに1～3のインデックスを指定して、各セルのデータを取得。

「＆」でほかの文字列と結合し、MsgBox関数を使ってメッセージ画面に表示している（図6）。

```
'選択範囲の各領域を対象に繰り返し
For Each tArea In Selection.Areas

Next tArea
```

🔾 図5 選択した複数の範囲を表すRangeコレクションの「Areas」プロパティで、範囲の集まりを表す「Areas」コレクションを取得。これをFor Each 〜 Nextに指定することで、各範囲を表すRangeオブジェクトが変数tAreaにセットされ、以降の処理が繰り返される

```
'各領域の3つのセルの情報を表示
MsgBox "店舗名：" & tArea(1).Value & vbCr & _
       "店長：" & tArea(2).Value & vbCr & _
       "目標：" & tArea(3).Value
```

🔾 図6 変数tAreaは、そのままセル単位のまとまりを表すRangeコレクションとして、各セルを表すRangeオブジェクトをインデックスで指定することができる。ここでは1〜3番目の各セルの値を取り出して「＆」で文字列と結合し、MsgBox関数で画面に表示している。「vbCr」は改行を表す

指定した名前のセル範囲を処理する

次の作例では、入力された販売数が確定値かどうかに応じて、それぞれの範囲に「確定」「未確定」という名前を付けている（図7）。Subプロシージャ「販売実績追加」は、選択範囲のうち、「未確定」の範囲に含まれるセルの数値だけに50を加算するプログラムだ（図8）。

	A	B	C	D	E	F	G	H	I	J
1	販売数実績				予想チェック		しない			
2										
3	店舗名	1月	2月	3月	4月	5月	6月			
4	千駄ヶ谷店	1,548	1,353	1,437	1,615	1,646	1,591			
5	四谷店	1,837	1,628	1,519	1,681	1,724	1,786			
6	飯田橋店	2,017	1,944	1,980	2,051	2,125	2,090			
7	中野店	1,634	1,430	1,512	1,674	1,779	1,860			
8	荻窪店	1,434	1,227	1,341	1,416	1,527	1,532			
9										
10										
11			確定			未確定				
12										
13										
14										

🔾 図7 この作例の表では、「4月」までの販売実績の値は確定しており、「5月」以降はまだ確定していないものとする。それぞれの範囲を判別できるように、B4〜E8セルには「確定」、F4〜G8セルには「未確定」という名前をあらかじめ付けておく

173

範囲の共通部分を処理するマクロ

```
Sub 販売実績追加()
    Dim tRng As Range
    Dim tCell As Range

    '選択範囲と「未確定」の共通部分を取得
    Set tRng = Intersect(Range("未確定"), Selection)

    '共通部分が存在しない場合は処理を終了
    If tRng Is Nothing Then Exit Sub

    '「未確定」内の選択セルに50を加算
    For Each tCell In tRng
        tCell.Value = tCell.Value + 50
    Next tCell

End Sub
```

⬆⬇ 図8 Subプロシージャ「販売実績追加」は、選択範囲の各セルが「未確定」の範囲に含まれていた場合に、その値に50を加算するプログラムだ。ここでは、C5～D7セルとF6～H7セルを選択して実行。その結果、F6～G7セルの数値だけに50が加算される

　指定したセルが特定の範囲に含まれているかどうかは、「Intersect」メソッドを利用して判定できる。ここではこのメソッドで、選択範囲と「未確定」の範囲の共通部分を表すRangeオブジェクトを取得して、変数tRngにセット（図9）。共通部分がない場合、この変数は「Nothing」で表される状態になるため、「Exit Sub」でプログラムを終了する。

　共通するセルが1つでもあった場合は、やはりFor Each ～ Nextで、共通する全てのセルを表すRangeコレクションを対象に繰り返し処理を実行（図10）。その各セルの値に50を加算する。

```
'選択範囲と「未確定」の共通部分を取得
Set tRng = Intersect(Range("未確定"), Selection)

'共通部分が存在しない場合は処理を終了
If tRng Is Nothing Then Exit Sub
```

⤴ 図9　「Intersect」メソッドで、「未確定」の範囲と選択範囲の共通セルを取得し、変数tRngにセットする。共通部分がない場合、tRngは「Nothing」で表される状態になる。Nothingになった場合は、「Exit Sub」で処理を終了する

```
'「未確定」内の選択セルに50を加算
For Each tCell In tRng
    tCell.Value = tCell.Value + 50
Next tCell
```

⤴ 図10　共通部分のセル範囲のRangeコレクションを表す変数tRngを、For Each ～ Nextに指定する。その範囲の各セルを対象とした繰り返し処理の中で、変数tCellが表すセルの値に50が加算され、改めて同じセルに入力される

イベントマクロを利用する

　「イベント」とは、ユーザーが何らかの操作を行ったなど、Excel内で発生した"出来事"のこと。イベントに対応して自動的に実行されるマクロプログラムを「イベントマクロ」と呼ぶ。

　イベントマクロのプログラムは、標準モジュールではなく、そのイベントに対応するワークシートなどのモジュールに記述する。VBEのプロジェクトエクスプローラーで、対象のワークシートに対応するシートのモジュールをダブルクリック（図11）。すると、モジュールの内容を表すコードウィンドウが表示される。

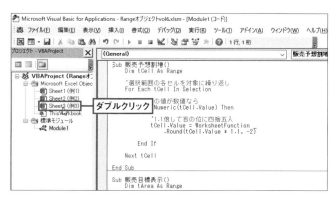

⤴ 図11　ワークシート上の操作に対応するイベントマクロは、そのシートのモジュールに記述する。ここではプロジェクトエクスプローラーで、「Sheet3（例3）」をダブルクリックする

175

　シートのモジュールのコードウィンドウを開いている状態で、その左上の「オブジェクトボックス」右側の「▼」をクリックし、「Worksheet」を選択（図12）。すると、コードウィンドウ内に、Worksheetオブジェクトの「SelectionChange」イベントに対応するイベントマクロが自動作成される。このイベントは、選択セルを変更したときに発生するものだ。

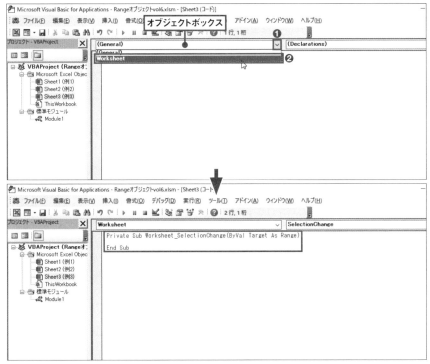

🔾 図12　表示されるコードウィンドウの左上の「オブジェクトボックス」右側の「▼」をクリックし、「Worksheet」を選ぶ。すると、Worksheetオブジェクトの「SelectionChange」イベントのプログラムが作成される

　さらに、このプロシージャ内にカーソルがある状態で、コードウィンドウ右上の「プロシージャボックス」右側の「▼」をクリックすると、Worksheetオブジェクトで使用できるイベントの一覧が表示される（図13）。ここでは、シート上のセルの値を変更したときに発生する「Change」イベントを選択。すると、このイベントに対応するイベントマクロのプログラムが自動作成される。もちろん、その内容は未入力なので、この中に具体的な処理を記述していけばよい。

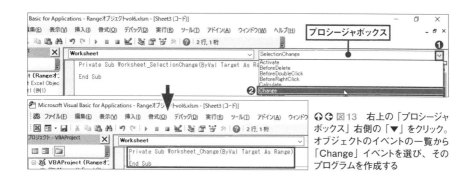

○⊙ 図13　右上の「プロシージャボックス」右側の「▼」をクリック。オブジェクトのイベントの一覧から「Change」イベントを選び、そのプログラムを作成する

　　ここでは、セルの値が変更されたときに自動実行されるSubプロシージャ「Worksheet_Change」の例として、対象のセルが「確定」という名前のセル範囲に含まれている場合、その操作を取り消すプログラムを作成した(図14)。

範囲内の変更を無効にするイベントマクロ

```
Private Sub Worksheet_Change(ByVal Target As Range)

    '対象のセルが「確定」の範囲外なら処理を終了
    If Intersect(Range("確定"), Target) Is Nothing _
        Then Exit Sub

    'イベントを一時的に無効にする
    Application.EnableEvents = False
    '直前の操作を取り消し
    Application.Undo
    Application.EnableEvents = True

End Sub
```

	A	B	C	D	E	F	G	H		
1	販売数実績				予想チェック		しない		「例3」シート	
2										
3	店舗名	1月	2月	3月	4月	5月	6月			
4	千駄ヶ谷店	1,548	1,353	1,437	1,615	1,646	1,591			
5	四谷店	1,837	1,628	1,519	1,681	1,724	1,786			
6	飯田橋店	2,017	1,944	1,980	2130	2,125	2,000	データを変更		
7	中野店	1,634	1,430	1,512	1,674	1,779	1,860			

	A	B	C	D	E	F	G	H	I	J
1	販売数実績				予想チェック		しない			
2										
3	店舗名	1月	2月	3月	4月	5月	6月			
4	千駄ヶ谷店	1,548	1,353	1,437	1,615	1,646	1,591			
5	四谷店	1,837	1,628	1,519	1,681	1,724	1,786			
6	飯田橋店	2,017	1,944	1,980	2,051	2,125	2,000	元に戻る		
7	中野店	1,634	1,430	1,512	1,674	1,779	1,860			
8	荻窪店	1,434	1,227	1,341	1,416	1,527	1,532			

○⊙ 図14　Subプロシージャ「Worksheet_Change」は、対象のワークシートの中のセルの値を変更すると、自動的に実行されるイベントマクロだ。ここでは、変更されたセルが「確定」の範囲内のセルだった場合、自動的に変更前の値に戻すプログラムを作成した

　自動入力されたこのプロシージャの開始行では、引数も自動的に指定されている。引数「Target」には、変更されたセルを表すRangeオブジェクトが自動的にセットされており、このコードの中で使用できる。IntersectメソッドでTargetのセルが「確定」という名前の範囲に含まれるかどうかを調べ、含まれない場合は処理を終了する（図15）。

```
Private Sub Worksheet_Change(ByVal Target As Range)
    '対象のセルが「確定」の範囲外なら処理を終了
    If Intersect(Range("確定"), Target) Is Nothing _
        Then Exit Sub
```

🔾 図15　イベントマクロでは、プログラムの中で使用できる引数が自動設定される。Changeイベントの引数「Target」は、変更されたセルを表すRangeオブジェクトだ。Targetが「確定」の範囲内かどうかを調べ、そうでない場合は処理を終了する

　Targetのセルが「確定」の範囲に含まれていた場合は、Applicationオブジェクトの「Undo」メソッドで、直前の操作を元に戻す（図16）。ただし、この操作でもChangeイベントが発生するため、その前にApplicationオブジェクトの「EnableEvents」プロパティにFalseを設定してイベントを無効化。Undoメソッドの実行後、再度このプロパティにTrueを設定し直し、改めてイベントを有効に戻している。

```
    'イベントを一時的に無効にする
    Application.EnableEvents = False
    '直前の操作を取り消し
    Application.Undo
    Application.EnableEvents = True
```

🔾 図16　Applicationオブジェクトの「Undo」メソッドで、直前の操作を元に戻す。この操作でもChangeイベントが発生するため、「EnableEvents」プロパティを使用し、イベントを一時的に無効化している

自動で別シートのセルと比較する

　次に、選択セルを変えると自動実行されるSubプロシージャ「Worksheet_SelectionChange」のプログラムの例を紹介しよう（図17）。この作例のブックは、

1番目のワークシートに各店舗の販売数の予想値が、3番目のワークシートに実績値が入力されている。3番目のシートで実績値のセルを選択すると、自動的に1番目のシートで同じ位置に入力された予想値との比較結果を表示するというイベントマクロだ。G1セルを選択すると、その右側に「▼」が表示され、クリックすると現れるリストから「する」と「しない」を切り替えられる（図18上）。ここを「する」に変更した状態でB4〜G8セルのいずれかを選択すると（図18中）、自動的に予想値のシートに表示が切り替わり、実績値のシートで選択したのと同じ位置のセルが選択される（図18下）。そして、2つの数値が比較され、予想値が実績値以下だった場合は「予想を上回りました。」、そうでなければ「予想を下回りました。」というメッセージが表示される。

　なお、G1セルで「する」と「しない」をリストから選択できる仕組みは、「データの入力規則」の「リスト」の設定で実現している。

選択セルと別シートのセルを比較するイベントマクロ

```
Private Sub Worksheet_SelectionChange(ByVal Target As Range)
    Dim tVal As Integer
    Dim tAdr As String

    '「しない」設定または選択セルが範囲外なら処理終了
    If Range("G1").Value = "しない" Or Intersect(Range("B4:G8"), _
        Target(1)) Is Nothing Then Exit Sub

    '選択セルの値とセル番号を変数に取り出す
    tVal = Target(1).Value
    tAdr = Target(1).Address

    '先頭シートを開いて、元シートと同じセルを選択
    Sheets(1).Activate
    Sheets(1).Range(tAdr).Select

    'アクティブセルと元シートの選択セルの比較結果を表示
    If ActiveCell.Value <= tVal Then
        MsgBox "予想を上回りました。" & vbCr & _
            "販売数：" & tVal
    Else
        MsgBox "予想を下回りました。" & _
            vbCr & "販売数：" & tVal
    End If

    '元シートに戻る
    Me.Activate

End Sub
```

🔎 図17　Subプロシージャ「Worksheet_SelectionChange」は、選択セルを変更すると自動実行されるイベントマクロだ。B4〜G8セルのいずれかのセルを選択すると、先頭のワークシートを開き、選択セルと同じ位置にあるセルの値と比較して、その結果を表示する

⊙ 図18　G1セルは、リストで「する」と「しない」を切り替えることができる。ここを「する」にし、実績値が入力されたB4〜G8セルのいずれかを選択すると、ブックの先頭のシートを表示して、同じ位置のセルの予想値と比較する

　まず、G1セルの値を判定し、さらに選択セルがB4〜G8セルの範囲内かどうかを調べる（図19）。「Target」に「(1)」と付けたのは、選択されたのが単独セルではなくセル範囲だった場合に、その先頭のセルだけを処理対象とするためだ。

```
’「しない」設定または選択セルが範囲外なら処理終了
If Range("G1").Value = "しない" Or Intersect(Range("B4:G8"), _
    Target(1)) Is Nothing Then Exit Sub
```

⊙ 図19　G1セルの値が「しない」の場合、または選択されたセルを表すTargetがB4〜G8セルに含まれない場合は、処理を終了する。なお、Targetに「(1)」と付けることで、選択されたのがセル範囲だった場合でも、その先頭のセルだけが処理の対象となる

　次に、この選択セルの値と、「Address」プロパティで取得したセル番号を表す文字列を、それぞれ変数に代入（図20）。先頭シートを開き、選択セルと同じセ

ル番号のセルを選択する。なお、シートのモジュールに記述したプログラムで、いきなりRangeプロパティなどを使用した場合、アクティブシートではなく、そのモジュールのシート内のセルを指定したと見なされる。そのため、ここでは対象のワークシートを表すWorksheetオブジェクトから指定している（図21）。

```
'選択セルの値とセル番号を変数に取り出す
tVal = Target(1).Value
tAdr = Target(1).Address
```

🔁 図20　選択セルの値をValueプロパティで取得し、変数tValに代入。さらに、選択セルのセル番号をAddressプロパティで取得し、変数tAdrに代入する。どちらも、セル範囲が選択されたときはその先頭のセルだけを処理対象とするため、「(1)」を付けている

```
'先頭シートを開いて、元シートと同じセルを選択
Sheets(1).Activate
Sheets(1).Range(tAdr).Select
```

🔁 図21　Worksheetオブジェクトの「Activate」メソッドで先頭のシートを表示。そのシート上で、変数tAdrで指定されるセルを選択する。シートのモジュールに記述したコードでは、Rangeプロパティで別シートのセルを指定する場合、必ず対象のWorksheetオブジェクトを指定する

　先頭シートで同じ位置にあるセルの値を比較し、その結果に応じたメッセージを、MsgBox関数で表示（図22）。その後、再びこのモジュールのシートを表示する（図23）。「Me」は、そのプログラムが記述されたモジュールに対応するオブジェクトを表すキーワードだ。

```
'アクティブセルと元シートの選択セルの比較結果を表示
If ActiveCell.Value <= tVal Then
    MsgBox "予想を上回りました。" & vbCr & _
        "販売数：" & tVal
Else
    MsgBox "予想を下回りました。" & _
        vbCr & "販売数：" & tVal
End If
```

🔁 図22　先頭のシート上で選択したセルを、「ActiveCell」プロパティで取得。その値が変数tVal以下かどうかに応じて、「予想を上回りました。」または「予想を下回りました。」というメッセージを表示する

```
'元シートに戻る
Me.Activate
```

🔁 図23　最後に、再び元のワークシートを表示する。「Me」は、コードのモジュールに対応するオブジェクトを指定できるキーワード。ここでは、このイベントマクロが記述されたWorksheetオブジェクトを取得できる

セルの書式を設定するプロパティ

　この章の主題はセルやセル範囲を表すRangeオブジェクトだが、セルの書式設定については、あまり触れてこなかった。VBAでセルの書式を設定するコードは、マクロの記録機能を使えば、比較的簡単に調べられる。ただし、書式の設定をマクロ記録した場合、1つの設定を変えただけでも、関連するその他の設定までまとめてコード化されてしまうという問題がある。記録時の書式に戻したい場合は別として、現在の設定から変更するつもりのない書式については、コード自体が不要。機能は英語から推測できるので、余分なコードは削除しておこう。

　ここでは、各書式の設定に使うプロパティについて、簡単に説明しておこう。

　まず、表示形式の設定は、「NumberFormatLocal」プロパティに、書式記号の文字列を指定する。

　フォント（文字）に関する書式は、Rangeオブジェクトの「Font」プロパティで「Font」オブジェクトを取得し、そのプロパティとして設定する。フォントの設定は「Name」プロパティ、フォントサイズの設定は「Size」プロパティなどだ。

　塗り潰しの書式は、Rangeオブジェクトの「Interior」プロパティで「Interior」オブジェクトを取得し、そのプロパティとして設定する。塗り潰しの色を設定する方法はいくつかあるが、テーマの色の場合は「ThemeColor」プロパティ、標準の色は「Color」プロパティで設定する。さらに、テーマの色の濃淡のバリエーションは、「TintAndShade」プロパティで設定できる。色に関する設定は、フォントや罫線に対しても同様だ。

　罫線の書式に関しては、Rangeオブジェクトの「Borders」プロパティで、セルの四辺の罫線の設定を表す「Borders」オブジェクト（コレクション）を取得し、そのプロパティで書式を設定する。また、セルの各辺や内側の斜線については、このコレクションにインデックス（定数）を指定して各「Border」オブジェクトを取得し、そのプロパティで書式を設定する。例えば、線種は「LineStyle」プロパティ、線の太さは「Weight」プロパティに、いずれも数値（定数）で指定する。

　配置関連の書式は、横位置や縦位置、インデント、方向、セルの結合など、設定ごとにプロパティが用意されている。横位置については、「HorizontalAlignment」プロパティに数値（定数）で設定する。

第**6**章

ワークシートとブックを操作する

ワークシートを指定して操作する

Lesson 01

アクティブシート（現在表示されている作業対象のワークシート）のセルをVBAで操作する場合、コードの記述でワークシートについて意識する必要はない。対象オブジェクトを省略したRangeプロパティなどで直接Rangeオブジェクトを取得し、操作することができる。

しかし、VBAの処理では、アクティブシート以外のワークシートのセル、あるいは別のブックにあるセルの値を参照したり、変更したりしたい場合もある。このような処理では、まず対象のセルを含むワークシートやブックを、オブジェクトとして取得する必要がある。また、セルの操作が目的ではなく、ワークシートやブックそのものを操作の対象としたいケースもあるだろう。

ここではワークシートを指定する例として、図1のような3つのワークシートを含むブックを開いている状態で、各シートの情報を調べたり、そのセルを操作したりするマクロプログラムを見ていこう。

ᐃ	A	B	C	D
1	販売実績1月分			
2				
3	店名	商品A	商品B	商品C
4	新宿店	125	214	93
5	原宿店	96	187	141
6	渋谷店	153	112	105
7	恵比寿店	82	136	152
8				
9		「実績1月」シート		

ᐃ	A	B	C	D
1	販売実績2月分			
2				
3	店名	商品A	商品B	商品C
4	新宿店	116	191	112
5	原宿店	84	152	138
6	渋谷店	194	80	126
7	恵比寿店	103	127	182
8				
9		「実績2月」シート		

ᐃ	A	B	C	D
1	販売実績3月分			
2				
3	店名	商品A	商品B	商品C
4	新宿店	138	249	98
5	原宿店	103	121	159
6	渋谷店	211	118	94
7	恵比寿店	82	145	173
8				
9		「実績3月」シート		

⬆ 図1　ここでは、4つの店舗について3種類の商品の販売数を記録したブックを対象にする。月ごとのワークシートにそれぞれの販売実績を記録してある

ワークシート名を表示する

Excelの作業画面であるワークシートは、VBAでは「Worksheet」オブジェクトとして表される。Subプロシージャ「シート指定1」は、アクティブシートの名前をメッセージ画面に表示するプログラムだ（図2）。

ワークシート名を表示するマクロ

```
Sub シート指定1()
    MsgBox ActiveSheet.Name
End Sub
```

▲	A	B	C	D	E	F	G	H	I
1	販売実績1月分								
2									
3	店名	商品A	商品B	商品C					
4	新宿店	125	214	93					
5	原宿店	96	187	141					
6	渋谷店	153	112	105					
7	恵比寿店	82	136	152					
8									
9									
10									

Microsoft Excel ×
実績1月
OK

↑ ↻ 図2 Subプロシージャ「シート指定1」を実行すると、現在開いているワークシートの名前がメッセージ画面に表示される。「OK」をクリックしてこの画面を閉じる

　対象オブジェクトを省略した「ActiveSheet」プロパティで、アクティブシートを表すWorksheetオブジェクトを取得できる。さらにその「Name」プロパティで、シート名を表す文字列を取得することが可能。ここではその結果をMsgBox関数の引数に指定している。

　次に、作業中のブックに含まれる全てのワークシートの名前を表示しよう。Subプロシージャ「シート指定2」を実行すると、ブックに含まれるワークシートの数だけ、そのシート名を表示する処理が繰り返される（図3）。

全てのワークシート名を表示するマクロ

```
Sub シート指定2()
    Dim ws As Worksheet
    For Each ws In Worksheets
        MsgBox ws.Name
    Next ws
End Sub
```

↑ ↻ 図3 Subプロシージャ「シート指定2」を実行すると、作業中のブックに含まれる全てのワークシート名が、次々にメッセージ画面に表示される。各画面は「OK」で閉じる

　対象オブジェクトを省略した「Worksheets」プロパティで、作業中のブックに含まれる全てのワークシートを表す「Worksheets」コレクション（「Sheets」コレ

クション)を取得できる。これをFor Each ～ Nextの対象に指定することで、変数wsに各ワークシートを表すWorksheetオブジェクトがセットされ、以降の処理が繰り返される。その各ワークシートの名前をNameプロパティで取得し、メッセージ画面に表示している。

特定のシートのセルの値を調べる

　ここからは、特定のワークシートを指定して、そのセルを操作する方法を紹介していく。次のSubプロシージャ「シート指定3」を実行すると、「実績3月」シートのB4セルの値を取り出して、メッセージ画面に表示する。ここでは、「実績1月」シートを表示している状態で実行してみよう(図4)。

ワークシートとセルを指定して値を表示するマクロ

```
Sub シート指定3()
    MsgBox Worksheets("実績3月").Range("B4").Value
End Sub
```

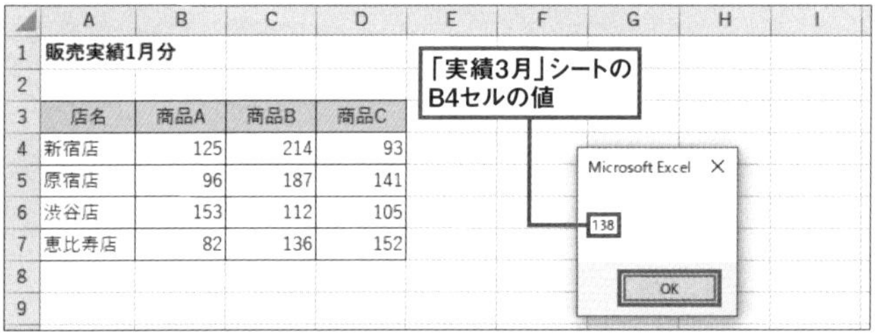

「実績3月」シートのB4セルの値

○○図4　Subプロシージャ「シート指定3」を実行すると、「実績3月」シートのB4セルの値がメッセージ画面に表示される。「OK」をクリックしてこの画面を閉じる

　作業中のブックの特定のワークシートを処理対象とするには、Worksheetsプロパティでブック内の全てのワークシートを表すWorksheetsコレクションを取得し、インデックスを指定して、その中から目的のWorksheetオブジェクトを取得する。インデックスには、シート見出しの左側から数えた番号、またはシート名を指定する。

　取得したWorksheetオブジェクトを対象とするRangeプロパティで、シート内の特定のセルを表すRangeオブジェクトを取得できる。ここでは、「実績3月」というシート名を指定して、このワークシートを表すWorksheetオブジェクトを取得。そのRangeプロパティでB4セルを表すRangeオブジェクトを取得し、Valueプロパティでセルの値を取り出して、MsgBox関数に指定している。

　なお、他シートのセルを操作する場合、Rangeプロパティだけでそのセルを指定する方法もある。ワークシートの数式で他シートのセルの値を参照するときは、「シート名!セル参照」のような形で指定する。この参照方法を、そのままRangeプロパティの引数に指定すればよい。つまり、次のSubプロシージャ「他シート参照」のように書いても、「シート指定3」と同様の結果になる（図5）。

他シートのセルを指定して値を表示するマクロ

```
Sub 他シート参照()
    MsgBox Range("実績3月!B4").Value
End Sub
```

🔾 図5　Rangeプロパティに、数式で他シートのセルを参照する「シート名!セル参照」のような書き方で指定して、他シートのセルを表すRangeオブジェクトを取得することも可能だ

　また、セルやセル範囲にブックレベルの「名前」を付けている場合、Rangeプロパティの引数にその名前の文字列を指定するだけで、アクティブシートがどのワークシートであるかに関係なく、そのRangeオブジェクトを取得できる。

他シートのセルの値を変更する

　同様に、操作対象のワークシートを画面に表示させることなく、そのセルの値を変更することも可能だ。Subプロシージャ「シート指定4」を実行すると、「実績2月」シートのD7セルの数値が、現在の値から15引いた値に変更される（図6）。

ワークシートとセルを指定して値を変更するマクロ

```
Sub シート指定4()
    With Worksheets(2).Range("D7")
        .Value = .Value - 15
    End With
End Sub
```

🔾 図6　どのワークシートを開いている状態でも、Subプロシージャ「シート指定4」を実行すると、「実績2月」シートのD7セルの数値が、現在の値から15引いた値に変更される

187

　ここでは、Worksheetsコレクションのインデックスとして「2」を指定し、シート見出しの左から2番目にある「実績2月」シートを表すWorksheetオブジェクトを取得。そのRangeプロパティで、D7セルを表すRangeオブジェクトを取得する。そのValueプロパティで取り出した値から15を引いて、同じオブジェクトのValueプロパティに代入する。ただし、このRangeオブジェクトを取得するコードはやや長く、同じ記述を2回繰り返すのは煩雑なので、ここでは「With」の後にこのオブジェクトを指定した。これで、「End With」の行までの間、このオブジェクトを対象とするプロパティやメソッドの操作を、「.」(半角ピリオド)に続けて記述できる。

他シートのセル範囲を選択する

　アクティブシートの中のセルやセル範囲を選択する操作は、第5章で説明した通り、そのRangeオブジェクトのSelectメソッドまたはActivateメソッドで実行できる。しかし、他シートのセルを、Subプロシージャ「シート指定5」のように直接これらのメソッドで選択しようとすると、実行時エラーが発生してしまう(**図7**)。

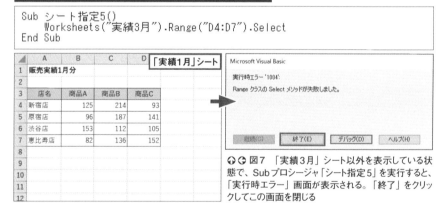

他シートのセルを直接選択しようとするマクロ(エラー)

```
Sub シート指定5()
    Worksheets("実績3月").Range("D4:D7").Select
End Sub
```

⊙⊙ 図7　「実績3月」シート以外を表示している状態で、Subプロシージャ「シート指定5」を実行すると、「実行時エラー」画面が表示される。「終了」をクリックしてこの画面を閉じる

　RangeオブジェクトのActivateメソッドやSelectメソッドは、アクティブシート以外のセルやセル範囲に対しては使用できないからだ。このような場合は、先にワークシートを切り替えてからセルを選択する。Subプロシージャ「シート指定6」では、「実績3月」シートを表示してからD4～D7セルを選択している(**図8**)。

ワークシートを切り替えてからセルを指定するマクロ

```
Sub シート指定6()
    Worksheets("実績3月").Activate
    Range("D4:D7").Select
End Sub
```

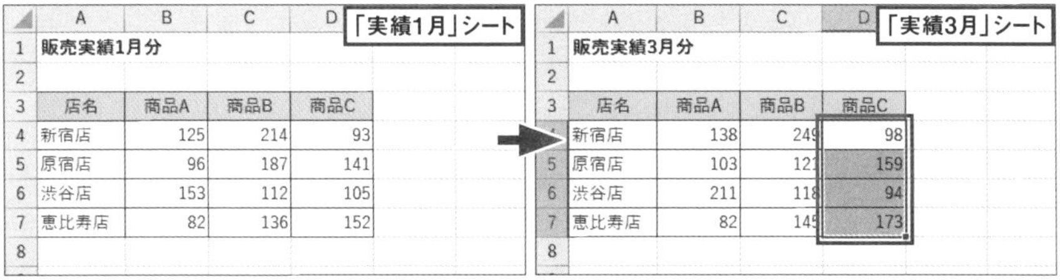

▲	A	B	C	D	「実績1月」シート
1	販売実績1月分				
2					
3	店名	商品A	商品B	商品C	
4	新宿店	125	214	93	
5	原宿店	96	187	141	
6	渋谷店	153	112	105	
7	恵比寿店	82	136	152	
8					

▲	A	B	C	D	「実績3月」シート
1	販売実績3月分				
2					
3	店名	商品A	商品B	商品C	
4	新宿店	138	249	98	
5	原宿店	103	121	159	
6	渋谷店	211	118	94	
7	恵比寿店	82	145	173	
8					

○ 図8 Subプロシージャ「シート指定6」を実行すると、まず「実績3月」シートが表示され、そのD4〜D7セルが選択される

　特定のワークシートを表示するには、そのシートを表すWorksheetオブジェクトの「Activate」メソッドまたは「Select」メソッドを実行する。図8ではActivateメソッドを使用しているが、Selectメソッドでも同じ結果になる。ワークシートの切り替え後、D4〜D7セルを表すRangeオブジェクトのSelectメソッドを実行している。

　この基本的な手順のほかに、他シートにある目的のセルやセル範囲を直接選択できるようにする方法もある。次のSubプロシージャ「他シート選択」を実行すると、図8と同じ結果になる（図9）。

他シートのセル範囲を直接選択するマクロ

```
Sub 他シート選択()
    Application.Goto _
        Reference:=Worksheets("実績3月").Range("D4:D7")
End Sub
```

○ 図9 Subプロシージャ「他シート選択」を実行すると、「実績3月」シートのD4〜D7セルにジャンプする

　対象オブジェクトを省略した「Application」プロパティで、作業中のExcelアプリケーションを表す「Application」オブジェクトを取得。その「Goto」メソッドで、引数Referenceに指定したシートのセルやセル範囲を直接選択する。このメソッドは、Excelの通常の操作における「ジャンプ」に相当する機能だ。

　なお、このコードでは、「Goto」の後に「 _」（半角スペースとアンダースコア）

を付けて改行しているが、これは「行継続文字」であり、実際にはその次の行もつながった1行のコードと見なされる。

作業グループにして一括処理する

　現在表示されているアクティブシートに複数のワークシートを加えて、同時に選択した状態にすることができる。このような状態を「作業グループ」と呼ぶ。作業グループの各シートに対しては、その中の同じ位置のセルやセル範囲に対して、同時に入力や書式設定などの操作を実行できる。VBAでは、繰り返し処理を使って複数シートに同じ操作をすることも可能だが、ここでは作業グループにして操作する方法を見ていこう。

　Subプロシージャ「シート指定7」は、現在のアクティブシートに加えて「実績3月」シートを選択して、A3～D3セルに「太字」を設定する（**図10**）。

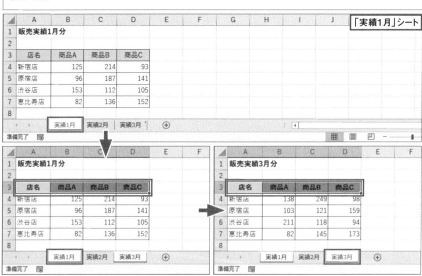

ワークシートを追加選択して書式設定するマクロ

```
Sub シート指定7()
    Worksheets("実績3月").Select Replace:=False
    Range("A3:D3").Select
    Selection.Font.Bold = True
End Sub
```

⤵ **図10**　Subプロシージャ「シート指定7」を実行すると、「実績3月」シートが追加選択されて作業グループになり、そのA3～D3セルが選択されて、「太字」が設定される

Worksheetオブジェクトの Select メソッドの機能は、単にアクティブシートを切り替えられるだけではない。引数 Replace に False を指定することで、現在のアクティブシートに加えて、指定したワークシートを追加選択することが可能だ。これによって、選択された複数のワークシートが作業グループの状態になる。なお、この機能は Activate メソッドにはない。

作業グループの状態で、アクティブシートの A3～D3 セルを表す Range オブジェクトを、Select メソッドで選択する。対象オブジェクトを省略した「Selection」プロパティで選択範囲を表す Range オブジェクトを取得し、「Font」プロパティで「Font」オブジェクトを取得。その「Bold」プロパティに「True」を設定している。この操作によって、作業グループになっている全てのシートの A3～D3 セルが太字になる。

注意が必要なのは、選択せず、A3～D3 セルを表す Range オブジェクトに対して直接「太字」を設定しても、アクティブシート以外には設定が反映されない点だ。作業グループの全てのワークシートに対して入力や書式設定をしたい場合は、必ずそのセルやセル範囲を選択して、「Selection」または「ActiveCell」に対して処理を実行する必要がある。

複数のワークシートを同時に指定するには、Worksheets コレクションのインデックスに「配列」を指定するという方法もある。例えば、「1」と「3」という2要素の配列を指定すれば、1番目と3番目のワークシートを表す Worksheets コレクションが取得できる。その Select メソッドを実行することで、これらのワークシートが同時に選択される。配列の指定には、「Array」関数が利用可能だ。次の Sub プロシージャ「シート指定8」を実行すると、もともとどのワークシートを選択していたかに関係なく、図10と同じ結果になる（図11）。

配列でワークシートを指定して書式設定するマクロ

```
Sub シート指定8()
    Worksheets(Array(1, 3)).Select
    Range("A3:D3").Select
    Selection.Font.Bold = True
End Sub
```

🔾 図11　Subプロシージャ「シート指定8」を実行すると、1番目と3番目のワークシートが作業グループの状態になり、A3～D3セルが選択されて、「太字」が設定される

191

ワークシート
そのものを操作する

　Lesson 01では、特定のワークシートやブックに含まれる全てのワークシートを指定する基本的な操作を見てきた。取得したWorksheetオブジェクトに対しては、シート名を取り出したり、そのシートの中のセルを操作したり、そのシートを選択したりといった操作を実行した。ここでは、シート名や並び順、挿入など、ワークシートそのものを操作する方法について見ていこう。

ワークシートの名前を一括置換する

　既に見てきた通り、ワークシートの名前は、WorksheetオブジェクトのNameプロパティで取り出すことができる。逆に、このWorksheetのNameプロパティに文字列を代入することで、シート名をその文字列に変更することも可能だ。ここでは、シート名変更の操作を、作業中のブックに含まれる全てのワークシートについて一括で実行してみよう。Subプロシージャ「シート操作1」を実行すると、各ワークシート名の「実績」が、全て「販売」に変更される（**図1**）。

シート名に含まれる文字を置換するマクロ

```
Sub シート操作1()
    Dim ws As Worksheet
    For Each ws In Worksheets
        ws.Name = Replace(ws.Name,"実績","販売")
    Next ws
End Sub
```

	A	B	C	D	E	F
1	販売実績1月分					
2						
3	店名	商品A	商品B	商品C		
4	新宿店	125	214	93		
5	原宿店	96	187	141		
6	渋谷店	153	112	105		
7	恵比寿店	82	136	152		
8						

実績1月 実績2月 実績3月 4月予測 5月予測

	A	B	C	D	E	F
1	販売実績1月分					
2						
3	店名	商品A	商品B	商品C		
4	新宿店	125	214	93		
5	原宿店	96	187	141		
6	渋谷店	153	112	105		
7	恵比寿店	82	136	152		
8						

販売1月 販売2月 販売3月 4月予測 5月予測

⬆ 図1　Subプロシージャ「シート操作1」を実行すると、ブック内の全てのワークシート名の「実績」が「販売」に変更される

対象オブジェクトを省略したWorksheetsプロパティで、全てのワークシートを表すWorksheetsコレクションを取得。これをFor Each ～ Nextの対象に指定して、各Worksheetオブジェクトを変数wsにセットし、以降の処理を繰り返す。

各繰り返しでは、まず「ws.Name」でそのシート名を取り出し、VBAの「Replace」関数でその中の「実績」を「販売」に置換。この文字列を改めて「ws.Name」に代入することで、対象のシート名を変更している。名前に「実績」を含まないシートも処理対象となるが、結果的にシート名は変わらない。

シート見出しの色を変える

シート見出しに色を設定することもできる。次のSubプロシージャ「シート操作2」を実行すると、シート見出しに「予測」という文字列が含まれているワークシートのシート見出しが黄色になる（**図2**）。

シート見出しの色を変更するマクロ

```
Sub シート操作2()
    Dim ws As Worksheet
    For Each ws In Worksheets
        If ws.Name Like "*予測*" _
            Then ws.Tab.Color = rgbYellow
    Next ws
End Sub
```

🔵 **図2** Subプロシージャ「シート操作2」を実行すると、作業中のブック内で、シート名に「予測」を含むワークシートのシート見出しの色が黄色になる

やはりブックの中の全てのワークシートを表すWorksheetsコレクションを、For Each ～ Nextの対象に指定。変数wsに代入された各WorksheetオブジェクトのNameプロパティを「If ～ Then」とLike演算子で判定し、「予測」という文字列が含まれているかどうかを調べる。「予測」を含む場合は、そのWorksheetオブジェクトの「Tab」プロパティで、シート見出しを表す「Tab」オ

ブジェクトを取得。その「Color」プロパティに、「rgbYellow」という黄色の数値を表す定数を設定することで、シート見出しの色を変更している。

シート見出しの位置を変える

ブック内のシート見出しの並びでの位置を、VBAで移動させることも可能だ。次のSubプロシージャ「シート操作3」を実行すると、ブックの中の「販売3月」シートがブックの先頭、つまりシート見出しの一番左側へ移る（**図3**）。

シート見出しの位置を左端に移すマクロ

```
Sub シート操作3()
    Worksheets("販売3月").Move Before:=Worksheets(1)
End Sub
```

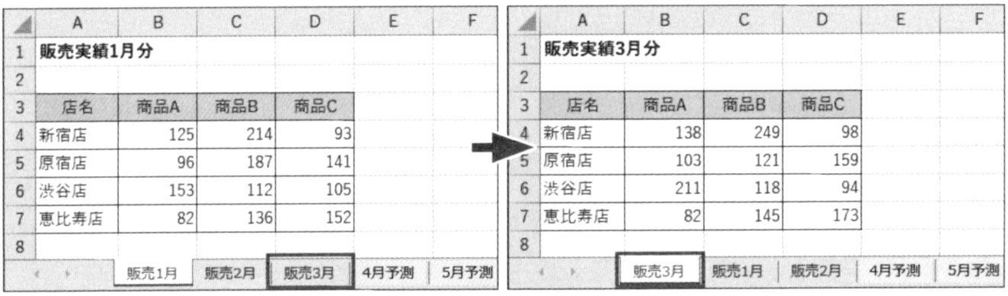

	A	B	C	D	E	F
1	販売実績1月分					
2						
3	店名	商品A	商品B	商品C		
4	新宿店	125	214	93		
5	原宿店	96	187	141		
6	渋谷店	153	112	105		
7	恵比寿店	82	136	152		
8						

販売1月 販売2月 販売3月 4月予測 5月予測

→

	A	B	C	D	E	F
1	販売実績3月分					
2						
3	店名	商品A	商品B	商品C		
4	新宿店	138	249	98		
5	原宿店	103	121	159		
6	渋谷店	211	118	94		
7	恵比寿店	82	145	173		
8						

販売3月 販売1月 販売2月 4月予測 5月予測

↑ 図3 Subプロシージャ「シート操作3」を実行すると、作業中のブック内の「販売3月」シートが、シート見出しの一番左側に移動する

全てのワークシートを表すWorksheetsコレクションに、インデックスとして「販売3月」という文字列を指定し、このワークシートを表すWorksheetオブジェクトを取得。その「Move」メソッドで、シートを移動する。移動先は、引数「Before」または「After」に、やはりWorksheetオブジェクトとして指定する。開いているほかのブックのワークシートを指定することも可能だ（ブックの指定方法については次のLesson 03を参照）。また、どちらの引数も省略した場合は、このワークシートを1つだけ含む新しいブックが作成される。ここでは、引数Beforeに先頭のワークシートを表す「Worksheets (1)」を指定した。

なお、ブックの中には最低1つのワークシートが必要なので、1つのシートしかないブックの場合、ほかのブックへ移動する操作は実行できない。このようなコードを実行しようとすると、実行時エラーが発生する。

ワークシートを複製する

　次に、特定のワークシートを複製して同じブックに追加しよう。Subプロシージャ「シート操作4」を実行すると、ブックの中の「販売2月」シートがシート見出しの一番右側に複製され、そのシート名が「2月分作業用」になる（図4）。

ワークシートを複製するマクロ

```
Sub シート操作4()
    Worksheets("販売2月").Copy After:=Sheets(Sheets.Count)
    ActiveSheet.Name = "2月分作業用"
End Sub
```

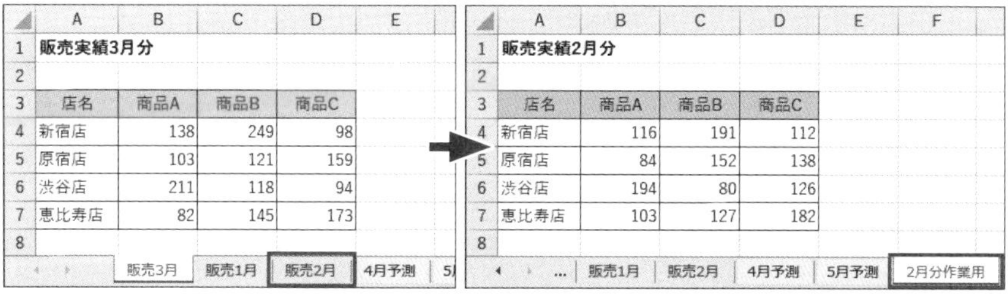

↑ 図4　Subプロシージャ「シート操作4」を実行すると、「販売2月」シートが複製され、シート見出しの一番右側に配置される。同時にシート名を「2月分作業用」に変更する

　ワークシートを複製するには、Worksheetオブジェクトの「Copy」メソッドを使う。引数などの指定方法は、Moveメソッドと同様だ。ここでは、「Sheets（Sheets.Count）」で、全てのシートの末尾にあるシートを取得。これを引数Afterに指定している。「Worksheets」ではなく「Sheets」としたのは、ワークシートのほかにグラフシートがある可能性を考慮したからだ。「Count」はコレクションのメンバー（要素）の数を求めるプロパティ。その値をSheetsコレクションのインデックスに指定することで、全シートの数と同じ順番のシート、つまり末尾のシートを指定している。

　ブック内に同じ名前のシートは共存できないため、コピーされたワークシートは、自動的にシート名に「(2)」などが付いて「販売2月(2)」のようになる。また、通常、コピーされたシートがアクティブシートになっているので、「ActiveSheet」プロパティでそのWorksheetオブジェクトを取得し、Nameプロパティに「2月分作業用」という文字列を代入して、シート名を変更している。

新しいワークシートを挿入する

　作業中のブックの中に、VBAで空白のワークシートを挿入してみよう。次の
Subプロシージャ「シート操作5」を実行すると、「販売2月」シートの後に、3つ
のワークシートが挿入される（**図5**）。新しいワークシートには、自動的に「Sheet4」
などのシート名が付くが、この番号は実行時の状況によって異なる。また、新し
いシートの並び順は、Excelのバージョンによっても変わる。

新しいワークシートを挿入するマクロ

```
Sub シート操作5()
    Worksheets.Add After:=Worksheets("販売2月"), Count:=3
End Sub
```

○○**図5** Subプロシージャ「シート操作5」を実行すると、3つの新しいワークシートが挿入される

　新しいワークシートの作成は、Worksheetsコレクションの「Add」メソッ
ドで実行する。シートを挿入する位置は、引数「Before」または「After」に
Worksheetオブジェクトを指定して、そのシートの前または後に挿入する。また、
引数「Count」に数値を指定することで、その数だけ新しいシートを挿入できる。

ワークシートを削除する

　次に、作業中のブックから、VBAで特定のワークシートを削除する手順を紹
介しよう。次のSubプロシージャ「シート操作6」を実行すると、ワークシートを
削除してよいか確認するメッセージが表示され、「削除」をクリックすると「2月
分作業用」シートが削除される（**図6**）。

ワークシートを削除するマクロ

```
Sub シート操作6()
    Worksheets("2月分作業用").Delete
End Sub
```

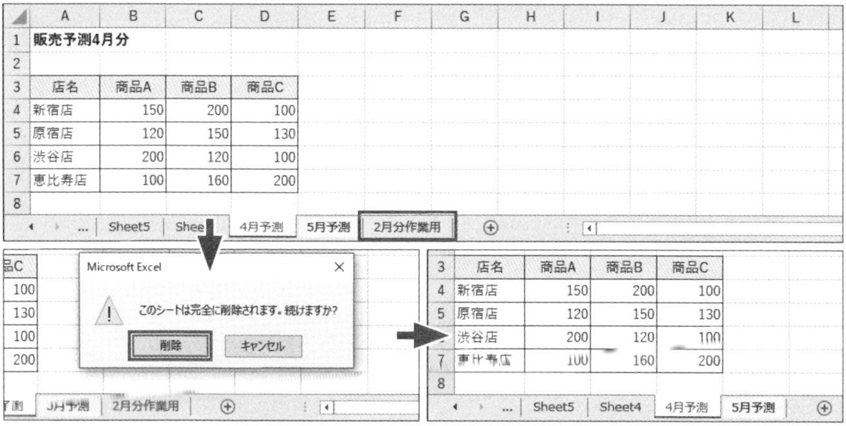

○図6　Subプロシージャ「シート操作6」を実行すると、本当に削除してよいか確認するメッセージが表示される。「削除」をクリックすると、「2月分作業用」シートが削除される

　特定のワークシートを表すWorksheetオブジェクトのDeleteメソッドで、そのシートを削除することができる。ただし、前述した通り、ブックの中には最低1つのワークシートが必要なので、1つしかないワークシートは削除できない。また、通常、シートを削除しようとしたときには、確認のメッセージが表示される。このメッセージを表示せず、そのままシートの削除を実行したい場合は、Subプロシージャ「シート操作7」のようにする（図7）。

確認メッセージなしで削除するマクロ

```
Sub シート操作7()
    Application.DisplayAlerts = False
    Worksheets("2月分作業用").Delete
    Application.DisplayAlerts = True
End Sub
```

○図7　Subプロシージャ「シート操作7」を実行すると、確認メッセージが表示されることなく、「2月分作業用」シートが削除される

　Applicaitonオブジェクトの「DisplayAlerts」プロパティに「False」を設定することで、このような確認メッセージが表示されなくなる。ここでは、シートの

削除を実行した後、再びこのプロパティに「True」を設定して、メッセージの表示を有効にしている。

全シートのセルを一括操作する

繰り返し処理を利用して、全てのワークシートの特定のセルの値を変更するプログラムも可能だ。Subプロシージャ「シート操作8」を実行すると、各ワークシートのC7セルの数値に20が加算される（**図8**）。

全シートの同じセルを操作するマクロ

```
Sub シート操作8()
    Dim ws As Worksheet
    For Each ws In Worksheets
        ws.Range("C7").Value = ws.Range("C7").Value + 20
    Next ws
End Sub
```

⤴ 図8　Subプロシージャ「シート操作8」を実行すると、各ワークシートのC7セルの数値に20が加算される

ブック内の全てのワークシートを表すWorksheetsコレクションをFor Each ～ Nextの対象に指定して、その各ワークシートを表すWorksheetオブジェクトを変数wsにセットし、以降の処理を繰り返す。

各WorksheetオブジェクトのRangeプロパティでC7セルを表すRangeオブジェクトを取得し、Valueプロパティで値を取り出す。その数値に20を加算して、同

じC7セルを表すRangeオブジェクトのValueプロパティに代入している。

さらに、全てのワークシートについて、指定したセル範囲に含まれる全てのセルを処理する例も紹介しておこう。次のSubプロシージャ「シート操作9」を実行すると、作業中のブックに含まれる全てのワークシートのB5〜D6セルの値が全て2倍になる（**図9**）。

全シートの同じセル範囲を操作するマクロ

```
Sub シート操作9()
    Dim ws As Worksheet, rng As Range
    For Each ws In Worksheets
        For Each rng In ws.Range("B5:D6")
            rng.Value = rng.Value * 2
        Next rng
    Next ws
End Sub
```

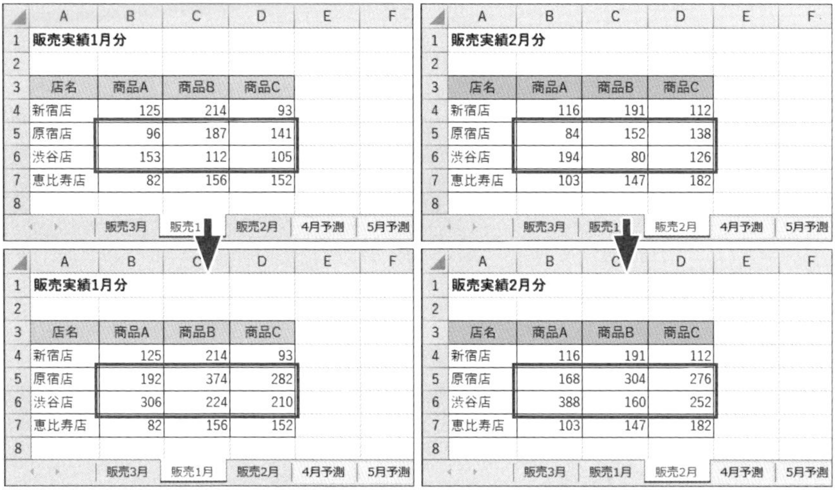

○ 図9　Subプロシージャ「シート操作9」を実行すると、各ワークシートのB5〜D6セルの数値が2倍になる

WorksheetsコレクションをFor Each 〜 Nextに指定して、各ワークシートを表すWorksheetオブジェクトを変数wsに代入して、以降の処理を繰り返す。各繰り返しでは、そのWorksheetオブジェクトのRangeプロパティで、各シートのB5〜D6セルを表すRangeコレクションを取得し、これをネストしたFor Each 〜 Nextに指定。その範囲の各セルを表すRangeオブジェクトのValueプロパティで、同様に値を取り出し、2を掛けて、改めて同じセルに入力している。

ブックを指定して操作する

Excelでは、同時に複数のブックを開いて作業できる。ここでは、それぞれデータが入力された2つのシートがある4つのブックを開き、さらにマクロを記述したブックを開いているとする（図1）。VBAを使って、これら4つのブックから情報を取り出したり、特定のブックを操作したりする方法を見ていこう。

▲	A	B	C	D	E	F
1	販売実績					
2						
3	店名	2019年	2020年	2021年		
4	新宿店	1457	1681	1902		
5	渋谷店	1253	1384	1670		
6						
7						
8						
9				ブック「販売実績.xlsx」		
10						

▲	A	B	C	D	E	F
1	販売予測					
2						
3	店名	2022年	2023年	2024年		
4	新宿店	1600	1700	1900		
5	渋谷店	1400	1600	1700		
6						
7						
8						
9				ブック「販売予測.xlsx」		
10						

▲	A	B	C	D	E	F
1	生産実績					
2						
3	工場名	2019年	2020年	2021年		
4	埼玉工場	1940	2523	2394		
5	千葉工場	762	921	1053		
6						
7						
8						
9				ブック「生産実績.xlsx」		
10						

▲	A	B	C	D	E	F
1	生産予測					
2						
3	工場名	2022年	2023年	2024年		
4	埼玉工場	2500	2700	3000		
5	千葉工場	1100	1100	1200		
6						
7						
8						
9				ブック「生産予測.xlsx」		
10						

◐ 図1　「販売実績.xlsx」「販売予測.xlsx」「生産実績.xlsx」「生産予測.xlsx」という順番で、4つのブックを開いた。さらに、ここでのマクロプログラムを記述したブックも開いている

ブックのファイル名を調べる

まず、現在作業中のブック（アクティブブック）のファイル名を確認してみよう。ブックに記述したマクロプログラムは、ほかのブックがアクティブになっている状態でも、「マクロ」画面などから選んで実行できる。Subプロシージャ「ブック操作1」を実行すると、アクティブブックのファイル名が表示される（図2）。

ブックのファイル名を表示するマクロ

```
Sub ブック操作1()
    MsgBox ActiveWorkbook.Name
End Sub
```

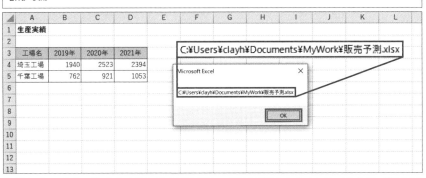

	A	B	C	D
1	生産実績			
2				
3	工場名	2019年	2020年	2021年
4	埼玉工場	1940	2523	2394
5	千葉工場	762	921	1053

Microsoft Excel ×
生産実績.xlsx
OK

△ 図2　Subプロシージャ「ブック操作1」を実行すると、作業中のブック（アクティブブック）のファイル名がメッセージ画面に表示される。「OK」をクリックしてこの画面を閉じる

絶対パス付きのファイル名を調べる

　次に、複数のブックを開いているとき、その中の特定のブックを指定して、その情報を調べる方法を紹介しよう。Subプロシージャ「ブック操作2」を実行すると、2番目に開かれたブックのファイル名が、ドライブ名から始まる絶対パス付きで表示される（図3）。

絶対パス付きのファイル名を表示するマクロ

```
Sub ブック操作2()
    MsgBox Workbooks(2).FullName
End Sub
```

	A	B	C	D
1	生産実績			
2				
3	工場名	2019年	2020年	2021年
4	埼玉工場	1940	2523	2394
5	千葉工場	762	921	1053

C:¥Users¥clayh¥Documents¥MyWork¥販売予測.xlsx

Microsoft Excel ×
C:¥Users¥clayh¥Documents¥MyWork¥販売予測.xlsx
OK

△ 図3　Subプロシージャ「ブック操作2」を実行すると、2番目に開かれたブックのファイル名が、ドライブ名から始まる絶対パス付きでメッセージ画面に表示される。「OK」をクリックしてこの画面を閉じる

　対象オブジェクトを省略したWorkbooksプロパティで、現在Excelで開いている全てのブックを表すWorkbooksコレクションが取得できる。それにインデックスを指定することで、特定のブックを表すWorkbookオブジェクトが取得可能だ。インデックスには、各ブックが開かれた順番を表す数字か、そのブックのファイル名を指定する。

　取得されたWorkbookオブジェクトの「FullName」プロパティで、そのブックの絶対パス付きのファイル名を表す文字列を取得。それをMsgBox関数の引数に指定している。

全てのブックを上書き保存する

　ブックをVBAで上書き保存することも可能だ。Subプロシージャ「ブック操作3」を実行すると、開いている全てのブックが上書き保存される（図4）。

全ブックを上書き保存するマクロ

```
Sub ブック操作3()
    Dim wb As Workbook
    For Each wb In Workbooks
        wb.Save
    Next wb
End Sub
```

❹ 図4　Subプロシージャ「ブック操作3」を実行すると、開いている全てのブックに対して、上書き保存が実行される。マクロを記述したブックも含めて保存されるので注意が必要だ

　ブックを保存する「Save」メソッドは、ブックの集合を表すWorkbooksコレクションに対して実行することはできない。必ず、個々のブックを表すWorkbookオブジェクトを対象に実行する。

　WorkbooksコレクションをFor Each 〜 Nextに指定することで、各ブックを表すWorkbookオブジェクトが変数wbにセットされ、以降の処理が繰り返される。各WorkbookオブジェクトのSaveメソッドで、そのブックが上書き保存される。

ブックを新規作成して保存する

　次に、新しいブックをVBAで作成する処理を紹介する。ここではさらに、新規作成されたブックに、そのまま名前を付けて保存してみよう。Subプロシージャ「ブック操作4」を実行すると、新しいブックが作成され、「作業記録」＋当

日の月日を表す4桁の数字＋「.xlsx」という文字列のファイル名で保存される（図5）。保存される場所は、その時点でのカレントフォルダー（「名前を付けて保存」画面などに最初に表示されるフォルダー）だ。

ブックを新規作成して保存するマクロ

```
Sub ブック操作4()
    Workbooks.Add.SaveAs Filename:="作業記録" & _
        Format(Date, "mmdd") & ".xlsx"
End Sub
```

⬆ **図5** Subプロシージャ「ブック操作4」を実行すると、新規ブックが作成され、名前を付けて保存される。例えば、実行したのが8月26日ならファイル名は「作業記録0826.xlsx」となる

　全てのブックの集合を表すWorkbooksコレクションの「Add」メソッドで、新規ブックが作成される。これだけで作業を完了してもよいが、Addメソッドでは戻り値として、作成されたブックを表すWorkbookオブジェクトを返す。

　このWorkbookオブジェクトを対象とした「SaveAs」メソッドで、そのまま名前を付けて保存することができる。保存するファイル名は、引数「Filename」に指定する。ドライブ名から始まる絶対パスで指定できるほか、ファイル名だけを指定した場合は、カレントフォルダーの中に保存される。

　ファイル名の指定には、VBAの「Format」関数と「Date」関数を使用している。Formatはワークシート関数の「TEXT」関数、Dateはワークシート関数の「TODAY」関数と、それぞれ同様の機能を持った関数だ。ここでは「Format(Date, "mmdd")」とすることで、例えば「2021/8/26」という日付を「0826」という文字列にしている。

指定した名前のブックを閉じる

　次に、特定のブックを閉じる操作をVBAで実行してみよう。Subプロシージャ「ブック操作5」を実行すると、「販売予測.xlsx」という名前のブックが閉じる（図6）。なお、この名前のブックが開かれていない場合は、実行時エラーになる。

ブックを閉じるマクロ

```
Sub ブック操作5()
    Workbooks("販売予測.xlsx").Close
End Sub
```

⤴ 図6　Subプロシージャ「ブック操作5」を実行すると、「販売予測.xlsx」が閉じる。このブックが前面に表示されていた場合は、別のブックが表示される

　Workbooksコレクションに、インデックスとして「販売予測.xlsx」という文字列を指定することで、その名前のブックを表すWorkbookオブジェクトを取得。そのCloseメソッドでこのブックを閉じている。

　なお、このプログラムでは、対象のブックが変更されていた場合、保存するかどうかを確認するメッセージが表示される。これは、引数「SaveChanges」の指定を省略しているためだ。ブックを必ず保存して閉じたいときは、この引数に「True」を指定する。逆に、保存せずに閉じたい場合は、この引数に「False」を指定すればよい。次のSubプロシージャ「ブック操作6」は、このマクロを含むブックを除く、全てのブックを保存して閉じるプログラムだ（図7）。

全ブックを閉じるマクロ

```
Sub ブック操作6()
    Dim wb As Workbook
    For Each wb In Workbooks
        If wb.Name <> ThisWorkbook.Name Then _
            wb.Close SaveChanges:=True
    Next wb
End Sub
```

⤴ 図7　Subプロシージャ「ブック操作6」を実行すると、このマクロのブック以外の全てのブックが保存されて閉じる。保存せずに閉じたい場合は、「SaveChanges：＝False」とすればよい

Workbooksコレクションを For Each 〜 Nextに指定することで、開いている各ブックを表すWorkbookオブジェクトを変数wbにセットし、以降の処理を繰り返す。「ThisWorkbook」プロパティでこのマクロプログラムを含むブックを表すWorkbookオブジェクトを取得し、そのNameプロパティでブック名を求める。これと各WorkbookオブジェクトのNameプロパティの値を比較し、同じでなかった場合のみ、そのWorkbookオブジェクトにCloseメソッドを実行する。その引数SaveChangesに「True」を指定することで、各ブックを保存して閉じている。

指定した名前のブックを開く

開かれていないブックをVBAで開くことも可能だ。図6の操作で「販売予測.xlsx」ブックを閉じた状態のままSubプロシージャ「ブック操作7」を実行すると、このブックが再び開く（**図8**）。なお、ここで指定しているブックは、このマクロプログラムが記述されたブックと同じフォルダーにあることが前提だ。

ブックを開くマクロ

```
Sub ブック操作7()
    Workbooks.Open Filename:=ThisWorkbook.Path & _
        "¥販売予測.xlsx"
End Sub
```

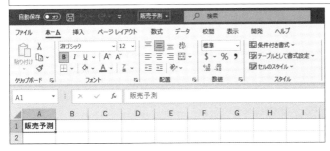

⬆⬇ 図8 Subプロシージャ「ブック操作7」を実行すると、このマクロプログラムが記述されたブックと同じフォルダーにある「販売予測.xlsx」が開く

Workbooksコレクションを対象とした「Open」メソッドで、引数「Filename」に開きたいブックのファイル名を指定することで、そのブックを開くことができる。ファイル名は絶対パスで指定するのが確実だが、ファイル名だけを指定した場合は、カレントフォルダーの中にあるファイルと見なされる。なお、該当するファイルが見つからない場合は、実行時エラーになる。

ここではThisWorkbookプロパティで、このマクロプログラムが記述されたブッ

クを表すWorkbookオブジェクトを取得。その「Path」プロパティで、そのファイルが存在するフォルダーの絶対パスを表す文字列を取得し、「¥販売予測.xlsx」という文字列と結合して、引数Filenameに指定している。

Openメソッドでブックを開いた場合も、戻り値として、開かれたブックを表すWorkbookオブジェクトを取得できる。このオブジェクトを利用し、開かれたブックに別の操作をすることも可能だ。「販売予測.xlsx」が開かれていない状態でSubプロシージャ「ブック操作8」を実行するとこのブックを開き、その1番目のワークシートのD5セルの値をメッセージ画面に表示する（**図9**）。

ブックを開いてセルの値を表示するマクロ

```
Sub ブック操作8()
    MsgBox Workbooks.Open(Filename:=ThisWorkbook.Path & _
        "¥販売予測.xlsx").Worksheets(1).Range("D5").Value
End Sub
```

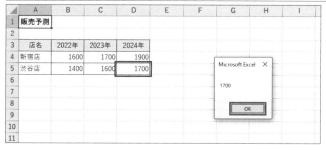

◆◆ 図9 Subプロシージャ「ブック操作8」を実行すると、「販売予測.xlsx」が開き、その1番目のワークシートのD5セルの値がメッセージ画面に表示される。「OK」をクリックして、この画面を閉じる

Openメソッドの戻り値を使用する場合、Filenameなどの引数は半角スペースを空けて指定するのではなく、「Open」の後に「()」を付け、その中に指定する。その後に、さらにWorkbookオブジェクトに対する操作を記述すればよい。

全ブックの全シートを処理する

最後に、開かれている全てのブックの全てのワークシートについて、その特定のセル範囲の数値に一括で同じ処理を実行する例を紹介しておこう。次のSubプロシージャ「ブック操作9」を実行すると、全ブックの全シートにおけるB4〜D5セルの数値が、それぞれ10を引いた値に変更される（**図10**）。ただし、マクロプログラムを記述したブックには対象となるデータが含まれていないので、このブックだけは処理を除外する。

全ブックの全シートを処理するマクロ

```
Sub ブック操作9()
    Dim wb As Workbook, ws As Worksheet
    Dim rng As Range
    For Each wb In Workbooks
        If wb.Name <> ThisWorkbook.Name Then
            For Each ws In wb.Worksheets
                For Each rng In ws.Range("B4:D5")
                    rng.Value = rng.Value - 10
                Next rng
            Next ws
        End If
    Next wb
End Sub
```

⬜	A	B	C	D	E	F
1	販売実績					
2						
3	店名	2019年	2020年	2021年		
4	新宿店	1447	1671	1892		
5	渋谷店	1243	1374	1660		
6						

⬜	A	B	C	D	E	F
1	販売予測					
2						
3	店名	2022年	2023年	2024年		
4	新宿店	1590	1690	1890		
5	渋谷店	1390	1590	1690		
6						

⬜	A	B	C	D	E	F
1	生産実績					
2						
3	工場名	2019年	2020年	2021年		
4	埼玉工場	1930	2513	2384		
5	千葉工場	752	911	1043		
6						
7						

⬜	A	B	C	D	E	F
1	生産予測					
2						
3	工場名	2022年	2023年	2024年		
4	埼玉工場	2490	2690	2990		
5	千葉工場	1090	1090	1190		
6						
7						

🔺 図10　Subプロシージャ「ブック操作9」を実行すると、開いている全てのブック（このマクロプログラムが記述されたブックを除く）の全てのシートで、B4～D5セルの値から10が引かれる

　まずは開かれている全てのブックを表すWorkbooksコレクションを、For Each ～ Nextの対象に指定。各WorkbookオブジェクトのNameプロパティでファイル名を調べ、このマクロプログラムが記述されたブックのファイル名でないことを判定する。

　ファイル名が同じでなかった場合、WorkbookオブジェクトのWorksheetsプロパティで、各ブックの全ワークシートを表すWorksheetsコレクションを取得し、For Each ～ Nextの対象に指定。さらに、その各WorksheetオブジェクトのRangeプロパティで、各ワークシートのB4～D5セルを表すRangeコレクションを取得し、これをさらにFor Each ～ Nextの対象に指定する。

　その各繰り返しでは、変数rngに代入されたRangeオブジェクトが表すセルの値をValueプロパティで取り出し、10を引いて、改めて同じRangeプロパティのValueプロパティに代入している。

シートの種類とSheetsコレクション

　この章ではワークシートを対象にしたが、ブック内に含まれる可能性のあるシートの種類は、ワークシートだけではない。最近のExcelではリボンにコマンドが見当たらないので存在感は薄いが、グラフを1つのシートの中に表示する「グラフシート」もある。また、かなり以前のバージョンのExcelでは、「マクロシート」や「ダイアログシート」もあった。これらはかつてのマクロ機能に関連するシートで、現在はまず使用されることはないが、作成する機能自体は今も残されている。

　対象オブジェクトを省略した「Sheets」プロパティで、これらも含めた全てのシートを表す「Sheets」コレクションを取得できる。このコレクションのメンバー（要素）は、ワークシートを表すWorksheetオブジェクト、グラフシートを表すChartオブジェクトなどで、単体の「Sheet」オブジェクトは存在しない。ワークシート以外のシートが存在しないブックであれば、この章で使用したWorksheetsプロパティの代わりにSheetsプロパティを使用しても、結果は同じになる。

　ワークシートとグラフシートが混在しているブックで、For Each ～ Nextの対象にSheetsコレクションを指定して、全シートを対象とした繰り返し処理をしようとすると、ちょっとした問題が発生する。For Eachで使用するオブジェクト変数には、ワークシートまたはグラフシートのいずれかがセットされる。この変数を宣言する際、そのデータ型を「As Worksheet」のように指定すると、グラフシートがセットされたときにエラーが発生する。グラフシートを表す「As Chart」では、当然、ワークシートのときにエラーが発生してしまう。この場合、「As Sheet」とはできないため、汎用のオブジェクト型である「As Object」か、汎用型の「As Variant」と指定する。

　ちなみに、Worksheetsプロパティで取得できるオブジェクトも、そのデータ型を調べてみると「Sheets」になっている。そのため、「As Worksheets」と宣言したオブジェクト変数にWorksheetsプロパティの戻り値をセットすると、エラーが発生してしまうという不思議な現象が起きる。本編では、Worksheetsプロパティの戻り値を「Worksheetsコレクション」と解説しているが、これはいわば「Worksheetオブジェクトだけの集合」を意味する概念的な表現だ。Worksheetsコレクションの実物がコード中に出現することはまずない。WorksheetsもSheetsもオブジェクトブラウザーで確認できるが、機能的には全く同じだ。

第 **7** 章

ユーザーフォームを
作成する

Lesson 01

入力用の ユーザーフォームを作る

　Excel VBAには、独自の操作画面を作成できる「ユーザーフォーム」という機能がある。ダイアログボックスやちょっとしたアプリのような入力画面をデザインし、利用することが可能だ。ここでは、ユーザーフォームを利用して、簡単な入力ツールを作成しよう。

ユーザーフォームを設計する

　ユーザーフォーム（フォーム）を作成するには、Visual Basic Editor（VBE）を開き、「挿入」メニューから「ユーザーフォーム」を選ぶ（図1）。なお、Excelで複数のブックを開いている場合、それらはVBE画面左側の「プロジェクトエクスプローラー」に「プロジェクト」として表示される。特定のブックを対象にして確実にフォームを作成するには、まず目的のプロジェクトまたはその中のモジュールを選択してから、「挿入」メニューの「ユーザーフォーム」を開く。

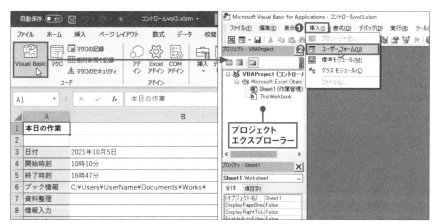

🔵 図1　VBAのプログラムの作成画面であるVisual Basic Editor（VBE）で、デザインとプログラミングをする。VBEを開くには、「開発」タブの「Visual Basic」をクリックする（左）。VBEで「挿入」メニューをクリックして、「ユーザーフォーム」を選ぶ。なお、複数のブック（プロジェクト）を開いている場合は、先に左側の「プロジェクトエクスプローラー」で目的のプロジェクト、またはその中のモジュールを選択する（右）

プロジェクトの中にフォームが新規作成され、右側にそのデザイン画面が表示される（図2）。ここに操作用部品の「コントロール」を配置していく。

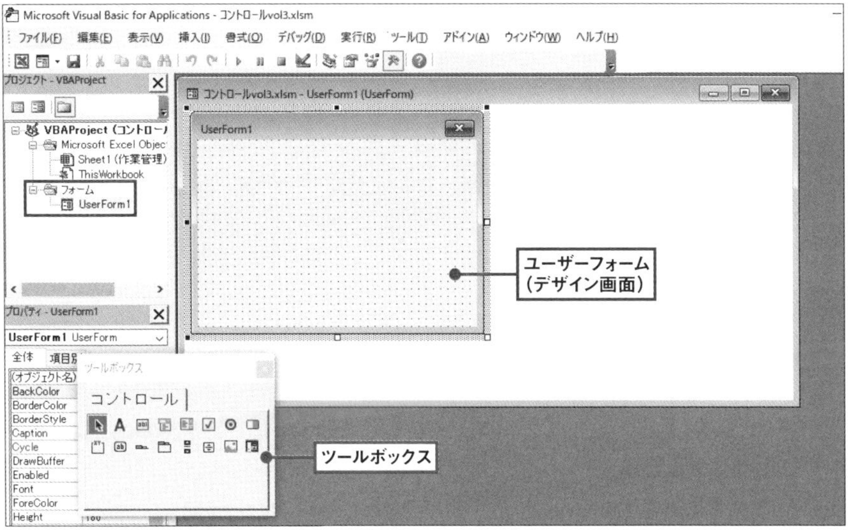

⮉ 図2　プロジェクトの中にユーザーフォームが追加され、右側にそのデザイン画面が表示される。サイズは変更可能で、ここでは下側の点をドラッグして縦方向に伸ばす。フォーム上に配置するコントロールは、「ツールボックス」から選んで作成する

コントロールは、いずれも「ツールボックス」から選んで作成する（図3）。目的のコントロールのボタンをクリックして、フォーム上をドラッグまたはクリックすればよい。ここではまず、複数のコントロールをグループとして表示するための「フレーム」を作成した（図4）。

↖ オブジェクトの選択	A ラベル	▭ テキストボックス	▤ コンボボックス
☰ リストボックス	☑ チェックボックス	◉ オプションボタン	◧ トグルボタン
⬚ フレーム	▭ コマンドボタン	▬ タブストリップ	🗀 マルチページ
⬍ スクロールバー	⬍ スピンボタン	🖼 イメージ	▣ RefEdit

⮉ 図3　「ツールボックス」の各ボタンから、さまざまな機能を持ったコントロールをフォーム上に作成できる

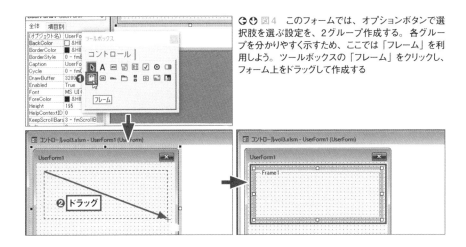

◆◆図4 このフォームでは、オプションボタンで選択肢を選ぶ設定を、2グループ作成する。各グループを分かりやすく示すため、ここでは「フレーム」を利用しよう。ツールボックスの「フレーム」をクリックし、フォーム上をドラッグして作成する

　フレームの左上には「Frame1」などの文字列が表示される。この表示文字列は、「プロパティウィンドウ」の「Caption」プロパティで変更できる。ここでは「入力内容」に書き換えた（図5）。なお、プロパティウィンドウが表示されていない場合は、「表示」メニューをクリックし、「プロパティウィンドウ」を選べば表示される。

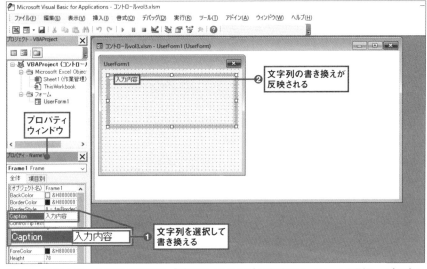

◆図5 作成したフレームの表示文字列は、「プロパティウィンドウ」で変更できる。フレームを選択し、プロパティウィンドウの「Caption」プロパティの右側の設定欄をクリックして、現在の「Frame1」という文字列を選択。「入力内容」に書き換える

　同様に、このフレームの中に4つのオプションボタンを配置して、それぞれの表示文字列を「ブック名」「シート名」「ユーザー名」「指定テキスト」に変更する（図6）。オプションボタンの場合、表示文字列を直接選択して書き換えることも可能だ。このフレームの中にはテキストボックスも配置する。1つのフォーム上でオプションボタンのグループを複数作る場合、通常はGroupNameプロパティで区別する。一方、フレームで分けておけば、その設定は不要になる。

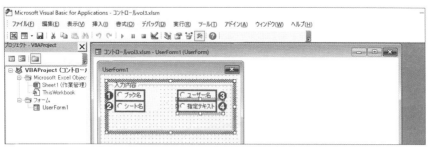

↺ 図6　このフレーム内に4つのオプションボタンを丸数字の順に作成し、それぞれの表示文字列を変更する。やはりプロパティウィンドウの「Caption」プロパティでも変更できるが、文字列をクリックして編集状態にし、直接書き換えることも可能だ

　次にもう一つのフレームを作成して「入力方法」と表示。2つのオプションボタンを配置して「置換」と「追加」と表示。さらにそのフレームの下に2つのコマンドボタンを作成して「OK」と「キャンセル」の表示にした（図7）。

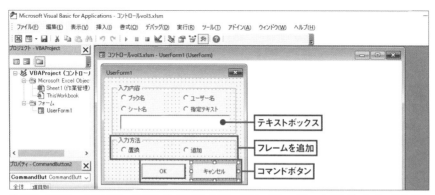

↺ 図7　このフレームの中には、テキストボックスも作成する。さらに、もう一つフレームを作成して、2つのオプションボタンを左→右の順に配置。その下に2つのコマンドボタンを左→右の順に作成して、全ての表示文字列を変更する

　フォーム自体のタイトルも、「Caption」プロパティの設定で変更が可能だ。フォームを選択し、このプロパティを「入力ツール」に変更した。また、各フレームでは、最初に選択されているオプションボタンとして、「ブック名」と「置換」の「Value」プロパティの値をそれぞれ「True」にしておく（図8）。

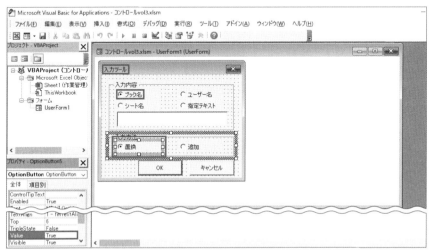

🔵 図8　作成したユーザーフォーム自体のタイトルも、プロパティウィンドウの「Caption」プロパティで「入力ツール」に変更した。また、各オプションボタンのグループでは、初期設定として、「ブック名」と「置換」の「Value」プロパティの値を「True」にしておく

　「OK」のコマンドボタンは「Default」プロパティ、「キャンセル」のコマンドボタンは「Cancel」プロパティを「True」に設定しておくとよい。これで、フォーム表示時に［Enter］キーを押すと「OK」ボタン、［Esc］キーを押すと「キャンセル」ボタンをクリックしたのと同じ結果になる。

フォームのプログラムを作成する

　配置した各コントロールの利用方法としては、オプションボタンなどで操作の詳細を指定し、それに基づいて、コマンドボタンからプログラムを実行するのが、一般的な処理手順だ。デザイン画面でコマンドボタンをダブルクリックすれば、フォーム表示時にそのボタンをクリックすると実行されるイベントマクロの枠組みが自動作成される（図9）。つまり、フォームには、デザイン画面とコードウィンドウという2種類の作業画面が用意されている。

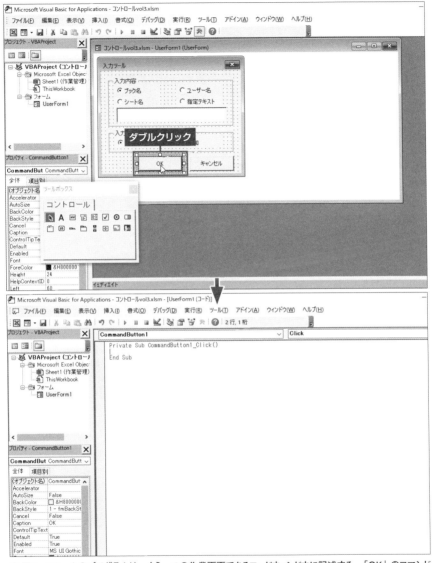

○ 図9 フォームのプログラムは、もう一つの作業画面であるコードウィンドウに記述する。「OK」のコマンド
ボタンをダブルクリックすると、フォームのコードウィンドウが開き、このボタンをクリックしたときに実行されるイ
ベントマクロの枠組みが自動的に作成される

　　まず、「OK」ボタンのイベントマクロとして、ブック名などの情報を選択した
セルまたはセル範囲に自動入力するプログラムを作成した（図10）。

「OK」ボタンで実行されるイベントマクロ

```
Private Sub CommandButton1_Click()

    '変数の宣言
    Dim iText As String
    Dim tRng As Range

    '1番目ならブック名をiTextに代入
    If OptionButton1.Value Then
        iText = ActiveWorkbook.Name

    '2番目ならシート名をiTextに代入
    ElseIf OptionButton2.Value Then
        iText = ActiveSheet.Name

    '3番目ならユーザー名をiTextに代入
    ElseIf OptionButton3.Value Then
        iText = Application.UserName

    'それ以外はテキストボックスの値を代入
    Else
        iText = TextBox1.Value

    End If

    '5番目なら選択範囲にiTextの値を入力
    If OptionButton5.Value Then
        Selection.Value = iText

    Else

        '選択範囲の各セルについて繰り返し
        For Each tRng In Selection

            '各セルの値に変数の値を追加
            tRng.Value = tRng.Value & iText

        Next tRng

    End If

    'ユーザーフォームを隠す
    Me.Hide

End Sub
```

🔷 図10　「CommandButton1_Click」イベントマクロのプログラムとして、設定した内容に応じて、選択範囲の各セルに、自動的に各種の情報を入力するプログラムを記述した

　ここでは最初に、データの一時的な入れ物である2種類の「変数」を宣言（図11）。次に、「If 〜 Then 〜 End If」を使って、最初のフレーム内の各オプションボタンのオン／オフを調べ、選択されたボタンに応じて、以下のような文字列を変数iTextに代入する。「ブック名」の場合、「ActiveWorkbook」プロパティで作業中のブックを表す「Workbook」オブジェクトを取得し、その「Name」プロパティ

でブック名の文字列を求める。「シート名」の場合、「ActiveSheet」プロパティで作業中のワークシートを表す「Worksheet」オブジェクトを取得し、そのNameプロパティでシート名を求める。「ユーザー名」の場合、「Application」プロパティでExcelを表す「Application」オブジェクトを取得し、その「UserName」プロパティで、Excelに設定されたユーザー名を求める。「Else」以降はそれまでの全ての条件に当てはまらない場合の処理であり、ここではテキストボックスに入力された文字列を取り出している（図12）。

'変数の宣言
Dim iText As String
Dim tRng As Range
```

🔎 図11　このプログラムでは2つの「変数」を使用する。変数とは、いわばデータの一時的な入れ物だ。変数を使用する場合、通常は「Dim」という命令で「宣言」する。ここでは、文字列データを収める「iText」と、セルを表すオブジェクトを収める「tRng」を宣言した

```
'1番目ならブック名をiTextに代入
If OptionButton1.Value Then
    iText = ActiveWorkbook.Name

'2番目ならシート名をiTextに代入
ElseIf OptionButton2.Value Then
    iText = ActiveSheet.Name

'3番目ならユーザー名をiTextに代入
ElseIf OptionButton3.Value Then
    iText = Application.UserName

'それ以外はテキストボックスの値を代入
Else
    iText = TextBox1.Value

End If
```

🔎 図12　「入力内容」の各オプションボタンの値を「If 〜 Then」で判定し、その結果に応じた情報を変数iTextに代入する。1番目のボタンが選ばれた場合は作業中のブック名、2番目なら作業中のシート名、3番目ならユーザー名、それ以外はテキストボックスの値だ

　一方、2番目のフレーム内の最初（フォーム全体では5番目）のオプションボタン「置換」がオンだった場合は、「Selection」プロパティで選択したセル範囲を表す「Range」オブジェクトを取得し、その値に変数iTextの値を代入している。対象のセルが複数の場合も、その全セルに同じ値が入力される（図13）。
```

```
'5番目なら選択範囲にiTextの値を入力
If OptionButton5.Value Then
    Selection.Value = iText
```

⊙ 図13 「入力方法」の各オプションボタンの値を判定し、5番目のボタン（置換）が選ばれた場合は、変数iTextの値をそのまま選択中のセルやセル範囲を表す「Selection」の値に代入する。対象のセルに別の値が入力されていた場合も、この入力値に置換される

　そうでない場合、つまり「追加」がオンだった場合は、「For Each 〜 Next」を使った繰り返し処理で、選択範囲の各セルの値を求め、「&」で変数iTextの値をその後に結合して、改めて同じセルの値に代入している（図14）。

```
'選択範囲の各セルについて繰り返し
For Each tRng In Selection

    '各セルの値に変数の値を追加
    tRng.Value = tRng.Value & iText

Next tRng
```

⊙ 図14 「入力方法」で6番目のボタン（追加）が選ばれた場合は、「For Each 〜 Next」を使って、選択範囲の各セルに対する繰り返し処理を実行する。この各セルは変数tRngで表され、その値を取り出して変数iTextの値と結合し、改めて変数tRngの値に代入している

　最後に、このフォームを表す「Me」の「Hide」メソッドで、フォームを非表示にする（図15）。このコードでは、フォームはExcelを終了するまでメモリー上から消去されないため、再びフォームを表示させると、前回設定した内容がそのまま残っている。初期設定の状態に戻してフォームを開くようにする場合は、この部分を「Unload Me」に変更すればよい。

```
'ユーザーフォームを隠す
Me.Hide
```

⊙ 図15 「Me」は、コードが記述されたモジュールに対応するオブジェクトを表すもの。ここではフォーム自体を表す。その「Hide」メソッドで、フォームを非表示にする。メモリーからは消去されていないので、再び表示させた場合、前回の設定値が残っている

　「キャンセル」ボタンのイベントマクロには、この「Me.Hide」の1行の処理だけを記述する（図16）。

「キャンセル」ボタンのイベントマクロ

```
Private Sub CommandButton2_Click()
    Me.Hide
End Sub
```

● 図16　プロジェクトエクスプローラーで「UserForm1」をダブルクリックすると、再びフォームのデザイン画面が表示される。「キャンセル」ボタンをダブルクリックして、そのプログラムを作成しておこう。こちらは、単にフォームを非表示にするだけの処理だ

フォームを呼び出すプログラムを作成する

　Excelの作業画面にフォームを表示するには、実行しやすい「マクロ」のプログラムを利用するとよい。VBEの「挿入」メニューから「標準モジュール」を作成し、その中にSubプロシージャとして記述する（図17、図18）。フォームは、直接「UserForm1」などのように指定し、その「Show」メソッドで表示できる。

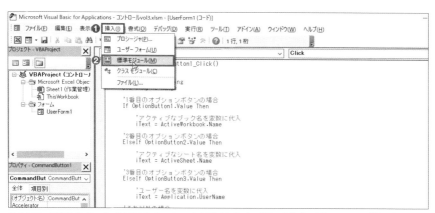

● 図17　実行しやすい「マクロ」として、フォームを呼び出すプログラムを作成しよう。VBEの「挿入」メニューから「標準モジュール」を選ぶ

ユーザーフォームを表示するマクロ

```
Sub 入力ツール表示()

    'ユーザーフォームを表示
    UserForm1.Show

End Sub
```

● 図18　マクロの実体である「Subプロシージャ」のプログラムで、作成したフォームの「UserForm1」を、「Show」メソッドで表示させる

作成したフォームを使ってみる

「開発」タブまたは「表示」タブの「マクロ」をクリックして表示される「マクロ」画面でフォーム呼び出しのマクロを選び、「実行」をクリック（図19、図20）。作成したフォームの画面が表示されたら、オプションボタンなどで入力内容を指定し、「OK」をクリックしよう。これで、設定した内容に応じた情報が、選択範囲の全てのセルに自動入力される（図21、図22）。

↻ 図19　「ブック情報」のセルには、あらかじめ保管用のフォルダーのパスが入力されている。このB6セルを選択し、「開発」タブの「マクロ」をクリックする

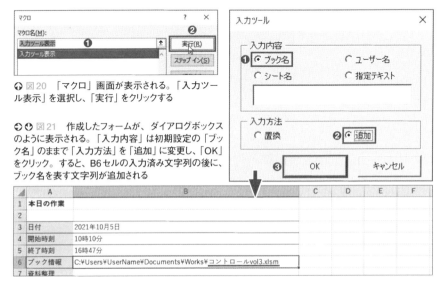

↻ 図20　「マクロ」画面が表示される。「入力ツール表示」を選択し、「実行」をクリックする

↻↻ 図21　作成したフォームが、ダイアログボックスのように表示される。「入力内容」は初期設定の「ブック名」のままで「入力方法」を「追加」に変更し、「OK」をクリック。すると、B6セルの入力済み文字列の後に、ブック名を表す文字列が追加される

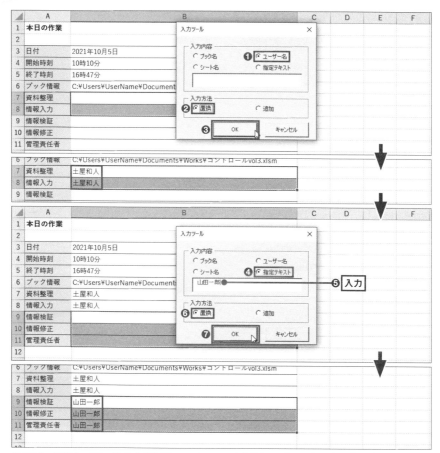

○ 図22　同様に、B7〜B8セルを選択し、このフォームを表示して、「ユーザー名」を「置換」で一括入力。
さらに、B9〜B11セルを選択し、「指定テキスト」の「山田一郎」を一括入力した

Column

ActiveXコントロールとは

　「開発」タブの「挿入」から作成できる「ActiveXコントロール」は、ユーザーフォームと同様のコントロールを、ワークシート上に配置できる機能だ。「開発」タブの「プロパティ」をクリックするとVBEと同様のプロパティウィンドウが表示され、選択したコントロールのプロパティに値を直接指定して、各種の設定を変更できる。フォームコントロールよりもできることは多いが、扱いはやや難しくなる。

Lesson
02

複数のフォームを連携させて使う

　ここでは、複数のユーザーフォームを連携させて利用する例を取り上げる。なお、フォームは、補助画面として常に表示しておく使い方もできる。複数の箇所で処理を連続実行したい場合に便利なので、作例にはその設定も加えておこう。

フォームを作ってモードレスで表示する

　Visual Basic Editor（VBE）を開き、フォーム「UserForm1」を作成（図1）。サイズを調整し、コマンドボタンを4つ配置して、その表示名を、作成順に「文字種変換」「文字列挿入」「ふりがな設定」「閉じる」に変更する。また、フォーム自体の表示名も「編集ツール」に変更しておく。

↻ 図1　まずはVisual Basic Editor（VBE）を開いてフォームを作成し、4つのコマンドボタンを配置して表示文字列などを設定。フォームの表示名は「編集ツール」とした

　一般的なダイアログボックスのように表示するとほかの操作ができなくなる状態を「モーダル」、「検索と置換」画面のように表示したままほかの作業もできる状態を「モードレス」と呼ぶ。フォームをモードレスで表示するには、「ShowModal」プロパティを「False」に変更する（図2）。最初の2つのボタンから実行されるプログラムには、いずれも別のフォームを表示する1行のコードを記述する（図3）。

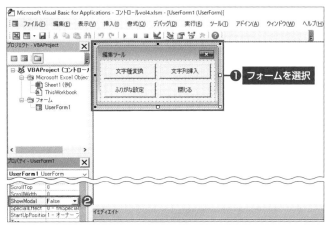

◑ 図2 フォームを選択し、プロパティウィンドウの「ShowModal」プロパティを選択して、その初期値の「True」を「False」に変更する

ボタンから別のフォームを表示するマクロ

```
Private Sub CommandButton1_Click()
    UserForm2.Show
End Sub

Private Sub CommandButton2_Click()
    UserForm3.Show
End Sub
```

◑ 図3 ここでは、「文字種変換」の「CommandButton1」と「文字列挿入」の「CommandButton2」について、それぞれクリックしたとき実行されるプログラムを作成する。いずれも、各処理用に作成したフォームを表示するだけのコードだ

文字種変換のフォームを作る

　次に、「文字種変換」ボタンをクリックすると表示されるフォーム「UserForm2」（文字種変換）を作成しよう（図4）。「ひらがな／カタカナ」「全角／半角」「大文字／小文字」という3種類の変換をまとめて実行するため、それぞれをフレームでグループ化して複数のオプションボタンを配置。さらに、処理実行用の「OK」ボタンと、中止する場合の「キャンセル」ボタンを配置する。なお、各オプションボタンの作成順は、基本的に上側から左→右の順番だが、「大文字／小文字」グループでは「変更なし」より「先頭のみ大文字」を先に作成した。

　「OK」ボタンをクリックすると実行されるプログラムを、このフォームのコードウィンドウに記述する（図5）。各オプションボタンの設定に応じて変換内容を決定し、選択範囲の各セルの文字種を変換していくというのが基本的な流れだ。

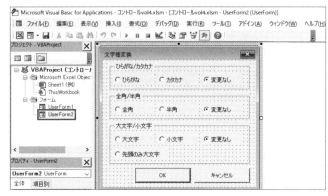

○ 図4　「文字種変換」用の新しいフォームを作成し、各コントロールを配置して、表示文字列などの設定を変更した。フォームに設定されるオブジェクト名は、「UserForm2」になる

「文字種変換」フォームで実行されるマクロ

```
Private Sub CommandButton1_Click()
    Dim henkan As Integer, Rng As Range

    'ひらがな/カタカナの指定をhenkanに代入
    If OptionButton1.Value Then
        henkan = vbHiragana
    ElseIf OptionButton2.Value Then
        henkan = vbKatakana
    End If

    '全角/半角の指定を変数henkanに加算
    If OptionButton4.Value Then
        henkan = henkan + vbWide
    ElseIf OptionButton5.Value Then
        henkan = henkan + vbNarrow
    End If

    '大文字/小文字の指定をhenkanに加算
    If OptionButton7.Value Then
        henkan = henkan + vbUpperCase
    ElseIf OptionButton8.Value Then
        henkan = henkan + vbLowerCase
    ElseIf OptionButton9.Value Then
        henkan = henkan + vbProperCase
    End If

    '選択範囲の各セルを対象に繰り返し
    For Each Rng In Selection

        'henkanの指定内容で文字種を変換
        Rng.Value = StrConv(Rng.Value, henkan)

    Next Rng

    'このフォームを隠す
    Me.Hide

End Sub
```

○ 図5　「文字種変換」フォームの「OK」ボタンをクリックすると実行されるプログラム。各オプションボタンの設定に従って、選択範囲の各セルの文字種を変換する。処理の実行後は、自動的にこのフォームを閉じる

標準モジュールを挿入し、「UserForm1.Show」という1行だけのマクロプログラム「編集ツール表示」を作成し、実行する。ここでは、C4〜C8セルを選択し、「編集ツール」の「文字種変換」をクリック（図6）。「文字種変換」フォームが設定画面として表示されるので、「ひらがな／カタカナ」グループで「カタカナ」を選択し、「OK」をクリックする（図7）。すると、選択範囲のひらがなが全てカタカナに変換され、「文字種変換」画面が閉じる（図8）。

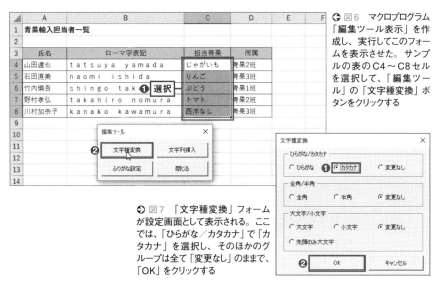

→図6　マクロプログラム「編集ツール表示」を作成し、実行してこのフォームを表示させた。サンプルの表のC4〜C8セルを選択して、「編集ツール」の「文字種変換」ボタンをクリックする

→図7　「文字種変換」フォームが設定画面として表示される。ここでは、「ひらがな／カタカナ」で「カタカナ」を選択し、そのほかのグループは全て「変更なし」のままで、「OK」をクリックする

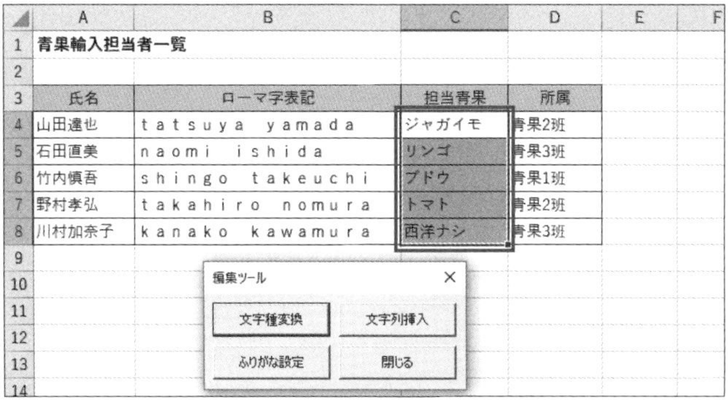

→図8　選択範囲の文字列のひらがなが全てカタカナに変換される。漢字や英数字、もともとカタカナの文字列は変化しない。「文字種変換」画面は自動的に閉じるが、「編集ツール」はそのまま表示されている

「編集ツール」は表示されたままなので、B4〜B8セルを選択し、再び「文字種変換」画面を表示する。「ひらがな／カタカナ」では「カタカナ」を「変更なし」に

戻し、「全角／半角」では「半角」、「大文字／小文字」では「先頭のみ大文字」を
選択して、「OK」をクリック（図9）。これで、選択範囲内の英文字が全て半角に
なり、各単語の先頭文字のみ大文字になる。

⤴ 図9　同じ表のB4〜B8セルを選択し、再び「文字種変換」画面を表示する。「ひらがな／カタカナ」は
「変更なし」、「全角／半角」で「半角」、「大文字／小文字」で「先頭のみ大文字」を選び、「OK」をクリック。
すると、選択範囲の英文字が指定した文字種に変換される

　「文字種変換」のプログラムでは、まず3つのグループごとに、選択されたオ
プションボタンを「If 〜 Then」で判定する。最初の「ひらがな／カタカナ」のグ
ループでは、選択されたオプションボタンに応じた定数を、変数henkanに代入
する（図10）。「定数」とは、特定の数値に付けられた名前のことで、「vbHiragana」
の実際の値は32、「vbKatakana」の実際の値は16だ。これらの定数は、実際に
文字種を変換する「StrConv」関数の引数の指定に使用される。「変更なし」が選
択された場合、変数henkanは何も代入されていない状態（値は0）のままだ。

```
'ひらがな/カタカナの指定をhenkanに代入
If OptionButton1.Value Then
    henkan = vbHiragana
ElseIf OptionButton2.Value Then
    henkan = vbKatakana
End If
```

⤴ 図10　図5の文字種を変換するプログラムでは、まず、1番目のフレームのオプションボタンのオン／オフを「If
〜 Then」で判定し、選択されたボタンに応じた値を変数henkanに代入する

　「全角／半角」グループの処理も同様だが、選択されたオプションボタンに応
じて、定数「vbWide」（実際の値は4）や「vbNarrow」（同8）を、変数henkanに代
入するのではなく、その現在の値に加算する（図11）。StrConv関数では、複数

の設定値の合計を引数に指定することで、複数の種類の変換を一度に実行できる。「大文字／小文字」グループの処理でも、選択されたオプションボタンに応じて、「vbUpperCase」（同1）、「vbLowerCase」（同2）、「vbProperCase」（同3）のいずれかを変数henkanの現在の値に加算する（図12）。

```
'全角/半角の指定を変数henkanに加算
If OptionButton4.Value Then
    henkan = henkan + vbWide
ElseIf OptionButton5.Value Then
    henkan = henkan + vbNarrow
End If
```

⦾ 図11　2番目のフレームのオプションボタンのオン／オフをIf 〜 Thenで判定し、選択されたボタンに応じた定数「vbWide」「vbNarrow」を変数henkanに加算する。StrConv関数は、複数の設定値を合計することで、2種類以上の変換を同時に実行できるためだ

```
'大文字/小文字の指定をhenkanに加算
If OptionButton7.Value Then
    henkan = henkan + vbUpperCase
ElseIf OptionButton8.Value Then
    henkan = henkan + vbLowerCase
ElseIf OptionButton9.Value Then
    henkan = henkan + vbProperCase
End If
```

⦾ 図12　同様に、3番目のフレームのオプションボタンのオン／オフをIf 〜 Thenで判定し、選択されたボタンに応じた定数「vbUpperCase」「vbLowerCase」「vbProperCase」を変数henkanに加算する

　次に、「For Each 〜 Next」の構文で、「Selection」プロパティで取得した選択範囲の各セルを表す「Range」オブジェクトを変数Rngにセットして、処理を繰り返す。「Value」プロパティで各セルの値を取り出し、StrConv関数で変数henkanの指定通りに文字種を変換して、再び同じセルに代入する（図13）。

```
'選択範囲の各セルを対象に繰り返し
For Each Rng In Selection

    'henkanの指定内容で文字種を変換
    Rng.Value = StrConv(Rng.Value, henkan)

Next Rng
```

⦾ 図13　「For Each 〜 Next」で選択範囲の各セルを変数Rngにセットして、処理を繰り返す。StrConv関数は、第1引数に指定した文字列を、第2引数で指定した文字種に変換するVBAの関数。変換された文字列を、改めて各セルの値に代入する

最後に、「Me.Hide」でこのフォームを非表示にする。なお、「キャンセル」ボタンで実行されるプログラムにも、この1行だけのコードを記述している。

文字列挿入のフォームを作る

VBEで、「編集ツール」の「文字列挿入」ボタンをクリックすると表示されるフォーム「UserForm3」（文字列挿入）を作成する（図14）。2つのテキストボックスを配置し、それぞれの左側にラベルで「挿入位置」「文字列」と表示。さらに、「OK」と「キャンセル」のコマンドボタンを配置する。「挿入位置」テキストボックスは、カーソルを置くと自動的に英数入力モードになるように、「IMEMode」プロパティを「2」に変更しておく。

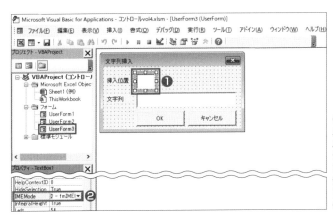

◆図14　「文字列挿入」用の新しいフォームを作成した。「挿入位置」のテキストボックスは、カーソルを置くと自動的に英数入力モードになるように、「IMEMode」プロパティの値を「2」に変更する

「文字列挿入」フォームの「OK」ボタンで実行されるプログラムは、選択範囲の各セルの文字列に対し、「挿入位置」欄に指定された数値の位置に、「文字列」欄の文字列を挿入するものだ（図15）。

ここでは、「編集ツール」フォームを表示した状態でD4〜D8セルを選択し、「文字列挿入」をクリックする（図16）。「文字列挿入」フォームが設定画面として表示されるので、「挿入位置」欄に「2」、「文字列」欄に「第」と入力して、「OK」をクリック（図17）。すると、選択範囲の各セルの2文字目の後に「第」が追加される。なお、「挿入位置」に0を指定した場合は各セルの文字列の前に、数値以外や負の数、または各セルの文字数より大きい値を指定した場合は、各セルの文字列の後ろに「文字列」が追加される。

「文字列挿入」フォームで実行されるマクロ

```
Private Sub CommandButton1_Click()
    Dim ins1 As Integer, ins2 As Integer
    Dim Rng As Range

    '「挿入位置」の指定が数値かどうかを判定
    If IsNumeric(TextBox1.Value) Then
        '変数ins1に「挿入位置」の数値＋1を代入
        ins1 = CInt(TextBox1.Value) + 1
    '数値でなければ変数ins1に0を代入
    Else
        ins1 = 0
    End If
    '選択範囲の各セルについて繰り返し
    For Each Rng In Selection
        'ins1の値に応じて挿入位置をins2に代入
        If ins1 > Len(Rng.Value) Or ins1 < 1 Then
            ins2 = Len(Rng.Value) + 1
        Else
            ins2 = ins1
        End If
        '指定位置に文字列を挿入
        Rng.Value = WorksheetFunction.Replace( _
            Rng.Value, ins2, 0, TextBox2.Value)
    Next Rng
    Me.Hide
End Sub
```

🔿 図15　「文字列挿入」フォームの「OK」ボタンをクリックしたとき、自動的に実行されるプログラムを作成する。選択範囲の各セルの文字列に対し、「挿入位置」で指定した位置に、指定の「文字列」を挿入するプログラムだ。やはり、処理の実行後は自動的に閉じる

🔿 図16　「編集ツール」フォームを表示している状態で、サンプルの表のD4～D8セルを選択し、「編集ツール」の「文字列挿入」ボタンをクリックする

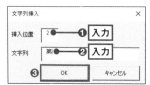

🔿 図17　「文字列挿入」フォームが設定画面として表示される。ここでは、「挿入位置」欄に「2」、「文字列」欄に「第」と入力し、「OK」をクリックする。すると、選択範囲の各文字列の2文字目の後に「第」の文字が追加される

229

　プログラムでは、まず「IsNumeric」関数で、「挿入位置」テキストボックスの値が数値かどうかを判定（図18）。真の場合は、「CInt」関数でその値を数値形式に変換して1を加え、変数ins1に代入。偽の場合、変数ins1に0を代入する。

```
'「挿入位置」の指定が数値かどうかを判定
If IsNumeric(TextBox1.Value) Then
    '変数ins1に「挿入位置」の数値＋1を代入
    ins1 = CInt(TextBox1.Value) + 1
'数値でなければ変数ins1に0を代入
Else
    ins1 = 0
End If
```

🎧 図18　図15の文字列を挿入するプログラムでは、まず、「挿入位置」のテキストボックスに入力された値が数値かどうかを、If ～ Thenと「IsNumeric」関数で判定。結果が真の場合はその値に1を加えた値を、偽の場合は0を、変数ins1に代入する

　次に、選択範囲の各セルを対象とした繰り返し処理で、まず変数ins1の値が、「Len」関数で求めた各セルの文字数より大きいかどうか、または変数ins1が1未満かどうかを判定。真の場合は各セルの文字数＋1を、偽の場合は変数ins1の値をそのまま、変数ins2に代入する（図19）。

```
'選択範囲の各セルについて繰り返し
For Each Rng In Selection
    'ins1の値に応じて挿入位置をins2に代入
    If ins1 > Len(Rng.Value) Or ins1 < 1 Then
        ins2 = Len(Rng.Value) + 1
    Else
        ins2 = ins1
    End If

Next Rng
```

🎧 図19　For Each ～ Nextで、選択範囲の各セルについて処理を繰り返す。まず、If ～ Thenで変数ins1の値がセルの文字数より大きいか、または変数ins1が1より小さいかを判定。真の場合はセルの文字数に1を加えた値を、偽の場合は変数ins1の値を、変数ins2に代入する

　文字列を挿入する処理には、Excelの「REPLACE」関数を使用する。Excelの関数は、「WorksheetFunction」オブジェクトから利用可能だ。この関数は、「文字列」の「開始位置」と「文字数」を指定して、その一部を「置換文字列」に置き換えるもの。「文字数」に「0」を指定することで、「開始位置」の前に文字列を挿

入できる。例えば、2文字目の後に文字列を挿入したい場合、「開始位置」には「3」を指定する。しかし、「挿入位置」としては「2」とした方が分かりやすいため、図18では、「挿入位置」の指定に1を加えている。各セルの文字列の指定位置に「文字列」テキストボックスの値を挿入し、再び同じセルに代入する（図20）。

```
'指定位置に文字列を挿入
Rng.Value = WorksheetFunction.Replace( _
    Rng.Value, ins2, 0, TextBox2.Value)
```

🔊 図20　各セルの値を取り出し、その文字列中の変数ins2で指定された位置に、「文字列」のテキストボックスの値を挿入し、改めて各セルの値に代入している。文字列挿入の処理には、Excelのワークシート関数の「REPLACE」関数を利用している

「文字種変換」や「文字列挿入」を実行すると、対象のセルに設定されていた「ふりがな」が失われる。また、Excelで直接入力せずほかから取り込んだデータにもふりがなはない。「編集ツール」の「ふりがな設定」ボタンのプログラムでは、選択範囲を表すRangeオブジェクトの「SetPhonetic」メソッドで、各セルの漢字から読みを推測して自動設定する（図21）。

「ふりがな設定」ボタンで実行されるマクロ

```
Private Sub CommandButton3_Click()

    'ふりがなを自動設定する
    Selection.SetPhonetic

End Sub
```

🔊 図21　「編集ツール」フォームの「ふりがな設定」ボタンのプログラムを作成する。「Selection」プロパティで選択したセル範囲を表す「Range」オブジェクトを取得し、その「SetPhonetic」メソッドでふりがなを設定するという、1行だけの処理だ

　なお、「編集ツール」の「閉じる」ボタンのプログラム「CommandButton4_Click」は、「Unload Me」の1行のみ。このコードの場合、「Me.Hide」とは違って、フォームがメモリー上から完全に消去される。

新しいコントロールを追加する

ユーザーフォームに配置できるコントロールは、初期状態でツールボックスに表示されているコントロールだけではない。ツールボックスにこれら以外のコントロールを追加して、フォーム上に配置することも可能だ。ここでは、処理の進行状況などを表すのに使われる「プログレスバー」をフォーム上に配置してみよう。

ツールボックス上で右クリックして、「その他のコントロール」を選ぶ（図A左）。表示される「コントロールの追加」画面で、「Microsoft ProgressBar Control, version 6.0」にチェックを付け、「OK」をクリックする（図A右上）。これで、ツールボックスにプログレスバーのボタンが追加される（図A右下）。

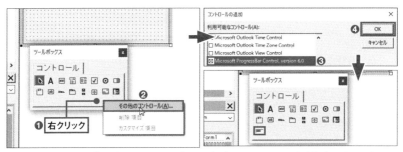

↑ 図A　右クリックで「その他のコントロール」を選び、新しいコントロールを追加することができる

ここからフォーム上にプログレスバーを配置する。このコントロールは、時間のかかる処理の進行状況や、タイムリミットまでの時間経過を示すのに有効だ（図B）。

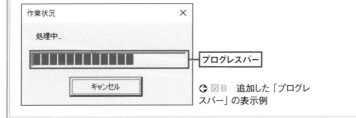

← 図B　追加した「プログレスバー」の表示例

第8章

仕事に役立つ
実用マクロ

Lesson 01 請求書のデータを表に転記する

　ここでは、同じブック内の別のワークシート、あるいは別のブックに作成している請求書のデータを、1つの表（テーブル）に自動的に転記するマクロプログラムを紹介していく。まず、作例のブックの中にある、名前が「請求書」で始まる各ワークシートのデータを、「売上記録」シートに作成した「記録」テーブルに自動的に転記するマクロプログラムを作成しよう（図1）。

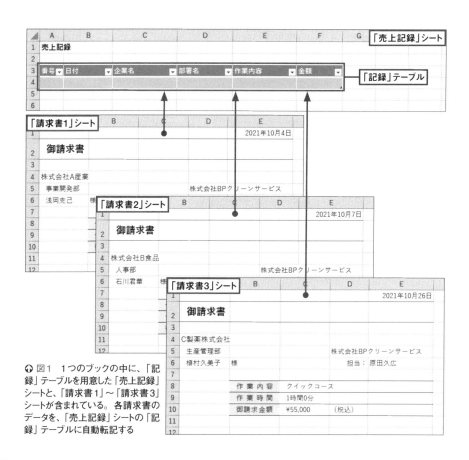

⊙ 図1　1つのブックの中に、「記録」テーブルを用意した「売上記録」シートと、「請求書1」〜「請求書3」シートが含まれている。各請求書のデータを、「売上記録」シートの「記録」テーブルに自動転記する

同じブック内の請求書データを転記する

　「売上記録」シートを表示している状態で、次のマクロ「請求書記録1」を実行する（図2）。すると、このワークシートの「記録」テーブルに、同じブック内の「請求書1」～「請求書3」シートの各データが自動的に転記される。また、「番号」列には、請求書が入力された順番に従って、1から始まる連続番号が自動入力される。

請求書データをテーブルに転記するマクロ

```
Sub 請求書記録1()
    Dim ws As Worksheet , iRow As Range
    '「記録」テーブルの末尾の行の範囲を取得
    Set iRow = Range("A3").End(xlDown).Resize(ColumnSize:=6)
    '全ワークシートについて繰り返し
    For Each ws In Worksheets
        'シート名が「請求書」で始まるか判定
        If ws.Name Like "請求書*" Then
            '対象行の先頭セルが未入力なら1を入力
            If iRow(1).Value = "" Then
                iRow(1).Value = 1
            '未入力でなければ対象行を1行下へ移動
            Else
                Set iRow = iRow.Offset(1)
                '対象行の先頭セルに連続番号を入力
                iRow(1).Value = iRow(1).Offset(-1).Value + 1
            End If
            '各セルのデータを転記
            iRow(2).Value = ws.Range("E1").Value
            iRow(3).Value = ws.Range("A4").Value
            iRow(4).Value = ws.Range("A5").Value
            iRow(5).Value = ws.Range("C8").Value
            iRow(6).Value = ws.Range("C10").Value
        End If
    Next ws
End Sub
```

	A	B	C	D	E	F	G	H	I
1	売上記録								
2									
3	番号	日付	企業名	部署名	作業内容	金額			
4	1	2021/10/4	株式会社A産業	事業開発部	ベーシックコース	¥165,000			
5	2	2021/10/7	株式会社B食品	人事部	バリューコース	¥330,000			
6	3	2021/10/26	C製薬株式会社	生産管理部	クイックコース	¥55,000			
7									

図2　マクロ「請求書記録1」を実行すると、各請求書のワークシートから、日付、企業名、部署名、作業内容、金額のデータが自動的に転記される。「番号」列には連続番号が自動入力される

　まず、「記録」テーブルの左上端のA3セルを表すRangeオブジェクトを取得（図3）。その「End」プロパティで、引数に定数xlDownを指定することで、こ

の列の下方向で連続してデータが入力された最後のセル（終端セル）が取得される。なお、この例のようなテーブルの場合、1行目が未入力であっても、A4セルが終端セルとして判定される。すでに何行かのデータが転記されている場合は、その末尾の行のセルになる。終端セルを表すRangeオブジェクトの「Resize」プロパティで、引数ColumnSizeに「6」を指定して、その列数を6に広げる。このセル範囲を表すRangeオブジェクトを、変数iRowにセットする。

```
'「記録」テーブルの末尾の行の範囲を取得
Set iRow = Range("A3").End(xlDown).Resize(ColumnSize:=6)
```

○ 図3　「記録」テーブルの「番号」列の一番下の行のセルを取得し、列数を6に広げる。つまり、このテーブルの最下行全体のセル範囲を取得し、変数iRowにセットする

　これは、いわばデータの転記先となるセル範囲を、あらかじめ取得しておくための処理だ。この時点で、変数iRowには、「記録」テーブルの末尾の行のセル範囲を表すRangeコレクションがセットされている。この範囲には、通常、すでに転記された請求書のデータが入力されているが、初期状態ではこの「記録」テーブル自体が未入力であり、当然この行の各セルも空白だ。

　対象オブジェクトを省略したWorksheetsプロパティで、作業中のブックの全てのワークシートを表すWorksheetsコレクションを取得（図4）。これをFor Each ～ Nextの対象とすることで、各ワークシートを表すWorksheetオブジェクトが変数wsにセットされ、以降の処理が繰り返される。

```
'全ワークシートについて繰り返し
For Each ws In Worksheets

Next ws
```

○ 図4　Worksheetsコレクションを For Each ～ Next の対象とすることで、作業中のブックの各ワークシートを表す Worksheets オブジェクトを変数wsにセットし、以降の処理を繰り返す

　ただし、処理の対象としたいのは、「請求書○○」という名前のワークシートだけだ。「ws.Name」でシート名を取り出し、Like演算子に「請求書*」という文字列を指定することで、この形のシート名かどうかを判定（図5）。If ～ Then に指定することで、その判定結果がTrueだった場合のみ、以降の処理を実行する。

```
'シート名が「請求書」で始まるか判定
If ws.Name Like "請求書*" Then

End If
```

○ 図5 「ws.Name」で各ワークシートの名前を表す文字列を取得。Like演算子で「請求書*」を指定することで、「請求書」で始まる名前のワークシートのみ、以降の処理を実行する

　前述の通り、変数iRowには、「記録」テーブルの末尾の行を表すセル範囲がセットされている。テーブルが初期状態で未入力の場合はその行自体に、すでに何らかのデータが入力されている場合はその下の行に、請求書のデータを転記していきたい。その判定のためにIf ～ Thenを重ねて使用し、「iRow (1) .Value」でそのセル範囲の最初のセル、つまり「番号」列のセルの値を調べる（図6）。未入力("")だった場合は、そのセルに「1」を入力する。

```
'対象行の先頭セルが未入力なら1を入力
If iRow(1).Value = "" Then
    iRow(1).Value = 1
```

○ 図6 変数iRowにセットされたセル範囲の1番目、つまり左端のセルが未入力("")だった場合、そのセルに「1」を入力する

　そうでない場合、つまりその行にすでにデータが入力されている場合は、Offsetプロパティに「1」を指定してその範囲を1行下にずらしたセル範囲を取得し、改めて変数iRowにセットし直す（図7）。そして、やはりOffsetプロパティでその1行上のセルの値を取得し、その数値に1を加えた値を、そのセル範囲の最初のセル、つまり「番号」列のセルに入力する。

```
'未入力でなければ対象行を1行下へ移動
Else
    Set iRow = iRow.Offset(1)
    '対象行の先頭セルに連続番号を入力
    iRow(1).Value = iRow(1).Offset(-1).Value + 1
```

○ 図7 変数iRowのセル範囲の1番目のセルが未入力でなかった場合は、1行下のセル範囲を改めて変数iRowにセットし直す。そして、その範囲の先頭のセルに、上の行のセルの数値に1を加えた値を入力する

　なお、この行はこの時点ではテーブル外だが、すぐ下の行に入力することで、自動的にテーブルの範囲が拡張される。

　変数iRowにセットされた各行の範囲の2番目のセルに、請求書の各ワークシートのE1セルの値、つまり日付のデータを転記する（図8）。同様に、同じ行の3〜6番目のセルに、それぞれ請求書の各セルの値を取り出して転記していく。

```
'各セルのデータを転記
iRow(2).Value = ws.Range("E1").Value
iRow(3).Value = ws.Range("A4").Value
iRow(4).Value = ws.Range("A5").Value
iRow(5).Value = ws.Range("C8").Value
iRow(6).Value = ws.Range("C10").Value
```

⚙ 図8　変数iRowのセル範囲の2〜6番目（列）の各セルに、対象のワークシートの特定のセルの値をそれぞれ入力していく

開いている全ブックの請求書データを転記する

　同じブック内に別のワークシートとして作成された請求書ではなく、別のブックとして作成された請求書からデータを転記することも可能だ。ここでは、次のような各ブックから、請求書のデータを取り出すマクロを考えてみよう（図9）。

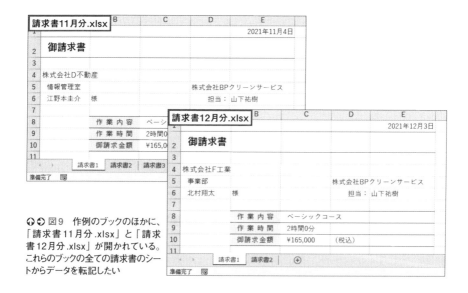

⚙⚙ 図9　作例のブックのほかに、「請求書11月分.xlsx」と「請求書12月分.xlsx」が開かれている。これらのブックの全ての請求書のシートからデータを転記したい

作例のブックの「売上記録」シートを表示している状態で、次のマクロ「請求書記録2」を実行する（図10）。すると、開かれている全てのブックのうち、ファイル名が「請求書」から始まるブックの、シート名が「請求書」から始まるワークシートのデータが、「記録」テーブルに自動転記されていく。ここでは、各シート内のデータに加えて、そのブック名とシート名も自動入力されるようにしている。

ブック名とシート名も記入するマクロ

```
Sub 請求書記録2()
    Dim wb As Workbook, ws As Worksheet, iRow As Range
    '「記録」テーブルの末尾の行の範囲を取得
    Set iRow = Range("A3").End(xlDown).Resize(ColumnSize:=8)
    '開いている全ブックについて繰り返し
    For Each wb In Workbooks
        'ブック名が「請求書」で始まるか判定
        If wb.Name Like "請求書*.xlsx" Then
            '各ブックの全シートについて繰り返し
            For Each ws In wb.Worksheets
                'シート名が「請求書」で始まるか判定
                If ws.Name Like "請求書*" Then
                    '対象行の先頭セルが未入力なら1を入力
                    If iRow(1).Value = "" Then
                        iRow(1).Value = 1
                    '未入力でなければ対象行を1行下へ移動
                    Else
                        Set iRow = iRow.Offset(1)
                        '対象行の先頭セルに連続番号を入力
                        iRow(1).Value = iRow(1).Offset(-1).Value + 1
                    End If
                    '各セルのデータを転記
                    iRow(2).Value = ws.Range("E1").Value
                    iRow(3).Value = ws.Range("A4").Value
                    iRow(4).Value = ws.Range("A5").Value
                    iRow(5).Value = ws.Range("C8").Value
                    iRow(6).Value = ws.Range("C10").Value
                    iRow(7).Value = wb.Name
                    iRow(8).Value = ws.Name
                End If
            Next ws
        End If
    Next wb
End Sub
```

	A	B	C	D	E	F	G	H	I
1	売上記録						ブック名とシート名も自動入力		
2									
3	番号	日付	企業名	部署名	作業内容	金額	ブック名	シート名	
4	1	2021/11/4	株式会社D不動産	情報管理室	ベーシックコース	¥165,000	請求書11月分.xlsx	請求書1	
5	2	2021/11/11	株式会社B食品	人事部	バリューコース	¥440,000	請求書11月分.xlsx	請求書2	
6	3	2021/11/15	株式会社E販売	総務部	クイックコース	¥55,000	請求書11月分.xlsx	請求書3	
7	4	2021/12/3	株式会社F工業	事業部	ベーシックコース	¥165,000	請求書12月分.xlsx	請求書1	
8	5	2021/12/7	G電工株式会社	営業部	バリューコース	¥330,000	請求書12月分.xlsx	請求書2	

図10 マクロ「請求書記録2」を実行すると、開かれている全てのブックのうち、ファイル名が「請求書」で始まるブックの、「請求書」で始まるワークシートのデータが自動転記される

このマクロプログラムの構成は、最初の「請求書記録1」とほぼ同じ。全ワークシートに対する繰り返し処理を、さらに全ブックに対する繰り返し処理の中に入れたようなイメージだ。

まず、やはりデータを記録するための「記録」テーブルの末尾の行のセル範囲を、End プロパティと Resize プロパティを使って取得し、変数 iRow にセットする（図11）。「請求書記録1」との違いは、データを自動入力する「記録」テーブルの列数が増えているのに合わせて、Resize プロパティの引数 ColumnSize に「8」を指定している点だ。

```
'「記録」テーブルの末尾の行の範囲を取得
Set iRow = Range("A3").End(xlDown).Resize(ColumnSize:=8)
```

図11 「記録」テーブルの「番号」列の一番下の行のセルを取得し、列数を8に広げて、変数 iRow にセットする。列数が増えていること以外は、「請求書記録1」と同様の処理だ

対象オブジェクトを省略した Workbooks プロパティで、開かれている全てのブックを表す Workbooks コレクションを取得する。これを For Each 〜 Next に指定することで、各ブックを表す Workbook オブジェクトを変数 wb にセットされ、以降の処理が繰り返される（図12）。

```
'開いている全ブックについて繰り返し
For Each wb In Workbooks

    Next wb
```

図12 全てのブックを表す Workbooks コレクションを For Each 〜 Next に指定することで、各ブックを表す Workbook オブジェクトを変数 wb にセットして、以降の処理を繰り返す

マクロ「請求書記録1」でシート名を判定した処理と同様に、「wb.Name」で各ブックの名前を取得し、Like 演算子で「請求書○○.xlsx」というファイル名かどうかを調べる。判定結果が True であれば、ただの「Worksheets」ではなく、その前に「wb.」と付けることで、このブックの全てのワークシートを表す Worksheets コレクションを取得。これを For Each に指定することで、そのブックの各ワークシートを表す Worksheet オブジェクトを変数 ws にセットして、以降の処理を繰り返す（図13）。

```
'ブック名が「請求書」で始まるか判定
If wb.Name Like "請求書*.xlsx" Then
    '各ブックの全シートについて繰り返し
    For Each ws In wb.Worksheets
```

○図13　「wb.Name」でブック名を取得し、それが「請求書」で始まり拡張子が「.xlsx」かどうかを判定。Trueの場合は、そのブックの全てのワークシートを対象に、以降の処理を繰り返す

　以下、各ワークシートを対象とした繰り返しの処理については、マクロ「請求書記録1」とほとんど同じだ（図14）。ただし、ここでは「記録」テーブルを2列増やしており、その列にブック名とシート名を自動入力する。変数wbには対象のブックを表すWorkbookオブジェクト、変数wsには対象のワークシートを表すWorksheetオブジェクトがセットされているので、それぞれのNameプロパティで取得すればよい。

```
'シート名が「請求書」で始まるか判定
If ws.Name Like "請求書*" Then
    '対象行の先頭セルが未入力なら1を入力
    If iRow(1).Value = "" Then
        iRow(1).Value = 1
    '未入力でなければ対象行を1行下へ移動
    Else
        Set iRow = iRow.Offset(1)
        '対象行の先頭セルに連続番号を入力
        iRow(1).Value = iRow(1).Offset(-1).Value + 1
    End If
    '各セルのデータを転記
    iRow(2).Value = ws.Range("E1").Value
    iRow(3).Value = ws.Range("A4").Value
    iRow(4).Value = ws.Range("A5").Value
    iRow(5).Value = ws.Range("C8").Value
    iRow(6).Value = ws.Range("C10").Value
    iRow(7).Value = wb.Name
    iRow(8).Value = ws.Name
End If
```

○図14　繰り返し処理の内容は、「請求書記録1」とほぼ同様だ。7列目には「wb.Name」で取得したブック名を、8列目には「ws.Name」で取得したシート名を入力している

　なお、請求書のデータが入力された「記録」テーブルを、未入力の初期状態に戻したいときは、全てのデータ行を行単位で選択し、「ホーム」タブの「削除」をクリックすればよい。テーブルの場合、必ず1行はデータ行が必要なので、データ行を全て削除すると、自動的に空のデータ行が作成される。

表のデータから 請求書を連続発行する

Wordには「差し込み印刷」の機能があり、はがきや請求書などのフォーマットに、表のデータを割り当て、複数の宛先向けの書類を連続で印刷できる。この場合、差し込む側のデータにはExcelも使用できるが、フォーマットはWordで作成する。一方、VBAを組み合わせれば、Excelで作成したフォーマットにデータを差し込んで印刷することも可能だ。ここでは、Excelで作成した請求書の各部分に、別表のデータを表示させて印刷する仕組みを作る。

関数を利用した請求書シートを用意する

まず、列の幅や行の高さを調整し、罫線や背景色、配置などの書式を設定して、請求書のフォーマットを整える（図1）。セルの書式設定で、E1セルには「日付」、C10セルには「通貨」の表示形式を設定。さらに、E3セルには数値に「No.」を付けて表示する表示形式を、C9セルには作業時間を「2時間0分」のように表す表示形式を、それぞれ「ユーザー定義」で設定しておく。

⊕ 図1　請求書の体裁は、あらかじめ作成しておく。列の幅と行の高さを調整し、罫線や背景色、配置などの書式を設定。日付や金額には表示形式を設定した。さらに、番号は「No.1」、作業時間は「2時間0分」のように表示されるユーザー定義の表示形式を設定している

　請求に必要な情報は、別のワークシートに「請求」という名前のテーブルを作成し、その各行にそれぞれ1件分のデータを入力しておく（図2）。

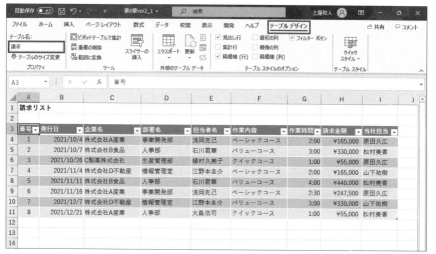

🔾 図2　作成した請求書の各部分に、別途請求リストに記録した取り引きの情報を差し込んで印刷する。この表は、データの蓄積に適した「テーブル」に変換している。さらに、「テーブルデザイン」タブ（またはテーブルツール「デザイン」タブ）の「テーブル名」欄で、「請求」というテーブル名を設定した

❶ =VLOOKUP（E3,請求,2,FALSE）　❺ =VLOOKUP（E3,請求,6,FALSE）
❷ =VLOOKUP（E3,請求,3,FALSE）　❻ =VLOOKUP（E3,請求,7,FALSE）
❸ =VLOOKUP（E3,請求,4,FALSE）　❼ =VLOOKUP（E3,請求,8,FALSE）
❹ =VLOOKUP（E3,請求,5,FALSE）　❽ =VLOOKUP（E3,請求,9,FALSE）

🔾 図3　請求書の中で、取引ごとに変更する部分には、E3セルの番号に基づいて「請求」テーブルからデータを取り出すVLOOKUP関数の数式を入力している。数式はいずれも同様で、引数「列番号」の指定だけを、表示する情報に応じて変えている

次に、「請求書」シートでE3セルの数値を変更すると、その番号に対応する「請求」テーブルの行の情報が、請求書の各部分に自動的に表示されるようにしよう。Excelでは、VLOOKUP（ブイルックアップ）関数の数式を利用することで、比較的簡単にこのような仕組みを実現することができる（図3）。

VLOOKUP関数は、「＝VLOOKUP（検索値, 範囲, 列番号, 検索方法）」という書式で使用する。「範囲」の左端の列で「検索値」を検索し、見つかったセルと同じ行で、左から「列番号」の順番に当たるセルの値を返す。ここでは、E3セルの値を「検索値」として、「請求」テーブルの左端列を検索し、各列のデータを取り出している。

なお、このテーブルのセルに空白セルが含まれていた場合、VLOOKUP関数で取り出すと、空白ではなく「0」になってしまう。取り出すデータが文字列であれば、VLOOKUP関数の前または後に「&」で「""」（空文字列）を結合することで、対象のセルが空白だった場合は、そのまま空白が表示されるようになる。

マクロで請求書番号を更新して印刷する

このままで使う場合、E3セルの番号自体は、やはり手作業で変更する必要がある。また、Excelの標準機能だけでは、「請求」テーブルに入力された複数行の情報を、全て請求書として自動的に印刷することはできない。

そこで、このE3セルの値を、連続で「請求」テーブルの「番号」列の各セルの値に自動変更し、印刷を実行していくマクロ「請求書発行1」を作成した（図4）。請求書のフォーマットとこのマクロを組み合わせることで、Excel単体での差し込み印刷が可能になる（図5）。

差し込み印刷を実行するマクロ

```
Sub 請求書発行1()
    Dim pRow As Range
    ' 「請求」 テーブルの全行を対象に繰り返し
    For Each pRow In Range("請求").Rows
        '各行の 「番号」 列のセルの値を 「請求番号」 セルに入力
        Range("請求番号").Value = pRow.Cells(1).Value
        ' 「請求書」 シートを印刷
        Sheets("請求書").PrintOut
    Next pRow
End Sub
```

🔾 図4　マクロ「請求書発行1」は、Excelだけで"差し込み印刷"を実行するプログラムだ。「請求」テーブルの各行について、その先頭列の「番号」を、「請求番号」という名前を付けたE3セルに自動転記。数式によって内容が変化した請求書を、自動的に印刷する

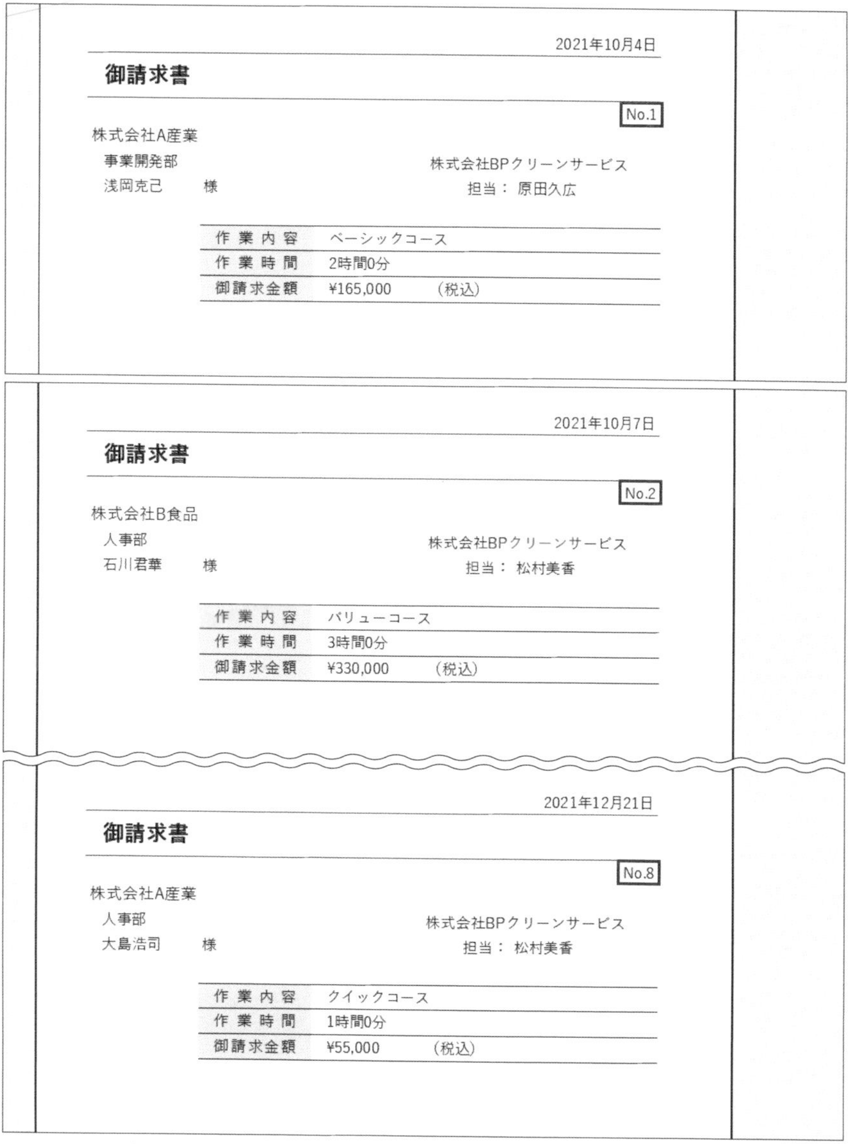

御請求書

2021年10月4日

No.1

株式会社A産業
事業開発部
浅岡克己　　　様

株式会社BPクリーンサービス
担当：原田久広

作 業 内 容	ベーシックコース
作 業 時 間	2時間0分
御 請 求 金 額	¥165,000　　（税込）

御請求書

2021年10月7日

No.2

株式会社B食品
人事部
石川君華　　　様

株式会社BPクリーンサービス
担当：松村美香

作 業 内 容	バリューコース
作 業 時 間	3時間0分
御 請 求 金 額	¥330,000　　（税込）

御請求書

2021年12月21日

No.8

株式会社A産業
人事部
大島浩司　　　様

株式会社BPクリーンサービス
担当：松村美香

作 業 内 容	クイックコース
作 業 時 間	1時間0分
御 請 求 金 額	¥55,000　　（税込）

図5　マクロ「請求書発行1」を実行した。VLOOKUP関数の数式によって、各セルに自動的に「請求」テーブルの情報が表示され、印刷が実行される。この処理は、「請求」テーブルの全ての行について繰り返される

　このマクロのプログラムでは、まずRangeプロパティにテーブル名の文字列を指定して、「請求」テーブルのデータ行の範囲を表すRangeオブジェクトを取

得（図6）。さらにRowsプロパティでその範囲を行単位のRangeコレクションにして、For Each 〜 Nextの対象にしている。これで、テーブルの各データ行を表すRangeオブジェクトが変数pRowにセットされ、以降の処理が繰り返される。

```
'「請求」テーブルの全行を対象に繰り返し
For Each pRow In Range("請求").Rows

Next pRow
```

⤵ 図6　Rangeプロパティの引数にテーブル名の「請求」を指定して、そのデータ範囲を表すRangeオブジェクトを取得。そのRowsプロパティで、範囲を行単位のまとまりに区切り直す。For Each 〜 Nextで、その各行を変数pRowにセットして、以降の処理を繰り返す

各繰り返しの処理では、まず行単位のRangeオブジェクトのCellsプロパティでセル単位のRangeコレクションに区切り直し、インデックスでその1番目のセルを表すRangeオブジェクトを取得（図7）。Valueプロパティでその値を取り出し、「請求番号」という名前を付けた「請求書」シートのE3セルに入力している。

```
'各行の「番号」列のセルの値を「請求番号」セルに入力
Range("請求番号").Value = pRow.Cells(1).Value
```

⤵ 図7　各行を表す変数pRowのCellsプロパティで、Rangeオブジェクトをセル単位に区切り直し、インデックスを指定してその1番目のセルを取得。そのValueプロパティでセルの値を取り出し、「請求番号」という名前のセル（「請求書」シートのE3セル）に入力する

なお、このプログラムでは、セルやセル範囲を取得するRangeプロパティの引数に、テーブル名や、セルに付けた名前をよく利用している。この方法は、どのワークシートにあるセルも、シートを指定することなく、簡単に取得できるというメリットがある。

また、「For Each 〜」の行で、「Range("請求[番号]")」のように指定すれば、「請求」テーブルの「番号」列のセル範囲をそのままRangeコレクションとして取得し、各セルを繰り返し処理の対象とすることができる。この方法なら、RowsプロパティやCellsプロパティの操作も不要だ。ただ、ここでは、後述するマクロ「請求書作成1」のように、行ごとに複数のデータを使用するプログラムへの応用も考慮して、Rangeオブジェクトを行単位で処理する方法にした。

ここまでで、E3セルの数値が変更され、「請求書」シートの内容がその番号の請求書に変化している。Sheetsプロパティで、作業中のブックの全てのシートを表すSheetsコレクションを取得し、インデックスにシート名を指定して、「請求書」シートを表すWorksheetオブジェクトを取得（図8）。その「PrintOut」メソッドで、このシートの印刷を実行する。

```
'「請求書」シートを印刷
Sheets("請求書").PrintOut
```

↻ 図8　Sheetsプロパティで取得したSheetsコレクションに、インデックスとしてシート名を指定し、「請求書」シートを表すWorksheetオブジェクトを取得。そのPrintOutメソッドで、このワークシートを印刷する

なお、実際に印刷する前に、どのように印刷されるかを確認することも可能。PrintOutメソッドの後に、空白を空けて「Preview：= True」を指定すれば、印刷プレビュー画面が表示される。

対象データを絞り込んで印刷する

「請求」テーブルの全ての行のデータを請求書として印刷するのではなく、特定の行だけを指定して印刷したい場合もあるだろう。テーブルの列見出しには最初からフィルターボタン（▼）が表示されており、フィルター機能による表示の絞り込みを簡単に実行できる。これを利用して印刷対象を絞り込めるように改良したのがマクロ「請求書発行2」だ（図9）。

表示行だけ差し込み印刷をするマクロ

```
Sub 請求書発行2()
    Dim pRow As Range
    '「請求」テーブルの表示行を対象に繰り返し
    For Each pRow In Range("請求")
        .SpecialCells(xlCellTypeVisible).Rows
        '各行の「番号」列のセルの値を「請求番号」セルに入力
        Range("請求番号").Value = pRow.Cells(1).Value
        '「請求書」シートを印刷
        Sheets("請求書").PrintOut
    Next pRow
End Sub
```

↻ 図9　マクロ「請求書発行1」は「請求」テーブルの全ての行を印刷するが、目的に応じて印刷する行を限定できればさらに便利だ。マクロプログラム「請求書発行2」では、フィルターなどで非表示になった行を除外し、表示されている行だけを印刷することができる

例えば、「株式会社A産業」宛ての請求書だけを印刷したい場合は、「請求」テーブルの「企業名」列の「▼」をクリックし、表示されるメニューで「株式会社A産業」以外のチェックを外し、この企業名だけにチェックが付いた状態にして、「OK」をクリック（図10）。すると、この会社宛ての請求情報の行だけを残し、それ以外の行は非表示になる。

🔵 図10　テーブルの列見出しには最初からフィルターボタン（▼）が表示されている。「企業名」列の「▼」をクリックし、「株式会社A産業」だけにチェックを付けて、「OK」をクリックする。これで、この会社宛ての請求情報の行以外は非表示になり、マクロ「請求書発行2」で表示行だけの請求書を印刷できる

　この状態で、マクロ「請求書発行2」を実行すると、「株式会社A産業」宛ての請求書だけが印刷される。同様に、「番号」列で特定の番号の行だけを表示させたり、「発行日」列で特定の日付以前または以後のデータだけを表示させたりといっ

た絞り込みもできる。

VBAのプログラムで、表示されている行だけを処理の対象とするには、テーブルのデータ行全体を表すRangeオブジェクトのSpecialCellsメソッドで、引数に定数xlCellTypeVisibleを指定して、対象のRangeオブジェクトの範囲を絞り込めばよい（図11）。

```
'「請求」テーブルの表示行を対象に繰り返し
For Each pRow In Range("請求") _
    .SpecialCells(xlCellTypeVisible).Rows
```

⚙ 図11　このマクロと前のマクロとの違いは、「For Each ～」の行におけるコレクションの指定方法だ。「請求」テーブルのデータ範囲を表すRangeオブジェクトのSpecialCellsメソッドで、その表示行だけを取得。さらに、Rowsプロパティで行単位に区切り直す

請求書は、紙に印刷して郵送するだけでなく、PDFなどのファイルに出力して、メールなどで送付するという使い方もあるだろう。マクロ「請求書発行3」は、「請求」テーブルの表示行の請求情報を、全て請求書のPDFファイルとしてブックと同じフォルダーに出力するプログラムだ（図12）。

請求書をPDFに出力するマクロ

```
Sub 請求書発行3()
    Dim pRow As Range
    '「請求」テーブルの表示行を対象に繰り返し
    For Each pRow In Range("請求") _
        .SpecialCells(xlCellTypeVisible).Rows
        '各行の「番号」列のセルの値を「請求番号」セルに入力
        Range("請求番号").Value = pRow.Cells(1).Value
        '「請求書」シートをPDFに出力
        Sheets("請求書").ExportAsFixedFormat _
            Type:=xlTypePDF, Filename:=ActiveWorkbook.Path _
            & "¥請求書" & pRow.Cells(1).Value & ".pdf"
    Next pRow
End Sub
```

⚙ 図12　請求書をPDFに出力して使用したい場合もあるだろう。マクロプログラム「請求書発行3」では、やはり「請求」テーブルの表示行を対象とした繰り返し処理で、各行の情報を表示した「請求書」シートからPDFを作成する

表示行を対象とする繰り返し処理や「請求番号」セルに「番号」列の各セルの値を入力する操作は、「請求書発行2」と同様。違いは、PrintOutメソッドの代わ

りに、「ExportAsFixedFormat」メソッドを実行している点だ（図13）。PDF形式で出力する場合、このメソッドの引数Typeには定数xlTypePDFを指定する。また、保存ファイル名を設定する引数Filenameには、単にファイル名の文字列を指定してもよいが、ドライブ名から始まる絶対パスで保存フォルダーを指定した方が確実だ。ActiveWorkbookプロパティで作業中のブックを表すWorkbookオブジェクトを取得し、そのPathプロパティでブックの保存場所のパスを表す文字列を取得。フォルダー（ディレクトリ）の区切りを表す「¥」に続けて「請求書」という文字列と請求番号を組み合わせ、さらに拡張子の「.pdf」という文字列を付け加えて、引数Filenameに指定している。これで、ブックと同じフォルダーにPDFファイルが作成される。なお、作業中のブックではなく、このマクロが記述されたブックと同じフォルダーに保存したい場合は、ActiveWorkbookプロパティの代わりにThisWorkbookプロパティを使う。

```
'「請求書」シートをPDFに出力
Sheets("請求書").ExportAsFixedFormat _
    Type:=xlTypePDF, Filename:=ActiveWorkbook.Path _
    & "¥請求書" & pRow.Cells(1).Value & ".pdf"
```

図13 PDF出力には、WorksheetオブジェクトのExportAsFixedFormatメソッドを使用できる。引数TypeにはPDFを表す定数xlTypePDFを、引数Filenameにはファイル名を表す文字列を指定する

それぞれの請求書シートを作成する

この「請求書」シートでは、E3セルの請求番号を変えるだけで請求書の内容全体が変化してしまうため、各請求書そのものがワークシートという形では残らないという問題がある。

そこで、「請求」テーブルの各請求情報に基づき、変化する可能性のある数式を使わない固定のデータが入力された請求書を、それぞれ別のワークシートとして作成するマクロを作成しよう。

ベースとなる請求書のフォーマットからは、あらかじめVLOOKUP関数の数式は消去する（図14）。また、シートを複製したとき、同じ名前の付いたセルが複数のシートに存在するのも紛らわしいので、E3セルの「請求番号」という名前も削除しておく。名前の削除は、「数式」タブの「名前の管理」から実行する。

⊙ 図14　請求書の体裁のシートでは、各セルに入力したVLOOKUP関数の数式を消去。また、E3セルの「請求番号」という名前も削除しておく

　マクロ「請求書作成1」は、この「請求書」シートをブックの末尾に複製し、「請求」テーブルから行ごとに、必要な情報を請求書の各部分に転記するプログラムだ（図15）。やはり、フィルター機能などで行を絞り込んだ状態でこのマクロを実行すると、表示されている行の分だけ「請求書」シートが複製され、その各行のデータが、請求書の対応する箇所に自動的に転記される（図16、図17）。

各請求書を別シートに作成するマクロ

```
Sub 請求書作成1()
    Dim pRow As Range
    ’「請求」テーブルの表示行を対象に繰り返し
    For Each pRow In Range("請求")
        .SpecialCells(xlCellTypeVisible).Rows
        ’「請求書」シートを末尾に複製
        Sheets("請求書").Copy After:=Sheets(Sheets.Count)
        ’複製されたシート名を「請求書」＋番号に変更
        ActiveSheet.Name = "請求書" & pRow.Cells(1).Value
        ’各行の各セルの値を請求書の対応するセルに入力
        Range("E3").Value = pRow.Cells(1).Value
        Range("E1").Value = pRow.Cells(2).Value
        Range("A4").Value = pRow.Cells(3).Value
        Range("A5").Value = pRow.Cells(4).Value
        Range("A6").Value = pRow.Cells(5).Value
        Range("C8").Value = pRow.Cells(6).Value
        Range("C9").Value = pRow.Cells(7).Value
        Range("C10").Value = pRow.Cells(8).Value
        Range("E6").Value = pRow.Cells(9).Value
    Next pRow
End Sub
```

⊙ 図15　マクロプログラム「請求書作成1」では、「請求書」シートをブック内で複製し、その各セルに、「請求」テーブルの表示行の情報を1つずつ転記する

○ 図16　ここでは、「請求」テーブルの「当社担当」列の「▼」からフィルターを設定し、この列のデータが「原田久広」である行だけを表示させた。この状態で、マクロ「請求書作成1」を実行する

○ 図17　「請求書」シートがブックの末尾に3つ複製され、それぞれ表示行の番号を付けて「請求書1」「請求書3」「請求書6」というシート名に変更される。さらに、それぞれの日付や宛先、作業内容や請求金額などの情報が自動的に各シートに転記されている

　「請求」テーブルのデータ行を表しているRangeオブジェクトのSpecialCellsメソッドで、表示されているセルだけを対象としたRangeコレクションを取得し、For Each ～ Nextによる繰り返しの対象とするところまでは、これまでのマクロと同様。各繰り返しの処理では、まず「請求書」シートを表すWorksheetオブジェクトのCopyメソッドで、このシートをブックの末尾に複製する（図18）。ブックの末尾の指定方法としては、SheetsコレクションのCountプロパティでブックのシート数を求め、これをさらにSheetsコレクションのインデックスに指定して、ブックの末尾のシートを表すオブジェクト（通常はWorksheetオブジェクト）を取得。これをCopyメソッドの引数Afterに指定している。

```
’「請求書」シートを末尾に複製
Sheets("請求書").Copy After:=Sheets(Sheets.Count)
```

🔊 図18　For Each 〜 Nextによる繰り返しの部分は、これまでのマクロと同様だ。各繰り返し処理では、まず「請求書」シートを表すWorksheetオブジェクトのCopyメソッドで、このワークシートをブックの末尾に複製する

　複製されたワークシートは、自動的にアクティブな（前面に表示された）状態になるので、ActiveSheetプロパティで、Worksheetオブジェクトとして取得することができる（図19）。そのNameプロパティに対し、「請求書」と請求番号の数字を結合した文字列を設定して、新しい請求書のシート名を変更する。

```
’複製されたシート名を「請求書」＋番号に変更
ActiveSheet.Name = "請求書" & pRow.Cells(1).Value
```

🔊 図19　複製されたワークシートは　通常、そのままアクティブ（前面に表示された状態）になっている。ActiveSheetプロパティでアクティブシートを表すWorksheetオブジェクトを取得し、そのNameプロパティで、シート名を設定している

　さらに、Rangeプロパティで、このアクティブなシートのセルを表すRangeオブジェクトを取得（図20）。「請求」テーブルの各行で、各請求情報が入力されたセルのデータを取り出し、対応する請求書のセルに転記していく。

```
’各行の各セルの値を請求書の対応するセルに入力
Range("E3").Value = pRow.Cells(1).Value
Range("E1").Value = pRow.Cells(2).Value
Range("A4").Value = pRow.Cells(3).Value
Range("A5").Value = pRow.Cells(4).Value
Range("A6").Value = pRow.Cells(5).Value
Range("C8").Value = pRow.Cells(6).Value
Range("C9").Value = pRow.Cells(7).Value
Range("C10").Value = pRow.Cells(8).Value
Range("E6").Value = pRow.Cells(9).Value
```

🔊 図20　For Each 〜 Nextの対象に指定された「請求」テーブルの各表示行について、それぞれCellsプロパティとインデックスを使用して各セルの値を取り出し、アクティブシートの該当するセルに入力していく

請求書の体裁までVBAで作成して印刷する

Lesson

03

Lesson 02の「請求書作成1」では、あらかじめ作成済みのフォーマットに、請求リストからデータを転記して、別シートとして請求書を作成する処理を紹介した。これをさらに発展させ、ひな型のない状態から新しいブックを作成し、レイアウトや書式などを設定して、新しい請求書を完成させるマクロプログラムを紹介する。実際の業務では「請求書作成1」のような方法でも十分だが、本書の総仕上げとして、VBAだけでそこまで作り上げてみよう。

その実行方法も、「マクロ」画面などから選ぶのではなく、請求書を作成するデータの行を選択し、ワークシート上に配置した「ボタン」をクリックするだけで実行できるようにしよう。また、「チェックボックス」を配置し、チェックを付けると自動的に印刷まで実行されるようにする。ボタンやチェックボックスなどには「フォームコントロール」を使用する。

マクロで請求書の新規ブックを作る

まず、完成した作例の使用法を説明しておこう。「請求リスト」シートで「印刷を実行」のチェックを外した状態で、「請求」テーブルで請求書を作成したい行のセルを1つだけ選択し、「請求書作成」をクリックする(図1)。

	A	B	C	D	E	F	G	H	I
1	請求リスト		❷ 請求書作成		☐印刷を実行				
2									
3	番号	企業名	部署名	担当者名	作業内容	作業時間	請求金額	当社担当	
4	1	株式会社A産業	事業開発部	浅岡克己	ベーシックコース	2:00	¥165,000	原田久広	
5	2	株式会社B食品	人事部	石川君華	バリューコース	3:00	¥330,000	松村美香	
6	3	C製薬株式会社	生産管理部	植村久美子	クイックコース	1:00	¥55,000	原田久広	
7	4	株式会社D不動産	情報管理室	江野本圭介	ベーシックコース	2:00	¥165,000	山下祐樹	
8	5	株式会社B食品	人事❶ 選択	石川君華	バリューコース	4:00	¥440,000	松村美香	
9	6	株式会社A産業	事業開発部	浅岡克己	ベーシックコース	2:30	¥247,500	原田久広	
10	7	株式会社D不動産	情報管理室	江野本圭介	バリューコース	3:00	¥330,000	山下祐樹	
11	8	株式会社A産業	人事部	大島浩司	クイックコース	1:00	¥55,000	松村美香	
12									

⬆ 図1 「請求」テーブルで、請求書を作成したい行のセルを選択し、ワークシートの上側に配置された「請求書作成」ボタンをクリックする

新しいブックが作成され、請求書の書式が設定されて、選択したセルの行のデータが自動的に転記されている（図2）。なお、右上の日付は、このマクロを実行して請求書を作成した日になる。

	A	B	C	D	E	F	G	H	I	J
1					2021年8月29日					
2	御請求書									
3										
4	株式会社B食品									
5	人事部			株式会社BPクリーンサービス						
6	石川君華	様		担当：松村美香						
7										
8		作 業 内 容	バリューコース							
9		作 業 時 間	4時間0分							
10		御請求金額	¥440,000	（税込）						
11										

🎵 図2　新しいブックが作成され、請求書のレイアウトや書式が整えられて、「請求」テーブルの選択した行のデータが自動的に転記される

「印刷を実行」にチェックを付けて「請求書作成」をクリックすると、選択したセルの行から請求書が自動作成され、その印刷プレビューが表示される（図3）。

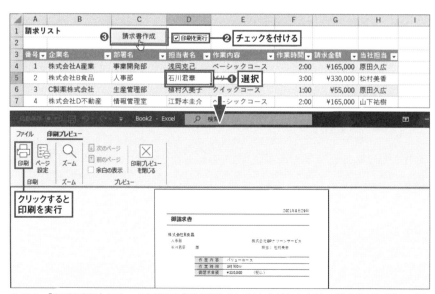

🎵 図3　「印刷を実行」にチェックを付けて「請求書作成」ボタンをクリックすると、請求書が作成され、「印刷プレビュー」画面が表示される。ここで「印刷」をクリックすると印刷できる

　この画面で印刷イメージを確認し、「印刷」をクリックすると、印刷を実行することが可能。また、ここではあえて一度印刷プレビューを表示させているが、直接印刷が実行されるようなコードにすることもできる。

　なお、このマクロのコードで表示される画面は、以前のバージョンのExcelで使用されていた印刷プレビューだ。現在のExcelを操作して表示される印刷プレビューは、「ファイル」タブの「印刷」画面に含まれている。

　さらに、請求リストで複数行のセルを選択して「請求書作成」をクリックした場合、新規作成されたブックに「請求書1」「請求書2」のような名前のワークシートが作成され、選択した各行の請求データに基づく請求書が作成される（図4）。

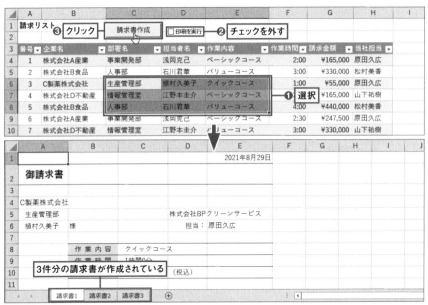

⬆ 図4　「請求」テーブルで複数行を選択して「請求書作成」をクリックした場合、その件数分の請求書を含む新規ブックが作成される。なお、「印刷を実行」のチェックは外した

請求書の体裁をマクロで指定する

　以上のような処理を実現するのが、マクロ「請求書作成2」だ（図5）。やや長いプログラムになってしまったが、処理のほとんどの部分はセルの書式設定と入力で、本書でこれまで説明してきたことの応用と言える。

請求書を新規ブックに作成するマクロ

```
Sub 請求書作成2()
    Dim wb As Workbook, pList As Range, sNum As Integer, pNum As Integer
    '請求リスト内のセルを選択しているか判定
    If Intersect(Selection, Range("請求")) Is Nothing Then
        MsgBox "請求リストの中のセルを選択して実行してください。"
        Exit Sub
    End If
    '選択セルを含む請求リストの行全体を取得
    Set pList = Intersect(Selection.EntireRow, Range("請求"))
    'シート数を選択行数に合わせて新規ブック作成
    sNum = Application.SheetsInNewWorkbook
    Application.SheetsInNewWorkbook = pList.Rows.Count
    Set wb = Workbooks.Add
    Application.SheetsInNewWorkbook = sNum
    '変数pNumを1から選択行数まで変化させて繰り返し
    For pNum = 1 To pList.Rows.Count
        'pNum番目のワークシートを対象に処理
        With wb.Worksheets(pNum)
            'シート名を設定
            .Name = "請求書" & pNum
            '列幅と行の高さを調整
            .Columns("A:C").ColumnWidth = 13
            .Columns("D").ColumnWidth = 10
            .Columns("E").ColumnWidth = 17
            .Rows(2).RowHeight = 33
            '罫線を設定
            With .Range("A2:E2,B8:E10")
                .Borders(xlEdgeTop).Weight = xlThin
                .Borders(xlEdgeBottom).Weight = xlThin
                .Borders(xlInsideHorizontal).Weight = xlThin
            End With
            'フォントの書式を設定
            .Range("A2").Font.Size = 16
            .Range("A2").Font.Bold = True
            .Range("A4").Font.Size = 12
            '表示形式を設定
            .Range("E1").NumberFormatLocal = "yyyy年m月d日;@"
            .Range("C9").NumberFormatLocal = "h時間m分;@"
            .Range("C10").NumberFormatLocal = "\#,##0_);[赤](\#,##0)"
            '配置を設定
            With .Range("A2,A5:A6,C8:C10")
                .HorizontalAlignment = xlLeft
                .IndentLevel = 1
            End With
            .Range("D6").HorizontalAlignment = xlRight
            '配置と塗りつぶしを設定
            With .Range("B8:B10")
                .HorizontalAlignment = xlDistributed
                .IndentLevel = 1
                .Interior.ThemeColor = xlThemeColorAccent1
                .Interior.TintAndShade = 0.8
            End With
            '各セルにデータを入力
            .Range("A2").Value = "御請求書"
            .Range("B6").Value = "様"
            .Range("D5").Value = "株式会社BPクリーンサービス"
            .Range("D6").Value = "担当:"
            .Range("B8").Value = "作業内容"
            .Range("B9").Value = "作業時間"
            .Range("B10").Value = "御請求金額"
            .Range("D10").Value = "(税込)"
            .Range("E1").Value = Date
            '各セルにデータを転記
            .Range("A4").Value = pList(pNum, 2).Value
            .Range("A5").Value = pList(pNum, 3).Value
            .Range("A6").Value = pList(pNum, 4).Value
            .Range("C8").Value = pList(pNum, 5).Value
            .Range("C9").Value = pList(pNum, 6).Value
            .Range("C10").Value = pList(pNum, 7).Value
            .Range("E6").Value = pList(pNum, 1).Value
            '用紙サイズと余白を設定
            .PageSetup.PaperSize = xlPaperB5
            .PageSetup.LeftMargin = Application.CentimetersToPoints(1.3)
            .PageSetup.RightMargin = Application.CentimetersToPoints(1.3)
            'チェックボックスがオンなら印刷プレビューを表示
            If ThisWorkbook.Worksheets(1).Shapes(2).ControlFormat.Value _
                = 1 Then .PrintOut Preview:=True
        End With
    Next pNum
End Sub
```

◎ 図5　マクロ「請求書作成2」は、請求リストから新規ブックに請求書を作成するプログラムだ

　それでは、このマクロプログラムについて詳しく見ていこう。

　「Intersect」メソッドは引数に指定した複数のRangeオブジェクトの共通部分を返すもので、ここではSelectionプロパティで取得した選択範囲を表すRangeオブジェクトと、「請求」テーブルのデータ範囲を表すRangeオブジェクトの共通部分を取得（図6）。共通部分がない場合、つまり「請求」テーブルの中のセルを選択していない場合は、「Nothing」というキーワードで表される状態になる。これをIf 〜 Thenで判定し、Trueの場合はメッセージを表示して、「Exit Sub」でこのプログラムの処理を中止する。

```
'請求リスト内のセルを選択しているか判定
If Intersect(Selection, Range("請求")) Is Nothing Then
    MsgBox "請求リストの中のセルを選択して実行してください。"
    Exit Sub
End If
```

↰ **図6**　選択範囲が「請求」テーブルのデータ行の範囲内かどうかをチェックする。範囲内でなかった場合、メッセージを表示してこのプログラムの処理を中止する

　「請求」テーブル内のセルが選択されていた場合は、選択範囲を表すRangeオブジェクトの「EntireRow」プロパティで、その各セルを含む行全体を表すRangeオブジェクトに拡張（図7）。やはりIntersectメソッドで、その範囲と「請求」テーブルのデータ行の範囲の共通部分を取得する。つまり、選択範囲の各セルを含む「請求」テーブルの行全体の範囲を取得し、変数pListにセットする。

```
'選択セルを含む請求リストの行全体を取得
Set pList = Intersect(Selection.EntireRow, Range("請求"))
```

↰ **図7**　選択範囲を行全体に拡張し、その範囲と、「請求」テーブルのデータ行との共通部分を取得する。つまり、選択範囲を含む「請求」テーブル内の行全体を取得し、変数pListにセットする

　新規ブックのワークシート数を表す「SheetsInNewWorkbook」プロパティの現在の設定値（通常は1）を変数sNumに収め、そのプロパティの値を、変数pListの範囲の行数に変更（図8）。Workbooksコレクションの「Add」メソッドで新しいブックを作成し、戻り値のWorkbookオブジェクトを、変数wbにセットする。その後、SheetsInNewWorkbookプロパティを、元の変数sNumの値に戻す。

```
'シート数を選択行数に合わせて新規ブック作成
sNum = Application.SheetsInNewWorkbook
Application.SheetsInNewWorkbook = pList.Rows.Count
Set wb = Workbooks.Add
Application.SheetsInNewWorkbook = sNum
```

⤷ 図8　Excelの設定で、新規ブックのシート数を、選択範囲の行数に合わせて変更。新規ブックを作成後、新規ブックのシート数の設定を元に戻している

　For ～ Nextの繰り返し処理で、変数sNumの値を1から変数pListの行数まで変化させて、以降の処理を繰り返す（図9）。各繰り返しでは、作成されたブックの全てのワークシートを表すWorksheetsコレクションに、インデックスとして各繰り返しの番号を表す変数pNumの値を指定。その順番のワークシートを表すWorksheetオブジェクトを取得し、Withに指定する。これが、選択範囲の各請求データに基づいて請求書を作成するワークシートとなる。

```
'変数pNumを1から選択行数まで変化させて繰り返し
For pNum = 1 To pList.Rows.Count
    'pNum番目のワークシートを対象に処理
    With wb.Worksheets(pNum)
```

⤷ 図9　For ～ Nextで、変数pListにセットされたセル範囲の行数だけ処理を繰り返す。その各繰り返しの順番に当たるワークシートを対象に、以降の処理を実行する

　変数pNumで指定された順番のワークシートに対して、まずNameプロパティに「請求書」と変数pNumの番号を結合した文字列を代入して、そのシート名を変更する（図10）。次に、A～C列、D列、E列の幅を「ColumnWidth」プロパティで、2行目の高さを「RowHeight」プロパティで、それぞれ変更している。

```
'シート名を設定
.Name = "請求書" & pNum
'列幅と行の高さを調整
.Columns("A:C").ColumnWidth = 13
.Columns("D").ColumnWidth = 10
.Columns("E").ColumnWidth = 17
.Rows(2).RowHeight = 33
```

⤷ 図10　対象のワークシートに「請求書1」のようなシート名を設定。さらに、A～C列、D列、E列の幅と、2行目の高さをそれぞれ変更している

次に、A2〜E2セルと、B8〜E10セルの範囲の上辺と下辺、および内側の水平線に罫線を設定する（図11）。Rangeオブジェクトの「Borders」プロパティで取得できる「Borders」コレクションに、インデックスとして各辺を表す数値（定数）を指定して、各罫線を表す「Border」オブジェクトを取得。その「Weight」プロパティに定数xlThinを指定すると、標準の太さの実線を設定できる。

```
'罫線を設定
With .Range("A2:E2,B8:E10")
    .Borders(xlEdgeTop).Weight = xlThin
    .Borders(xlEdgeBottom).Weight = xlThin
    .Borders(xlInsideHorizontal).Weight = xlThin
End With
```

⬆ 図11　A2〜E2セルとB8〜E10セルの範囲の上辺と下辺、および内側の水平線に、それぞれ罫線として標準の太さの実線を設定している

A2セルのフォントサイズと太字、A4セルのフォントサイズをそれぞれ設定する（図12）。Rangeオブジェクトの「Font」プロパティで、「Font」オブジェクトを取得。その「Size」プロパティで、フォントサイズを数値で設定できる。また、太字にするには、Fontオブジェクトの「Bold」プロパティに「True」を設定する。

```
'フォントの書式を設定
.Range("A2").Font.Size = 16
.Range("A2").Font.Bold = True
.Range("A4").Font.Size = 12
```

⬆ 図12　A2セルのフォントサイズと太字を設定。さらに、A4セルのフォントサイズを変更している

E1セル、C9セル、C10セルに表示形式を設定する（図13）。各Rangeオブジェクトの「NumberFormatLocal」プロパティに、書式記号を表す文字列で設定する。

```
'表示形式を設定
.Range("E1").NumberFormatLocal = "yyyy年m月d日;@"
.Range("C9").NumberFormatLocal = "h時間m分;@"
.Range("C10").NumberFormatLocal = "¥#,##0_);[赤](¥#,##0)"
```

⬆ 図13　E3セルに日付の表示形式、C9セルに時刻（時間）の表示形式、C10セルに通貨の表示形式を、それぞれ設定する

　A2セルとA5〜A6セル、C8〜C10セルのデータは、左端から1段階インデント（字下げ）する（図14）。文字の配置（横位置）を表す「HorizontalAlignment」プロパティに、「左ぞろえ」を意味する定数xlLeftを指定。さらに、インデントの設定として、「IndentLevel」プロパティに「1」を指定する。また、D6セルは右ぞろえで表示するため、HorizontalAlignmentプロパティに定数xlRightを指定する。

```
'配置を設定
With .Range("A2,A5:A6,C8:C10")
     .HorizontalAlignment = xlLeft
     .IndentLevel = 1
End With
.Range("D6").HorizontalAlignment = xlRight
```

◐ 図14　A2セル、A5〜A6セル、C8〜C10セルは、いずれも左ぞろえにして1段階のインデントを設定する。また、D6セルは右ぞろえにする

　B8〜B10セルは均等割り付けで表示し、やはり左右の端から1段階インデントする（図15）。HorizontalAlignmentプロパティに定数xlDistributedを設定。さらに、IndentLevelプロパティに1を設定する。これで、この縦に並んだ各セルの文字列は、左右が少し空いて、同じ横幅で表示されるようになる。

```
'配置と塗りつぶしを設定
With .Range("B8:B10")
     .HorizontalAlignment = xlDistributed
     .IndentLevel = 1
```

◐ 図15　B8〜B10セルの文字列は、全て同じ横幅にそろえて表示したい。横位置の配置を「均等割り付け」に設定し、さらに1段階のインデントを設定する

　B8〜B10セルには、さらに塗り潰しの色も設定する（図16）。「Interior」プロパティで、セルの塗り潰しの設定を表す「Interior」オブジェクトを取得。その「ThemeColor」プロパティで、セルのテーマの色を設定できる。ここでは定数xlThemeColorAccent1で、「アクセント1」を設定。さらに、「TintAndShade」プロパティに「0.8」を指定して、その色の濃淡を設定する。この設定値は1〜−1の範囲の小数（パーセンテージ）で、0を標準の濃さとして、1に近づくほど薄く（白に近く）、−1に近づくほど濃く（黒に近く）なる。ここでの操作は、最近のバージョンのExcelでは、「青、アクセント1、白＋基本色80％」の設定に相当する。

```
        .Interior.ThemeColor = xlThemeColorAccent1
        .Interior.TintAndShade = 0.8
End With
```

⤵ 図16　B8〜B10セルのテーマの色を「アクセント1」に、濃淡の度合いを「0.8」に設定する。これは、最新のExcelでは「青、アクセント1、白＋基本色80％」に相当する色だ

　ここまでで、書式の設定が一通り完了したので、各セルにまず固定的な文字列から入力していこう（図17）。A2セルに「御請求書」、B6セルに「様」といった文字列だ。また、E1セルにはVBAの「Date」関数を指定して、この作業当日の日付を入力する。

```
'各セルにデータを入力
.Range("A2").Value = "御請求書"
.Range("B6").Value = "様"
.Range("D5").Value = "株式会社BPクリーンサービス"
.Range("D6").Value = "担当："
.Range("B8").Value = "作業内容"
.Range("B9").Value = "作業時間"
.Range("B10").Value = "御請求金額"
.Range("D10").Value = "（税込）"
.Range("E1").Value = Date
```

⤵ 図17　各セルに、どの請求書でも共通する基本的なデータから入力していく。また、VBAの「Date」関数で今日の日付を求めて、E1セルに入力する

　次に、販売データごとに変化する情報を、選択した販売リストの一部の範囲から取り出して、各セルに入力していく（図18）。変数pListにセットしたセル範囲から、行番号として変数pNumの値を、列番号として2〜8を指定して対象のセルを特定し、その値を各セルに転記する。

```
'各セルにデータを転記
.Range("A4").Value = pList(pNum, 2).Value
.Range("A5").Value = pList(pNum, 3).Value
.Range("A6").Value = pList(pNum, 4).Value
.Range("C8").Value = pList(pNum, 5).Value
.Range("C9").Value = pList(pNum, 6).Value
.Range("C10").Value = pList(pNum, 7).Value
.Range("E6").Value = pList(pNum, 8).Value
```

⤵ 図18　請求書の各情報を「請求」テーブルの対象の行の各列のセルから取り出し、請求書の中の対応するセルに入力していく

印刷する用紙サイズと左右の余白を設定する（図19）。ページ設定は
Worksheetオブジェクトの「PageSetup」プロパティで取得できる「PageSetup」
オブジェクトのプロパティとして設定する。用紙サイズは「PaperSize」プロ
パティで、B5サイズを表すxlPaperB5などの定数で指定できる、左の余白は
「LeftMargin」プロパティ、右の余白は「RightMargin」プロパティで、「ページ
設定」画面での設定値はcm単位だが、これらのプロパティの設定値はポイント
単位なので、Applicationオブジェクトの「CentimetersToPoints」メソッドで、
「1.3」cmをポイント単位に変換し、設定している。

```
'用紙サイズと余白を設定
.PageSetup.PaperSize = xlPaperB5
.PageSetup.LeftMargin = Application.CentimetersToPoints(1.3)
.PageSetup.RightMargin = Application.CentimetersToPoints(1.3)
```

⊙ 図19　作成した請求書のワークシートのページ設定を実行する。用紙サイズをB5に、左右の余白を1.3cm
にしている

　最後に、チェックボックスの状態を判定し、オンであれば印刷を実行する（図
20）。このマクロが記述されたブックの最初のワークシートの「Shapes」プロパ
ティで、図形などの描画オブジェクトの集合を表す「Shapes」コレクションを取得。
インデックスとして「2」を指定して、チェックボックスを表す「Shape」オブジェ
クトを取得する。その「ControlFormat」プロパティで、コントロールとしての
機能を表す「ControlFormat」オブジェクトを取得し直し、その「Value」プロパ
ティでコントロールの値を調べる。チェックがオンなら「1」、オフなら「-4146」だ。

```
'チェックボックスがオンなら印刷プレビューを表示
If ThisWorkbook.Worksheets(1).Shapes(2).ControlFormat.Value _
    = 1 Then .PrintOut Preview:=True
```

⊙ 図20　チェックボックスにチェックが付いている状態であれば、印刷プレビューを実行する。印刷プレビュー
を表示せず、直接印刷してよければ、「Preview：＝True」を削除する

　Worksheetオブジェクトの「PrintOut」メソッドで印刷を実行する。ここでは
事前に印刷プレビューを確認するため、引数Previewに「True」を指定した。直
接印刷してよい場合は、この引数を削除する。

マクロ実行用のコントロールを配置する

　ここまでで、マクロ「請求書作成2」自体は完成した。次に、クリックだけでこのマクロを実行できる「ボタン」を、「請求リスト」シートに作成する手順を紹介していこう。コントロールには「フォームコントロール」と「ActiveXコントロール」の2種類があるが、ここではフォームコントロールを使用する。

　「開発」タブの「挿入」をクリックし、「フォームコントロール」の「ボタン（フォームコントロール）」を選ぶ（図21左）。そして、図形の作成時と同様に、ボタンを配置したい位置とサイズでワークシート上をドラッグする（図21右）。

🕐 図21 「開発」タブの「挿入」をクリックし、「ボタン（フォームコントロール）」を選択。ボタンを作成したい位置とサイズでワークシート上をドラッグする

　ボタンを作成すると、「マクロの登録」画面が表示される（図22）。ここでは「請求書作成2」を選択し、「OK」をクリックする。

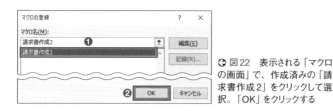

🕐 図22 表示される「マクロの画面」で、作成済みの「請求書作成2」をクリックして選択。「OK」をクリックする

　作成したボタンは選択された状態になっている（図23）。この状態で、ボタン上の文字列を選択し、「請求書作成」に書き換える。

○ 図23　選択されている状態のボタンは、表示されている文字列をドラッグで選択し、書き換えることができる。ここでは「請求書作成」に修正した

　ワークシート上の適当な位置をクリックしてボタンの選択を解除し、改めてボタン上にマウスポインターを合わせると、人差し指を伸ばした手の形になる。ただし、この時点ではまだチェックボックスを作成していないため、クリックしてマクロを実行するとエラーになる。また、クリック操作がマクロ実行になっているので、サイズの変更や移動、設定の変更のための選択状態にはならない。コントロールを選択するには、[Ctrl]キーを押しながらクリックすればよい。

　同様に、「開発」タブの「挿入」から「フォームコントロール」の「チェックボックス（フォームコントロール）」を選んで、ワークシート上にチェックボックスを作成（図24左）。その表示文字列を「印刷を実行」に変更する（図24右）。やはり一度選択状態を解除して、クリックするとオン／オフが切り替わることを確認しよう。以上で、マクロで請求書を自動作成する作例の完成だ。

○ 図24　同様に、「開発」タブの「挿入」から「チェックボックス（フォームコントロール）」を選び、ワークシート上にチェックボックスを作成。表示文字列を「印刷を実行」に変更する

ワークシートで使える関数を作る

普通のマクロとは違うVBAの利用法として、ワークシートで使える「ユーザー定義関数」がある。これは、Excelの数式で使用できる関数を、VBAのプログラムとして作成できる機能だ。

これまで説明してきた通り、Excelのマクロの実体は、標準モジュールの中に記述したSubプロシージャ、つまり「Sub マクロ名 ()」の行で始まり、「End Sub」で終わるプログラムだ。この「Sub」の部分を「Function」に変えたものが、ユーザー定義関数の実体である「Functionプロシージャ」だ。

Functionプロシージャ自体はVBAのプログラムの一種であり、VBAの関数と同様に、ほかのプログラムから呼び出す形で利用することができる。プロシージャ名の後の「( )」に「引数名」を設定しておくことで、呼び出す側が指定した値がこの引数名に代入され、プログラムの中で使用可能。Subプロシージャとの最も大きな違いは、最後にプロシージャ名自身に値を代入する形で、「戻り値」を指定できることだ。

例えば、図Aの「TriangleArea」は、引数「底辺」と「高さ」に値を指定すると、それぞれの値に基づく三角形の面積を計算して返すFunctionプロシージャだ。

```
Function TriangleArea(底辺 As Double, 高さ As Double) As Double
    TriangleArea = 底辺 * 高さ / 2
End Function
```

◑ 図A　三角形の面積を計算するFunctionプロシージャ

この「TriangleArea」は、VBAのプログラムとしても利用できるが、Excelの数式でもユーザー定義関数として利用することが可能だ（図B）。

◐ 図B　Functionプロシージャはワークシートの数式でも利用できる

索引

日経パソコン

1983年10月創刊のパーソナルコンピューティングに関する総合情報誌。パソコンとインターネット、スマートフォンや各種デジタル機器を使いこなすための活用情報、最新ニュース、スキルアップ情報などを提供。予約購読制で月2回、読者の元に直接届けられる。Webサイト「教育とICT Online」や教育機関向けクラウドサービス「日経パソコンEdu」なども提供する。

土屋 和人

フリーランスのライター・編集者。ExcelとVBAに関する書籍を多数執筆。現在、日経パソコンと日経PC21でExcelやプログラミング関連の講座を連載中。

知識ゼロでも基礎から学べる
ビジネスExcel VBA入門

2021年10月25日	第1版第1刷発行	

著　　　　者	土屋 和人	
編　　　　集	西山 博(日経パソコン)	
協　　　　力	阿部 香織	
発　行　者	中野 淳	
発　　　行	日経BP	
発　　　売	日経BPマーケティング	
	〒105-8308　東京都港区虎ノ門4-3-12	

装　　　　丁	小口翔平＋阿部早紀子(tobufune)	
本文デザイン・制作	Club Advance	
印　刷　・　製　本	図書印刷株式会社	

ISBN978-4-296-11081-0